林　弘子

（2013年撮影）

Scholar, Lawyer and University President

# 林 弘子

## その七十三年の生涯と活動

『林弘子追悼文集』編集刊行委員会 編

鉱脈社

# 刊行にあたって

『林弘子追悼文集』を出版したいとの永年の思いがようやく実現することになりました。

林が平成二十八年（二〇一六）十一月二十一日に突然旅立ってから四年が過ぎようとしています。最終の取りまとめに取り掛かかりましたのが、元号も改まって令和二年となりましたが、追悼文集を作成して、林弘子の生涯と実績を遺したいという初心の思いは今も変わりありません。

追悼文集を企画しまして、真っ先にしましたことは、ご遺族様から出版することのご了解を得ることでした。次に、発起人は、福岡大学林弘子ゼミナールＯＢ・ＯＧ会（福大法学部）武藤康之会長、それに最後の勤務先になりました宮崎公立大学を代表して、有馬晋作学長と上原道子理事にお願い申し上げ、友人の坂岡庸子が加わりました。広範な方々から追悼文をお願いすることにし寄稿者の推薦などのお手伝いもいただきながら、事務局を出版元の鉱脈社に置き、追悼文集出版の作業が始まりました。

どのような趣旨で皆々様方に追悼文をご依頼申し上げたのかは、以下に依頼状を掲載させていただきます。発送は、令和元年（二〇一九）九月三十日付でいたしました。

『前略御免下さいませ

林弘子があまりにもあっけなくあの世に旅立ってしまい、置いてきぼりされた私は、偲ぶ会の企画や参列していただいた方々、生前親しかった方々に、林弘子が生きた証として、追悼集刊行をと考えるようになりました。

二〇一八年九月二日に、坂岡・林ともに知人（宮崎市在住）の方にも同席してもらい、宮崎市の出版社鉱脈社で、川口社長・藤本編集長のお二人に私の出版の意図と構想を聞いてもらいました。その後、林の原稿の校正をしていた、福岡市在住の坂岡（日本語論文）、ステファニーA・ウエストンさん（英語担当）、江崎康子さん（日本語翻訳）と数回会合を重ねて、企画書を作成し、出版社を宮崎市の鉱脈社に決めて、二〇一九年二月九日に鉱脈社で出版までのスケジュールならびに具体的な行動計画作成にとりかかりました。その後、林と深いかかわりのあった方とも話し合いを致しました。

出版する価値はあるから発刊に向けて動こうとなりました。その時社長さんから、林の人となりを、読者がイメージしやすい表現をしていただくためには、林の在りし日を偲ぶだけではなく、林とともに輝いている寄稿者の姿がわかるような、「林と私とのあの時この時」を書いてもらう。団体活動面では、林と共同活動をしていた熱い日々もありましたが、林は大学研究者ですから、会の活動への参加には限度があります。特に宮崎公立大学学長になってからは、大学で開催された学会やイベントに参加をしていただく等と、交流の仕方も様変わりしながらも継続していました。これらの団体が「今何をしているのか」がわかる内容があれば、「人間　林弘子」をタイトルに掲げられるような追悼集になるのではないか。このような持ちつ持たれつの関係を鮮明に描ければ、えてして社会的弱者ほど、同類の足を引っ張るという側面が強調されがちですが、そうでない関係性もあるということが発信できれば、当事者集団である女性団体の活動の意義を改めて見直す機会にもなりますし、さらには、男女の共生よりも世代間共生が困難になりだした現在、未来に向けたジェンダー・イクオリティを模索するきっかけにもなるのではと考えています。

林は、いつも、今を一生懸命生きるタイプの人で、あそこまで懐古趣味のない日本人は珍しいのではないかと思うような性格でした。今を完全に生き切り、前進あるのみの人で、過去は全て、終わったことは消すことも改善することもできない事実と受け止め、意味のある失敗と成功だけを、今日と明日をつなぐ命の糧として精進していました。天才とは、努力する能力を持っている人とよく言っていました。

私もようやく林のことを、死者として受容できる心境になりました。たくさんの方からのご寄稿と作成作業のご支援を、お願い申し上げます。大変なご協力のわりにはささやかすぎて申し訳ありませんが、献本でお礼に代えさせていただきます。なお、寄付などはご遠慮させていただきます。』

発起人

宮崎公立大学学長　有馬　晋作

宮崎公立大学理事　上原　道子

福岡大学林弘子ゼミナール
ＯＢＯＧ会会長　武藤　康之

友人　坂岡　庸子

# 目次

刊行にあたって …… 1

序にかえて――宮崎公立大学葬での挨拶から

葬送の辞 …… 宮崎公立大学葬委員長 田原健二 16

弔辞 …… 宮崎市長 戸敷正 18

学生代表挨拶 …… 人文学部 吉野全洋 20

挨拶 …… 宮崎公立大学葬副委員長 田中宏明 23

## 第1部 Scholar, Lawyer and University President

林弘子 その七十三年の生涯と活動

### chapter 1 語りつぐ林弘子――その生涯と活動 …… 28

一 研究者・法学者として日米の活動の架け橋に …… 28

二 日本初のセクハラ裁判勝利へ鑑定意見書 …… 29

三　働く女性の地位改善へ。視野を海外にも広げて運動を支援――WWVと林―― 31
四　林のコーディネート力があればこそ――ペイ・エクイティ調査・研究ツアー―― 34
五　住友メーカー裁判では国際世論を味方に――WWNと林―― 36
六　『1946・4・10　日本女性自立への出発（たびだち）』――「一冊の会」と林―― 38
七　地域に開かれた大学づくり。宮崎公立大学学長に就任 41
八　世界に視野を広げて――イギリスやハワイの大学との交流協定締結―― 44
九　自ら仕込みもてなす――ハワイ大学との交流協定締結記念行事―― 46
十　真の男女共同参画社会実現へ――託されたメッセージ―― 48

林　弘子　略年表（宮崎公立大学作成） 50
林　弘子　著作一覧（福岡大学HP書籍等出版物より） 53
轍――林先生とWWV（WWV作成） 55

*chapter*
# 2
## わが友へのオマージュ

――日米の懸け橋を志し　時代に愛された人――　坂岡庸子 59
プロローグ 59
林との出会い 63
林のお母さんとのこと 66
林と受洗 70
林と芸術 71
エピローグ 74

# 第2部 思い出の中から ― 林 弘子とのあの日あの時


## *chapter* 1 九州大学大学院生から助手の時代 ― 80

林 弘子さんの想い出さまざま …… 石橋美恵子 80

林 弘子さんとの思い出 …… 手塚千鶴子 83

林 弘子先生を偲ぶ …… 阿部和光 85

林 弘子さんのこと …… 植木とみ子 97

## *chapter* 2 熊本商科大学の時代と研究者としての出発 ― 101

林 弘子先生を追悼して …… 目黒純一 101

林 弘子さんとの想い出 …… 井上勝子 104

「雅知哉（がちや）工房」の日々 …… 川崎クニ子 107

一編集者の印象から …… 奥村邦男 109

林 弘子さん断章 …… 大橋 將 110

林 弘子先生 …… 藤原精吾 113

林 弘子教授の危険有害業務就労拒否権 …… 山田 晋 115

*chapter* 3

## 福岡大学に移って。セクハラ裁判のこと …… 118

林　弘子教授を追悼して …… 石村善治 118

「あのねぇ〜」が始まり …… 砂田太士 120

林　弘子先生追悼の書 …… 八谷武子 122

林　弘子先生のこと ― 福岡セクハラ事件での出会いから …… 角田由紀子 125

弘子先生！　出会いに感謝！ …… 清水純子 127

林　弘子先生を偲ぶ …… 浅倉むつ子 130

*chapter* 4

## 働く女性の地位向上へ、連帯の橋わたし …… 135

林　弘子先生、ありがとう！　ＷＷＮと世界を結びつけてくださって!! …… 越堂静子 135

［付］ＷＷＮの二十年間の国際活動 …… 141

林　弘子先生との出会い　そして共にあった日々のこと …… 大槻明子 143

豪快さと温かさと ― 林　弘子先生の思い出 …… 林　陽子 149

ホテルで働く魅力 〜縁（えにし）で紡がれたリーガルマインド〜 …… 内田賢一 152

林　弘子先生は市川房枝だった？ …… 神尾真知子 155

林　弘子さん　私といつも議論してくれてありがとう。 …… 伊藤みどり 158

林さんからの画 …… 赤松良子 160

林　弘子教授との思い出 …… 江﨑康子 162

chapter 5 福岡で暮らして 167

林 弘子さんと私 …… 岩下早苗 167
林 弘子先生、たくさんの愛をありがとうございました。 …… 村山由香里 170
林先生と就職サブゼミと私の転職。そして政治へ。 …… 成瀬穫美 172
林 弘子先生との思い出 …… 佐﨑和子 176

chapter 6 ゼミ生（OB・OG）の思い出 179

"Learned the hard way" …… 武藤康之 179
恩師の背中を追いかけて …… 吉峯季宏 180
先生に出会えて、本当によかった …… 伊勢久忠 182
林先生との思い出 …… 岩川頼通 184
「人を待たせることは……」の教えを胸に …… 宮崎大士 191
林先生を偲んで …… 井口嘉健 192
林 弘子先生との思い出 …… 坂本公子 193
教えは家族の中に生きつづけています …… 才賀敦・真美 194
「ごめんなさい」ばかりですがご縁に感謝しています …… 山田敏正 195
Everything Must Go …… 鹿島敬宏 197
「三つの質問を考えるクセ」が身についてきました …… 豊田克彦 200
林 弘子先生を偲ぶ …… 山岡巖 201
林教授からのmessage …… 香月恭弘 203

林 弘子先生を偲ぶ …… 徳永明日香 206

chapter 7 宮崎公立大学学長の時代 209

林 弘子学長と英国国立スターリング大学 …… 関 妙子 209
先駆者としての林 弘子先生 …… 漆原朗子 212
豪快なオルガナイザー・林 弘子 ―ハワイ大学交流締結記念パーティのこと― …… 木本喜美子 216
浮雲のような人 …… 渡邊綱纜 219
十一月に想う …… 興梠マリア 222
弔辞 …… 興梠英樹 227
凛とした立姿への想い …… 金丸健二 231
故林 弘子前学長と宮崎公立大学 …… 有馬晋作 233

chapter 8 より良い国際社会を求めて 236

Excerpt from "A Change Agent for U.S.-Japan Relations-Labor Law Specialist Hiroko Hayashi" …… Stephanie A. Weston 236
Commemorative Message for Professor Hiroko Hayashi …… Linda Weir 242
"Hiroko:Scholar, Teacher, Warrior, Friend" …… Joyce Najita 245
TRIBUTE TO PROFESSOR HIROKO HAYASHI …… Joan Lee Husted 248
Hiroko Hayashi, A fond remembrance and celebration of life …… Joyce Gelb 250
Commemorative Message …… Gay Satsuma 253

## 第3部 林 弘子の随想・随筆


婦人参政30年 …… 256
大学の研究室の机の上にのっていた猫は春生れの蝶とりの名人だった …… 260
林 弘子さん 講演メモから（一九九六年一月「変えよう均等法in福岡」集会） …… 267
非正規労働者五二パーセントの衝撃 ―岡谷鋼機裁判によせて― …… 274


## 第4部 Life,Politics and Culture in the U.S.A. and JAPAN

*Japan-U.S. Academic Exchange Agreements Symposium*（日米学術交流協定締結記念シンポジウム）


"The Lehman Brothers Financial Collapse and Its Impact on Hawai'i's Workers" …… Joan Lee Husted 381
（リーマンブラザーズの財政破たんとハワイの労働者への影響：ジョウン・リー・ハステッド）
"The Power of Women in U.S. Politics" …… Stephanie A. Weston 350
（米国政治における女性のパワー：ステファニー A・ウエストン）
"Swallowed Bitterness: Voices of *Nisei* Women in America" …… Gay Satsuma, PhD 308
（苦々しさを呑み込んで：アメリカの二世女性の声：ゲイ・ミチコ・サツマ）

あとがき …… 384
謝 辞 …… 386

カバー絵：林　弘子

# 林　弘子　その七十三年の生涯と活動

# 序にかえて——宮崎公立大学葬での挨拶から

# 葬送の辞

宮崎公立大学葬委員長　田原　健二

林弘子学長の遺影を前に、宮崎公立大学葬委員長として、謹んで葬送の辞を述べさせていただきます。

平成二十八年十一月二十一日の突然のご逝去から、早くもひと月近くになります。

今でも、理事長室のドアを開けて入ってこられる、そんな錯覚にとらわれます。

時を経るごとに、お顔を拝見することや、お話しすることができないことへの喪失と悲哀を深くかみしめています。

学長は、昭和四十三年三月、九州大学大学院法学研究科修士課程を修了後、フルブライト交換留学生として米国チュレーン大学に留学後、昭和四十七年には、熊本商科大学助教授として教員生活をスタートされました。

その後、フルブライト上級研究員として米国イエール大学、コーネル大学などで研究活動をされ、福岡大学大学院法学研究科教授、ハワイ大学ロースクール客員教授などを経て平成二十五年四月に本学学長に就任されました。

学長就任の年の九月、「後援会だより」の中で、「グローバル時代を生きるあなたに欠かせないもの」と題する一文で、「意志あるところに、道あり」と述べておられます。

この文章のとおり、学校内外を問わずアクティブに、かつ謙虚に多方面に道を切り拓かれ、宮崎の地で多くの人々が魅了されました。

「学生のため」をモットーに、カリキュラムの改革、教職員の資質向上策などを積極的に推進され、スターリング大学やハワイ大学との学術交流協定の締結をはじめとした本学のグローバル化や、様々な課題解決案を盛り込んだ本年度の大学基準協会認証評価報告書、実地調査は、まさに学長が心血を注がれて実現できたものであります。

また、日頃の労働法の講義では、学生の質問に丁寧に答えられ「学生の質問のレベルが高くなりました」と、その成長を喜びをもって語っておられました。

学長の学問に対する真摯な姿勢とともに、探究の喜びを学生に必死で伝えられているお姿が印象に残っています。

別離の言葉を申し上げれば、限りなく悲しみはつきません。しかし、今、私どもには、この悲しみを乗り越え、未来に向かって宮崎公立大学の理念・目標を具現化していく責務が残されています。

ここに、教職員一同、宮崎公立大学のより一層の発展を期することを改めて強くお誓い申し上げます。

どうぞ安らかにお眠りください。

林弘子学長を偲びつつ、心から尊敬と感謝を捧げ、謹んでご冥福をお祈り申し上げ、葬送の辞の結びといたします。

平成二十八年十二月十七日

# 弔辞

宮崎市長　戸敷　正

謹んで、ここに宮崎公立大学・故林弘子学長の御霊に弔辞を捧げ、深く哀悼の意を表します。

あまりにも突然のご逝去に接し、いまだに信じることができません。

林学長は、平成二十五年四月、多くの方々の強い意向を受けられ、宮崎公立大学の学長に就任されました。弁護士としてわが国初のセクハラ訴訟に携わるなど、労働法学の専門家であられることや海外の大学で教鞭を取られたことなど、その豊富な経験と知識により、学生が安心して学べる環境の整備に尽力されるとともに、「教養あるグローバル人材」の育成のための質の高い教育を提供するリベラルアーツ教育に邁進してこられました。

平成二十五年には、宮崎公立大学開学二十周年に併せ、英国のスターリング大学と学術交流協定を締結し、さらに、平成二十七年には、米国のハワイ大学二校と学術交流協定を締結されるなど、国際社会で活躍できる人材育成に多大な功績をあげられました。

また、平成二十六年からは、学長自ら、一般市民を対象とした「市民講座」を企画立案され、「ホワット　ア ワンダフル ワールド～異文化交流の生み出すもの　生み出したもの～」「能・狂言入門」「ジャズとアメリカ文学入門」など、独創的でユニークな講座を開講され、生涯学習の振興を図り、地域貢献に多大な業績を残されました。

来年三月の学長の任期満了に当たり、私自身としましては、引きつづきご指導をいただきたいとの思いもございましたし、何より、ご専門の労働法はもとより、広く社会法学などの研究になお一層取り組まれ、そのご活躍が期待されていた矢先でのご逝去であり、七十三歳をもって永眠されましたことは、哀悼の極みでございます。

しかしながら、宮崎公立大学発展のために誠心誠意尽力された大きな功績は、大学の歴史に深く刻まれるとともに、その御人徳は永く人々に記憶されることとなるでしょう。

本葬にあたり、親しく御霊の前に立ち、ありし日のご尊容を偲べば、万感胸に迫り、多くを述べることができません。ここに、ご生前のご功徳を称えて弔辞といたします。

平成二十八年十二月十七日

# 学生代表挨拶

人文学部　吉野　全洋

林弘子学長、あなたは私たち学生に、社会を生き抜く大切なものを授けてくださいました。

「学習塾で働いているの？」
「はい、そうです。」

これが、初めての学長との会話でした。それは穏やかな口調で、眼差しは柔らかく、優しさを感じられるものでした。学長の、我々学生や大学を思うお気持ちに気づくのは、この出来事からしばらくたってからのことでした。

それまでの私の学長に対するイメージは、その肩書きだけで、近寄りがたく、堅苦しい人ではないかというものでした。その勝手に抱いていたイメージが払拭されたのは、学長自ら教壇に立たれた労働法の授業でした。

国民の三大義務の一つ、「勤労」。それを司り、制度や労働環境について定めた「労働法」。それだけで難しいテーマであるうえ、学長自らの授業ということで、とても堅苦しい授業展開を予想して、少し不安になったことを覚えています。ほとんどの学生は、同じように感じていたのではないでしょうか。

しかし、いざ授業が始まると、その不安はすぐにいらぬ心配であったと気づかされました。堅いイメージの労働法を、実例や写真を多く用いて親しみを持たせ、授業の合間にユーモアを交えて、教室の雰囲気を和らげながら丁寧に教えてくださいました。勝手に「難しい」と自分で壁を作っていた法律が、一気に身近なものに思えました。

さらに、毎回、質問や感想を記入して学生が提出するリアクションペーパーには、一人ひとり丁寧にお応えいただき、それはプリント一枚では入りきらない量でした。特に多くの学生が経験するアルバイトについては、近年の「ブラック企業」に代表されるような劣悪な環境で働いていないか心配するお言葉とともに、多くのアドバイスもいただきました。

私も、働いている学習塾のこと、福島第一原子力発電所にて単身赴任で働いていた父のことなど、毎回リアクションペーパーに書き込み、丁寧に回答していただきました。学長のお言葉に勇気づけられ、前に進めた学生は私以外にも多くいたものと思います。

法律は常に我々とともにあり、私たちを守るものであることを学ぶことができました。それはすなわち、これから社会へ飛び立つ我々が、道を切り開いていく力の一つであり、困難に立ち向かうために大切なものを授けていただいたということにほかなりません。はじめに述べた、私への気遣いのお言葉も、きっとその一つだったのですね。

このように、学長は私たちにたくさんの激励のお言葉を投げかけてくださいました。一つの事象に関する視点の設け方、テストやリアクションペーパーでの言葉の選び方や考え方に関するご指導。これらはすべて、学生が最高学府で学ぶことの自覚と責任、そして多様な考えや豊かな教養を身につけるため、また人間として成長するためであったのでしょう。柔らかいお言葉の中に、成長するためのヒントをいただきました。

宮崎公立大学も二十周年を過ぎ、三十年、そしてその先に向け進んでゆきます。私は、その節目の時期に、この大学に入学し、たくさんの方々と出会い、貴重な時間を過ごしています。その中にはもちろん、学長から学んだ日々も含まれています。

来る春には新たな若者たちが大学の門をくぐり、新しい宮崎公立大学の歴史を築き上げてくれることでしょう。同時に我々は、この大学から巣立ち、それぞれの道を歩んでいきます。この大学で学んだこと、学長と過ごした日々を誇りに、いかなる困難にも立ち向かい、進んでいく所存です。

林学長！　これからも、我々在学生、そして新たに入学する後輩たちを、その優しい眼差しで見守ってください。そして、我々が各方面で活躍する姿を見届けてください。

労働法の授業でともに学んだテキストは、今も私の机の常に目の届く場所に置いてあります。林学長と過ごした日々を胸に、残り少ない学生生活を大切に過ごし、そして今後の人生を歩んでまいります。今まで大変お世話になりました。そして、ありがとうございました。

平成二十八年十二月十七日

# 挨拶

宮崎公立大学葬副委員長　田中宏明

本日、公立大学法人宮崎公立大学、故林弘子学長の大学葬にあたり、葬儀副委員長として謹んでご挨拶申し上げます。

本学は、学生、卒業生、保護者、市民の多くの方々にご心配をかける出来事があり、それを払拭するため、私ども教職員がなすべきことは、再発防止は言うまでもなく、全身全霊を込めて改革・改善し、信頼を回復させることでした。林弘子学長こそ、そのためのリーダーだったのです。

林学長が就任された平成二十五年は、本学の開学二〇周年記念の年でした。学長は、「今のままでは次の二〇周年はない」と教職員を叱咤激励し、会社を更生させる辣腕の弁護士であるかのように、次々と改革を断行されていきました。

まず、学生のための改革です。学長は「進路をしっかり指導したことで今でも卒業生に感謝される」とご自分の体験を語り、学長のご指導のもと教職員が一丸となって就職・進路指導について取り組み、その成果として、昨年と一昨年ともに九八・三パーセントという高い就職率を達成しました。三年間の就職率で見ると、全国の人文系公立大学の中で第一位でした。

また、本学のグローバル化のための改革にも奔走されました。昨年六月にはハワイ大学マノア校副学長とハワイ大学カピオラニ・コミュニティカレッジの学長に来学していただき、両機関との学術交流協定を締結しました。それを記念し、学長自らコーディネーターを務められた日米国際シンポジウムを本学で開催しました。そして、締結二カ月後の八月には、カピオラニ・コミュニティカレッジの短期研修に学生を派遣し、その後、本年八月には、本日ご参列していただいているハワイ大学のゲイ・サツマ先生に、本学において「アメリカ文学」の集中講義をご担当していただきました。こうして国際交流を推進できましたのも、ハワイ大学で教鞭をとられた林学長に人脈をフルに活用していただいたからです。本日もわざわざハワイから、ゲイ・サツマ先生とともにハワイ大学マノア校の労使関係研究所のディレクターであられるJojce Najita 先生にも参列していただいております。

その他にも、林学長による改革の大きな成果の一つとして、市民の皆様との交流拡大があります。林学長は本学の理解者を増やすためには、市民の方々に本学に来ていただくことが重要であると方針を打ち出され、自ら企画立案そしてコーディネート役まで務められ、新たに市民講座を開講されました。その内容は、お手元の「しおり」に記載しているとおり三回開催され、多数の市民の方々に受講していただき、とても満足できる内容であったとの感想をいただいております。

そして、開学二〇周年記念式典に来学していただいたイギリスのスターリング大学学長への返礼として、林学長がスターリング大学を本年二月に訪問され、講演されました。そのタイトルがご自身の人生を形容する「Scholar, Lawyer and President」、訳しますと「学者、弁護士、そして学長」でした。本来であれば、学長退任後に、Lawyer として専念されるはずであったものが、日々の業務に文字どおり粉骨砕身されておられ、そこをお守りできなかったことを悔やむとともに、ご親族の方々に心よりお詫び申し上げます。

残された私ども教職員は、林学長へ謹んで哀悼の意を捧げ、ご生前の業績に心より敬意を表するとともに、その教えと行動を糧とし、学生の成長のための教育に精進し、市民の皆様との交流を深め、宮崎公立大学を発展させてまいる所存でございます。

本日のご参列、誠にありがとうございました。

平成二十八年十二月十七日

# 第1部

## Scholar, Lawyer and University President

林　弘子　その七十三年の生涯と活動

# chapter 1 語りつぐ林 弘子——その生涯と活動

## 一 研究者・法学者として日米の活動の架け橋に

林弘子は一九四三年（昭和18）二月、福岡県の中心部に位置する飯塚市で生まれ育ちました。飯塚で高校時代までを過ごし、福岡市の九州大学法学部法律学科に進学します。一九六六年（昭和41）に同大学を卒業し、同大学大学院法学研究科にすすみ、六八年に修士課程を修了しています。大学時代を知る友人たちは「頭は切れ、弁が立ち、何事にも興味津々であった」と回顧、後の活躍を予感させるような学生時代であったと、口をそろえて語っています。

修士課程修了と同時に九州大学法学部助手に就任しますが、すぐにフルブライト交換留学生としてアメリカのルイジアナ州にあるテュレーン大学のロースクールに進学、一九七〇年に修了しています。弛まず追究した法の道はこのように若い頃からで、同時に「林＝英語力」といわれる高い語学力も身につけていきました。

林はその後、日本に帰ってからもたびたび渡米し、アメリカの大学で教鞭をとり、研究者の道を歩んでいます。一九七六年にはイエール大学ロースクール・フルブライト上級研究員、八二年にはコーネル大学労使関係スクール・カリフォルニア州立大学ヘイスティングス・ロー・スクール客員教授、九三年ラトガーズ大学労使関係スクール・ニューヨーク大学ロースクール客員教授、九八年コロンビア大学・ニューヨーク大学ロースクール・フルブライト上級研究員、二〇〇五年ハワイ大学ロースクール客員教授など、数々の大学で実績を重ね、力をつけました。

この間、米国の各都市、各大学で信頼おける友人や同僚ができ、その後、状況に応じて日本の研究仲間や友人に紹介するなど、研究者・法学者として日本とアメリカの架け橋としての役割も果たしていきます。日本では一九七二年（昭和47）に熊本商科大学（現熊本学園大学）助教授（79年教授）、八五年に福岡大学法学部教授、八七年からは同大学大学院法学研究科博士課程教授を歴任し、二〇一三年（平成25）に宮崎公立大学学長に就任しました。

なお、二〇〇三年（平成15）には弁護士資格も取得し、法学の教師・研究者に実務者としての知識と実績を加えて活躍の場を広げていきました。

## 二　日本初のセクハラ裁判勝利へ鑑定意見書

林は、日本では、大学教授としての研究者という立場に、社会活動家、のちには弁護士という立場も加えて、各種の団体や市民グループなどとかかわり、その活動を支えました。

多くの活動の中で、〝林と言えば〟といわれるのが、日本初のセクハラ裁判での鑑定意見書の提出です。林が熊本から福岡に移って四年目、一九八九年（平成元）の福岡。一人の女性会社員がセクシャル・ハラスメント訴訟を福岡地方裁判所に起こしました。原告は福岡市内の出版社に二年半勤務していました。直属の上司である編集長に常日頃から性的な中傷を社内外に流布され、ノイローゼ寸前になり、専務や社長に救済を求めたがなんの手立てもなく解雇に追い込まれた、という事案です。

福岡の女性弁護士を中心に十九名の弁護団が法定代理人として名を連ね、全国からも注目を集める裁判となりました。この時に「職場での性的嫌がらせと闘う裁判を支援する会」が福岡で発足、原告女性を支えながら、男女を問わず働きやすい職場を作ることを目指して、活動を始めました。

それにしても日本では初めてとなる事例です。どのような法理を構成していったらいいのか。支援する会では、専門的見地からの意見を学識経験豊かな第三者に裁判所に提出してもらおうと、当時福岡大学大学院法学研究科教授を務めていた林に、鑑定意見書を依頼しました。

しかし林は当初「納得できる十分な論理構成ができないから書けない」と断ったといいます。アメリカの事情にも詳しい、労働法制専門家の林にしても難題という裁判だったのです。

それでも支援する会は粘り強く依頼を続け、最終弁論の頃にようやく了解を得ました。「福岡大学に日参してお願いしました（笑）。完成までに時間を要し、頼んだ私たちもヒヤヒヤしましたが、出来上がった意見書は英米におけるセクシャル・ハラスメントの事例に照らしながら鑑定が進められており理路整然。先生に頼んで良かったと思いました」と当時を振り返るのは支援する会の三好久美子さんです。

裁判は一九九二年に原告側の勝訴で幕を閉じ、多くの働く女性たちを勇気づけました。林はその後の講演会で、「この裁判は鑑定意見書がそのまま取り上げられた数少ない例である。そして判例法理として確立し、その後広く使われている」と語っています。また「セクシャル・ハラスメント」や「性的嫌がらせ」などの言葉が広く浸透したのも、この裁判の報道がきっかけになったといわれます。当時の社会の注目を広く集めた裁判でした。

## 三　働く女性の地位改善へ。視野を海外にも広げて運動を支援――ＷＷＶと林――

北京で第四回世界女性会議が開催された一九九五年（平成7）、男女雇用機会均等法が制定されて十年たっても、一向に改善が見られない職場環境の実態や女性の労働環境の厳しさに対し、全国各地で実効性のある均等法に変えたいという行動が起きました。福岡でも、同年十月に「変えよう均等法in福岡」が発足します。

発足集会「何だったの均等法　女たちは怒っているゾ！」では、中島道子弁護士の講演会、働く女性たちからの実態報告、問題提起が行われまし

●●●　変えよう均等法／　福岡・東京　同時集会　●●●

均等法10年目の決算

おんなたちの「異議あり！」

パンチ

男女雇用機会均等法が制定されて１０年、職場の男女平等の実態は一向に進みません。むしろ、コース別人事や雇用形態の多様化により男女賃金格差が広がるなど、女性の労働環境はきびしくなっています。この状況を変えたいと、９５年１０月に「変えよう均等法ｉｎ福岡」が発足し、１１月には「均等法の問題点や働く女性の現実」をテーマに集会を開催しました。

今回は「女も男も人間らしく働ける社会を目指して行動を起こすための、理論と実践」をテーマに、動き始める集会にしたいと計画しました。あなたも参加して下さい。

なおこの集会は、全国的な「変えよう均等法ネットワーク」の呼びかけに呼応して、同日開催するものです。

日時　1996年１月２１日（日）
午後１時半～４時半
場所　婦人会館（あいれふ）
9階　大研修室
参加費　５００円

● お話を聴こう
トーク　林　弘子　さん　（福岡大学法学部教授）
環境は？制度は？現実は？女たちは？切り口鮮やかな林弘子さんのお話です。

● ビデオをみよう
差別とは、声をあげるとは、映像は訴える。

● パフォーマンスでパワーアップ
なにが飛び出すかお楽しみに

● 私の一言、あなたの一言

主催　変えよう均等法ｉｎ福岡
連絡先／福岡市早良区室見三丁目1-28-405　三好方
TEL/FAX　092-822-6081

●●●　財団法人　福岡市女性協会　共催事業　●●●

「おんなたちの『異議あり！』」のチラシ
林がメイントークを担当

た。翌年一月には集会「均等法10年目の決算　おんなたちの『異議あり！』」が開催され、「均等法の虚と実」というテーマで寸劇とトークのイベントが行われました。会のメンバーが寸劇（お茶くみ・セクハラ・昇進昇格差別）を行い、職場の実態を分かりやすく把握しあったうえで、林が寸劇のそれぞれの場面を解説しながら、「雇用構造の変化をどのようにとらえ、対処していくのか」「均等法の見直しの上に何を求めていくのか」等を提起していったのです。

均等法についての講演会や学習会に講師として参加し、多くの助言をいただいた（2001年８月５日の集会。左端林）

「講演会の前に寸劇をやらされましたが、〝あれがあったからよく分かったのよ。これからも毎回前座でやるといいわ〟と先生から言われ、その後、私たちも寸劇にはずいぶん力を注ぎました（笑）。その割に、あの場面はもっと考えた方がいいわね、なんて注文も多いんです（笑）」と石原豊子さん。

翌九六年の「変えよう均等法in福岡」の活動では、調査研究を行い、「多様な雇用形態の中で～働く女性たちは～」という報告書を作成しました。「この時、林先生から、法学者として専門家の立場から非常に親身になってというか厳しくアドバイスをしていただいた」と森川晴さん。この経験をきっかけに林と会との関係は深まっていきます。九七年十一月には「働く女性のビッグバーン到来　働く女性に未来はあるか?」、九八年三月には「均等法・労働法改正であなたの職場はどう変わる」などの講演会を開催していきます。

「先生は私たちに会うと『あなたたち、もっと勉強しなさい。勉強しなきゃダメよ』とよく言われました。いろんな社会の動きを見てみると、先生が言っていたことがよく分かります。今になって先生の先を見る目の確かさを実感しています」と山﨑真由美さん。

宮崎公立大学学長就任を祝う会でWWVのメンバーらと
（2013年３月16日、後列右から３人目林）

「変えよう均等法in福岡」は、一九九九年の均等法改正後、「ワーキング・ウィメンズ・ヴォイス（ＷＷＶ）」と改名し、働く女性の問題に取り組み、講演会や学習会を続けてきました。

「アミカスで毎年開催した国際シンポジウムは、林先生が企画を持ち込み、ＷＷＶが、主体的に担って取り組みました。『均等待遇』『間接差別』『人間らしい働き方』『司法におけるジェンダーバイアス』など、あれだけの国際シンポジウムは林先生がいたからできたようなもの。おかげで新しい価値観や国際基準を学ぶことができた。国内外の研究者や活動家、原告や弁護士、議員など多彩な方々に、引き合わせていただいた。感謝しています」と丹生秀子さん。

また、山下はるみさんは「学者でわれわれのような運動体に身を投じてくれる人は少ないと思うのですが、よく面倒を見てくださいました。たまには、『何回このこと教えたのか分かっているの⁉』と反応の悪さに怒られることもありましたが（笑）。それは愛情たっぷりに。先生には常に弱者のそばに立つ、そんな姿を見せていただきました」と語ります。

こうした林の活動は、二〇一三年福岡を離れて宮崎に移るまでつづきました。

ペイ・エクイティの旅。後列左から３人目が林。
まるでツアーコンダクターのような企画・行動力を見せた

## 四　林のコーディネート力があればこそ
### ――ペイ・エクイティ調査・研究ツアー――

林は地元福岡以外でも、全国の各団体との交流を図っていきました。後にワーキング・ウィメンズ・ネットワーク（ＷＷＮ）となる大阪の活動家との付き合いは古く、ＷＷＮの発足は福岡でのＷＷＶの立ち上げに先立ちます。「林先生とお互いに怒鳴りあうケンカをしていたのは私ぐらいでしょう。二人とも引きませんからね（笑）」とにこやかに語るのはＷＷＮの代表越堂静子です。

越堂と林の関係は一九九四年に遡ります。商社に勤務していた越堂は、会社が導入した「総合職」「一般職」に男女差別や職場環境等に疑問をいだき、「商社に働く女性の会」を発足、九商社の女性たちと「コース別人事制度（間接差別）」をなくす活動をしていました。大阪で「均等法実践ネットワーク」を主催していた宮地光子弁護士の紹介で、当時アメリカのラトガーズ大学で在外研究をしていた林を紹介してもらい、アメリカとカナダの同一価値労働同一賃金原則の実情について、現地でヒヤリング調査をさせてほしいと手紙を送りました。しかし、なかなか返事が来ません。

この時のことを林は「越堂さんが商社で働く女性の会のメンバーとして活躍されていることは知っていましたが、それまで個人的な交流はまったくありませんでした。水色の封筒の裏側に差出人の住所と名前が、ブルーのインクで書かれていた、その残像は、今もはっきり残っています。何となく悪い予感がして、手紙を開封する決心をするまで十日以上かかりました」とのちに書いている。再度越堂からの手紙が届き、林は越堂の「熱意・根気・押し」に負け、弁護士の宮地光子、石田法子、大学教授二名、新聞記者一名、商社の女性二名計七名の調査団を受け入れます。

越堂の熱意に応えるべく林は、綿密な「ペイ・エクイティ調査・研究ツアー」のスケジュールを組みます。国連や労働省や大学、コンサルタント企業のヘイ・グループ、そして、大手百貨店や労組など林のコーディネートで、トップクラスの重鎮たちとの面談が実現。先進国の実情をあらゆる側面から勉強することができたといいます。「すごい場所ばかり連れていってもらったけど、過密すぎてトイレ休憩もないというスケジュール（笑）。とにかく詰め込んで駆け巡った感じだったけど、意義深いツアーになりました」と越堂。

## 五　住友メーカー裁判では国際世論を味方に――ＷＷＮと林――

一九九五年には北京世界女性会議で「日本の女性は今」のテーマでワークショップを開催。会場は超満員。インドの女性は「私たちは貧困で苦しんでいる。あなた方は男女の賃金差別でどちらも、根っこは同じです」。中国の女性は「中国は農民の、アメリカは移民の、日本は女性たちの犠牲で繁栄している」との発言がありました。

CEDAW 会議に参加した WWN のメンバーと（国連前にて。後列左から２人目林）

北京会議から帰国後、越堂は住友電工や住友化学などの女性たちと一緒にワーキング・ウィメンズ・ネットワーク（ＷＷＮ）を創設、住友メーカー裁判をたたかう女性原告たちの後押しをする活動を本格化していきます。ＷＷＮは、九七年にベルギーの欧州連合（ＥＵ）本部およびスイスのＩＬＯ（国際労働機関）本部を訪問し日本の男女差別の実態を報告。さらに二〇〇〇年にはニューヨーク・ＣＥ

DAW（女性差別撤廃委員会）会議で委員たちにロビイング活動。NY国連前で住友メーカー裁判についての英文チラシを配布し国際世論に訴える活動を行いました。林も日程が許す限り同行し、海外の友人・知人を紹介し、WWNの活動につなげられるよう配慮しました。

しかし、住友メーカー裁判は二〇〇〇年に大阪地裁で全面敗訴の判決でした。「男女差別で勝てるのは奇跡」といわれていた時代です。納得できない原告たちは控訴しました。林は控訴審で鑑定意見書を依頼され、一年以上かけてこれを作成していきます。

二〇〇三年には、WWNは住友裁判原告たちと、再度ニューヨークの国連CEDAW会議に参加し、先の敗訴した裁判で明らかになった日本の女性差別の実態を訴えました。この時、ドイツのショップ・シリング委員は「低い賃金、昇進が不利な分野に女性が集中している。これも、先進国では間接差別である」と発言し、傍聴席の原告たちの気持ちを代弁しました。

こうした行動が実り、日本は国連から国際的な勧告を受け、この年に、高裁で住友電工の原告たちの和解（実質的には勝訴）が成立しました。「ショップ・シリング委員を紹介してくれたのも、国際的な機関および人脈の紹介などいろんなバックアップをしてくれたのもすべて林先生。それがマスコミや世論の支持を得て、裁判を勝訴に導くことにもつながりました」と越堂。

原告のひとり石田絹子（元住友化学社員）は「和解で住友電工の二人の原告は管理職になりましたが、住友化学ではかなえられませんでした。林先生は『石田ちゃんの名刺に管理職の肩書きを入れてあげたかったわね』と言ってくださいました。それが一番うれしかったです」と回顧している。

## 六 『1946・4・10 日本女性自立への出発（たびだち）』――「一冊の会」と林――

林の活動で、その幅の広さを伝えてくれるのが「一冊の会」での活動です。二〇一九年、活動開始から五十五年を迎えたNPO法人「一冊の会」。活動を始めたのは、現在も会長として会を牽引する大槻明子。活動は子どもたちへの読み聞かせから始まり、現在は読み聞かせなどの人材育成・生涯学習活動、災害支援、東北復興支援、発展途上国への支援、国際交流活動など多岐にわたっています。

「一冊の会」はまた、途上国の女性の自立支援を目的とする国連組織「ユニフェム」にも会員団体として二〇〇一年に加盟し、「ユニフェムさくら」として活動しています。「さくら」の組織は永久最高顧問に故相馬雪香、名誉委員長に園田天光光、委員長に大槻、副委員長に林をはじめ四名の大学教授というそうそうたるメンバーが名を連ねていました。「林先生は国際派で、社会・女性問題の専門家でもいらっしゃるのでうってつけだと思いました」と、大槻は副委員長を引きうけてもらった経緯を打ち明けます。

大槻は、林との出会いは今でもはっきり思い出せるほど印象的なものだったといいます。一九九一年、大槻は国連の会議に、「一冊の会」の会長で国際女性地位協会会長であった赤松良子元文部大臣に随行してニューヨークを訪れました。そのとき、参加関係者の食事会でたまたま林の隣の席に座った大槻は「あなた何者なの？　どんな役職？」と聞かれ、自分の身分を説明したのが出会いとなりました。さらに、ホテルで大槻の部屋がワンランク上だと知るや林がやってきて、同室で一緒に宿泊したこともいい思い出なのだそう。

これをきっかけに、大槻と「一冊の会」スタッフの小山志賀子は「林の東京秘書」という役割を担うことになりました。「先生は月に一～二回は上京されました。そのたび、空港から目的地までお連れして、たまには先生が会議で使う資料を車内で作って持たせたり（笑）、とにかく慌ただしいんですよね。でも、先生のおかげで普段は絶対に行けないような場所に行けたり、いろんな体験をさせてもらいました。私どもの事務所にも必ず顔を出され、そのたび勉強会や講座をしてくださるんですよ。軽妙な語り口で、分かりやすく話をされるので、会員たちはみんな先生が来るのを楽しみにしていました。人数が少ない日でも〝私が来たからには勉強しよう！〟と言われ、ご指導いただきました。なんでも相談をするとすぐに答えを出してくれる頼もしい方でもありました」と小山。

林がハワイ大学で客員教授をしていた時に、「一冊の会」で大槻らが同大学を訪ねると、大槻に講演の時間を作ってくれ、「長いことボランティア活動をやっている団体の会長です。その体験話を聞きましょう」と紹介し、林の通訳で、大槻たちの活動を海外で紹介することもできました。また二〇〇〇年の「世界女性会

「一冊の会」がハワイ大学を訪ねた時にメンバーや大学生たちと

議」では、大槻のことを「一九七五年の第一回世界女性会議にも出席した女性です。民間人でその時の女性はもう一人しか残っていません」と会場内で紹介し、第一回の女性会議の始まりからこれまでの継続を讃えてくれました。「先生の紹介で私たちの活動を周知してもらいました。それ以上に、先生が会場に入ると皆が喜んで寄ってくる、そんな光景を見ました。先生は世界の人に支持されていることを実感しましたね」と大槻。

「一冊の会」の活動で忘れてならないのが、『1946・4・10 初の婦人参政権行使と日本女性自立への出発』、通称〝ブルーの本〟の刊行です。一九九九年（平成11）でした。戦後間もなくの一九四六年（昭和21）四月十日に行われた衆議院議員選挙は、わが国で初めての男女普通選挙でした。当日の女性の心情と行動を、「一冊の会」が日本全国を歩きまわり、聞き取り調査を行い、一冊の本にその証言をまとめました。この本に林は発刊の辞を寄せています。

「一冊の会」が出版した「1946.4.10」。
林は発刊の辞を書いている

「この選挙で三十九人の女性国会議員が誕生しましたが、考えてみれば、議員に『選ばれた女性たち』の取材や記録はあっても、このシーンの主人公であった参政権を行使して『選んだ女性たち』の記録は読んだことがありません。〜中略〜一九四六年四月十日の選挙に出かけた女性たちの気持ち、考え、当時の生活、政党政治、テレビなき時代の選挙活動の様子等を聞いてみたいという多くの人々の夢が実現することになりました」大槻によると、「先生には貴重なデータができた、と褒めてもらいました。〝これからは、真の男女共同参画社会が実現されるまで何をすべきかが大切〟と言われていました。本は販売を考えていたんですが、〝いい本だから無料で学校に配布しなきゃダメよ〟の一声で全国の高校・大学に無料配布し多くの方に読んでいただきました」とのこと。

## 七　地域に開かれた大学づくり。宮崎公立大学学長に就任

このように幅広く活躍をつづける林が宮崎公立大学学長に就任したのは二〇一三年（平成25）四月でした。この前、同大学は教職員によるセクハラ問題が相次いで表面化し、社会的にも問題になっていました。折しも二〇一三年は同大学の開学二十周年です。危機感を抱いた関係者が白羽の矢を立てたのが、セクハラや労働問題に実績を持つ林でした。女性学長として、発信力を含め危機管理能力が期待されてのことでした。

当時、大学は混乱していました。学生も教職員も自信を無くし将来への展望がみえませんでした。そのようななか、学生が安心して大学生活が送れるよう、そして自信をもって公立大生であることを表現できるよう環境整備を進めるという強い意志で、外部の専門家三人からなる検証委員会を立ち上げました。委員会からは様々な視点の指摘があり、教職員が協力して被害者支援の整備をはじめ規約や研修、授業での

配慮等、一年かけて全面的に見直しました。

「最後の総合評価をいただく委員会で、『枠組みはかなり整備されたが、魂が入らないと絵に描いた餅になる。その方策は?』との問いかけに『次期学長にリーダーシップをとっていただく』と申し上げました。その時は林学長の就任が決定していたのですが、公表されていなかったので、林先生の名前が出せなかったのが本当に残念でした」と語るのは、大学理事で当時のハラスメント防止対策委員会委員長の上原道子。

開学20周年記念で講演会に先立ち学長挨拶をする林

就任直後の入学式で林は「自分で自分の船の舵を取る人間になって」と、長年の教職生活で培ってきた言葉を新入生に送っています。林は授業が始まると、自らも労働法の授業を持ち、積極的に学生たちとの交流をはかりました。「学長の授業は実例を交えながらだから分かりやすい」と評判で、授業中、学生の質問に一生懸命答えるあまり授業が進まないということも、たびたびあったといいます。

そして二〇一四年からは市民講座を開始しました。「学長は常々、地域の方たちに開かれた大学にしていきたい。大学を知ってもらうためには大学に来てもらう機会を作るべき、魅力を

市民講座「能・狂言入門」で講師の杉岡敏英さんと。県民にはいい生涯学習の場となった

市民講座「What A wonderful world！」では、講師の興梠マリアさんと会場を盛り上げた

発信しなきゃ、と言われていました。講座の内容は学長がすべて決めていましたが、そのアイデア力には驚かされました。講師は学外の方を招聘することが多く、それも一流の方々。毎回、学長の顔の広さや豊かな知人関係をうかがうことができました」と語るのは、同大学企画総務課の福元康敏（現学務課）。

講座は一年に一テーマ。一つのテーマを六〜十回程度の講座ですすめていくスタイル。二〇一四年のテーマは「What A Wonderful World！〜異文化交流の生み出すもの　生み出したもの〜」。世界共通言語の英語と長い歴史がある日本語、この二つが織りなす文化を映像や文学、音楽などを通して学んでいくというもので、講師は異文化紹介コーディネーターであり、林と交流の深かった興梠マリアが担当。この講座には一一九名が受講を申し込みました。

二〇一五年は「能・狂言入門」。同大学には能舞台があり、この舞台を使った基礎からの内容でした。二〇一六年は「ジャズとアメリカ文学入門」で、林自身も講師として名を連ね「欲望という名の電車」をテーマに語っています。このときの申し込みは二九九名。毎年確実に参加希望者が増えていきました。

参加者へのアンケートからも、「公立大が、市民公開講座という形で、このようなユニークな取り組みを行っているということは、『開かれた大学』という意味でも素晴らしい！」（60代・男性）、「林学長のアイディアの泉は、つきないものがございます。前回の『能と狂言』も今回も、とても勉強になりました。学長が今期限りとのこと、残念です」（70代・女性）、「このような市民講座は、他には類をみないと思います。林先生の人脈があったからこそ、開講できたのではないかと林先生に感謝申しあげます」（50代・女性）等の声が多く見られました。

こうして、開かれた大学として市民からも注目されるようになっていきました。

英国スターリング大学との学術交流協定（2013年6月）

## 八　世界に視野を広げて
### ――イギリスやハワイの大学との交流協定締結――

この市民講座の開講とともに、林が取り組んだのが海外の大学との交流です。就任早々の二〇一三年六月には、同大学で以前から進められていた英国のスターリング大学と学術交流協定を締結しました。調印式は同大学開学二十周年記念式典の中で行われました。

そして、次に取り組んだのがハワイ大学との学術交流協定の締結です。難航の末でしたが、二〇一五年には、ハワイ大学マノア校ＩＲＣおよびハワイ大学カピオラニ・コミュニティカレッジとの学術交流協定を締結するという大仕事を成し遂げています。これまでハワイ大学は地方の大学等と協定を結ぶことなど皆無に等しい大学でしたが、林の人脈や熱意で協定にこぎつけたと言っても過言ではありません。

ハワイ大学との学術協定調印式（2015年６月）

「学長の熱意と努力で締結ができたと思います。何度断られても、負けずに方法を変えて再トライする。長い時間をかけて、学長一人で交渉を続けられました。最終的に〝あなたがいる学校ならば大丈夫でしょうと言ってもらえた〟と安堵されていました。協定の締結にはハワイ大学から副学長が来学され、学長は本当に嬉しそうな顔をされていました」と語るのは、当時の同大学企画総務課課長補佐の福嶋幸治（現宮崎市福祉部介護保険課課長）。

同年六月十三日と十四日の二日間にわたる学術交流協定締結記念行事は、林の集大成ともいえるものでした。一日目のパーティーについては次項で触れるが、林が研究者として力を注いだのが、二日目の記念行事「日米国際シンポジウム」でした。テーマは「アメリカと日本における生活、政治、文化について語る」で、

「リーマンショック以降のアメリカにおける労働者の生活と現状」と題してジョウン・L・フステッド氏（ハワイ州教員連盟元エグゼクティブ・ディレクター）が基調講演し、その後シンポジウムを設けました。海外生活が長かった林ならではの企画内容と講師陣です。本場の話を聞く機会が少ない市民にとっては大変興味深い内容であり、多くの市民がかけつけ大盛況でした（シンポジウムの内容は本書第4部として収録しています）。

林は学生たちに、海外で多様な言語のシャワーを浴びて、異文化を受容し、さらには適応する能力を習得させたいと、この締結にこぎつけました。この後、宮崎公立大からは、スターリング大学へ二〇一五年に八名、一六年に三名、一七年に六名、そしてハワイ大学へ一五年に七名、一六年に十名、一七年に九名を短期研修として派遣し、その一方、ハワイ大学から留学生を受け入れるなど、宮崎の地で国際的な学生交流の輪が広がっています。

記念パーティーで挨拶をする林

## 九　自ら仕込みもてなす
### ―ハワイ大学との交流協定締結記念行事―

そして、このハワイ大学との学術交流協定締結記念行事は、圧巻の一言でした。

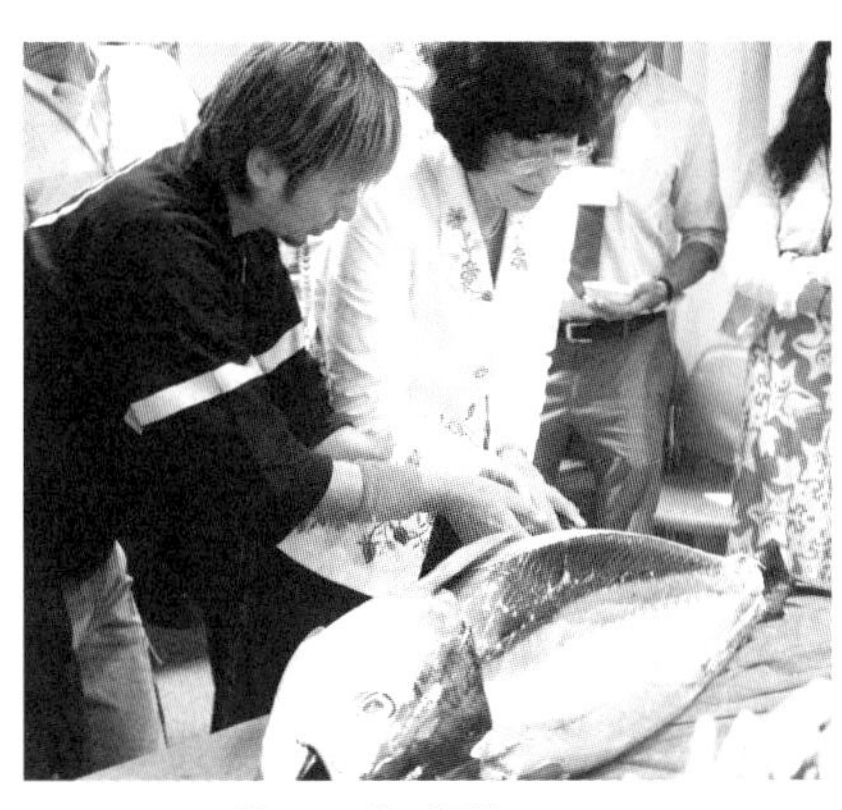

圧巻のマグロ解体ショーに
客席からは歓声があがった

会場作りからこだわった
パーティーに皆が大満足

調印式の後は能・狂言の鑑賞会、呈茶、そして記念パーティーというスケジュールでした。「この準備は大変でした」と福嶋は当時を振り返ります。「まず能舞台。組み立て式のため、普段は解体して倉庫に入れてあるのですが、この組み立てには相当な時間や予算がかかります。しかし学長は日本の文化を発信するチャンスととらえ、実現されました」。

その後の学内食堂での記念パーティーにも林は趣向をこらします。「こちらも予算が限られるなか、学長は来場者に精いっぱいのおもてなしを計画されました。肉、魚、お酒、料理人などすべて学長が宮崎で築いたコネクションを利用して、皆さんへ協力を仰ぎました。そのおかげで宮崎ブランドにこだわった良質な料理を皆さんに提供することができました。もちろんご協力いただいた方たちには、学長なりのお返しもしっかりなさいました」。

このとき協力を依頼された都農ワイン社長の小畑暁は、「都農ワインを宣伝するからワインを提供して！　と連絡がありました。地元で人気があるものを紹介したいからと言われ、四ケースほど協力しました。それまでにも何度か提供していますが、ニコニコしたあの笑顔で頼まれると断れない、そんな方でした」。

ワイン好きで知られる林は、都農ワインもお気に入りで、特にロゼが好きだったとのこと。「おいしいから海外でも紹介してくるわ」と語り、県外からお客様が来ると都農ワインに連れていって、試飲を楽しみ、みんなに買い物をすすめることもしばしばあったといいます。また、収穫祭にも二年続けて参加し、ワインと食事を賑やかに満喫し、お土産をたっぷり購入していたとのこと。「提供を依頼されることも多かったですが、その分記念パーティーで紹介をしてくれたり、お土産物として使ってくださったり、心配りをされる方でした。僕のほうがたくさんの恩恵を受けていますよ」と小畑は語ります。

記念パーティーでは美味しい料理とともに、音楽ステージ、書道パフォーマンス、さらには鮪の解体ショーまであり、会場は大いに盛り上がりました。「すべて学長の企画で、おもてなしが詰まったパーティになりました。ハワイ大学から来られた副学長をはじめ多くの皆さんが、日本らしさ・宮崎らしさをとても喜んでくださいました」と福嶋。

## 十　真の男女共同参画社会実現へ――託されたメッセージ――

「忙しい、が口癖で、毎日夜十時くらいまで大学で仕事をこなすという日々でした。しかしバイタリティーにあふれ宮崎でも着々と人脈を築かれ、常に大学のあるべき姿を追求されていたように思います」とは福嶋の思い出です。そうした多忙の日々を送るなか、林は二〇一六年（平成28）十一月二十一日に逝去しました。前日まで大学で仕事をこなしていたといいます。突然のことに誰もが戸惑い、悲しみにくれました。林にしても任期途中、志半ばであったことは言うまでもありません。

林の突然の死から二年後の二〇一八年には政治分野における「男女共同参画推進法」が成立しました。林はそれまでのあらゆる活動のなかで、世界の女性問題、女性のあり方等について常々言及していました。それは真の男女共同参画社会を広い視野から考えていくことへの呼びかけでもありました。推進法の成立をうけて私たちが国際的視野を持って動き出すことこそ、志半ばで逝った林の遺志にこたえることになるでしょう。

（文中敬称略）

# 林　弘子　略年表（宮崎公立大学作成）

●学　歴

一九六六年　三月　九州大学法学部法律学科卒業
一九六八年　三月　九州大学大学院法学研究科修士課程修了
一九七〇年　六月　米チュレーン大学ロースクール卒業（フルブライト交換留学生）

●資　格

二〇〇三年　四月　弁護士（日弁連・福岡県弁護士会）

●職　歴

一九六八年　四月　九州大学法学部助手
一九七六年　一月　米国イエール大学ロースクール・フルブライト上級研究員
一九七九年　四月　熊本商科大学教授
一九八二年　一月　熊本商科大学附属海外事情研究所所長
　　　　　　八月　米国コーネル大学労使関係スクール・カリフォルニア大学ヘイスティングス・カレッジ・オブ・ロー・ACLS
一九八五年　四月　福岡大学法学部教授（労働法）
一九八七年　四月　福岡大学大学院法学研究科博士課程教授

一九九三年　九　月　米国ラトガーズ大学労使関係スクール・ニューヨーク大学ロースクール客員教授
一九九八年　八　月　米国コロンビア大学ロースクール・ニューヨーク大学ロースクール・フルブライト上級研究員
二〇〇三年　四　月　弁護士法人 女性協同法律事務所客員弁護士
二〇〇五年　九　月　ハワイ大学ロースクール客員教授
二〇一三年　四　月　宮崎公立大学長に就任

## ●学会および社会における活動等

一九八九年十二月　日本社会保障法学会理事（～二〇一二年十二月）
二〇〇〇年　十　月　日米教育交流振興財団（フルブライト記念財団）評議員（～二〇一一年九月）
二〇〇二年　一　月　国連女性機関日本国内委員会ＵＮ Ｗｏｍｅｎ さくら（東京）副委員長
　　　　　　六　月　中央労働委員会地方調整委員（～二〇〇四年九月）
二〇〇三年　三　月　福岡県中小企業対策審議会委員（～二〇一三年一月）
　　　　　　四　月　福岡県弁護士会・両性の平等委員会委員
　　　　　　十　月　日本学術会議連携委員（～二〇一一年九月）
二〇〇四年　十　月　中央労働委員会地方調整委員長（～二〇一〇年九月）
二〇〇九年十二月　日本ジェンダー法学会理事（～二〇一四年一一月）
二〇一二年　七　月　ガリオア・フルブライト九州同窓会副会長
二〇一三年　四　月　高等教育コンソーシアム宮崎　監事

七　月　宮崎市国際交流協会　副会長

二〇一四年十一月　第十三回福岡県男女共同参画表彰（女性の先駆的活動部門）

## ●宮崎公立大学での活動

二〇一三（平成25）年

六　月　開学二〇周年記念式典開催

スターリング大学（英国）との学術交流協定を締結

十二月　ジェンダー法学会第十一回学術大会

二〇一四（平成26）年

五　月　市民講座（What A wonderful world!）開催（五月～七月 全十回）

二〇一五（平成27）年

六　月　ハワイ大学カピオラニ・コミュニティカレッジと学術交流協定を締結、記念行事を執り行う

市民講座（能・狂言入門）開催（六月～七月全六回）

二〇一六（平成28）年

五　月　市民講座（ジャズとアメリカ文学入門）開催（五月～七月 全十回）

八　月　地方都市大学懇話会　開催校

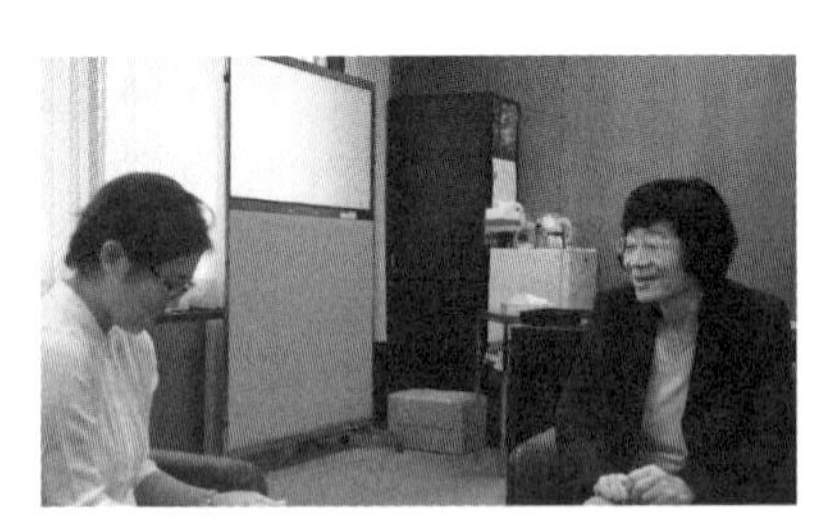

2013年８月23日撮影（学長室）
学生からのインタビューに応じて

2014年７月市民講座で挨拶

# 林　弘子　著作一覧（福岡大学ＨＰ書籍等出版物より）

Working Women in Japan : Discrimination, Resistance, and Reform　ILR Press（Cornell Univ. . U. S. A.）　一九八三年

Present Issues in the Social Legislations : Essays in Honor of Professor Michihiro HAYASHI　一九八三年

林迪廣先生還暦祝賀論文集『社会法の現代的課題』　法律文化社　一九八三年

Workers' Compensation law studies : Essays in Honor of professor Hayato KUBOTA　一九八五年

Change and Development of Social Security　一九八五年

Women Workers in Fifteen Countries : Essays in Honor of Alice Hanson COOK　ILR Press（Cornell Univ. . U. S. A.）　一九八五年

窪田隼人教授還暦記念論文集『労働災害補償法論』　法律文化社　一九八五年

社会保障の変容と展望　勁草書房　一九八五年

Right to Live Today : Its Jurisprudence and System-Essays in Honor of Professor Seishi ARAKI　一九八六年

荒木誠之先生還暦祝賀論文集『現代の生存権 - 法理と制度』　法律文化社　一九八六年

New Era for Equal Employment of Men and Women　一九八九年

男女雇用平等の新時代　法律文化社　一九八九年

Lectures on Labor Law（G0003l）: Workers' Protection Law（New Edition）　一九九〇年

労働法講義3—労働者保護法（新版）　有斐閣　一九九〇年

Women's Wages : Stability and Change in Six Indrstrialized Countries　JAI Press Inc.（U. S. A.）　一九九一年

Family, Labor and Welfare 一九九一年

家族・労働・福祉 永田文昌堂 一九九一年

Child Care Leave-Law and Practice 一九九二年

育児休業法のすべて 有斐閣 一九九二年

Studies on the Labor Protection Legislation : Essays in Honor of Professor Kenichi Hokao 一九九四年

労働保護法の研究――外尾健一先生古稀記念 有斐閣 一九九四年

Treatise on Guarantee of Living 一九九六年

生活保障論 法律文化社 一九九六年

Legal Theory of Sexual Harassment on Campurs 一九九七年

System for Care of the Elda-Legal Status of Home Care Workers Laws for the Aged 一九九七年

キャンパス・セクシュアル・ハウスメントの法理論 キャンパス・セクシュアル・ハラスメント――調査分析・対策 一九九七年

介護供給体制――ホームヘルパーの法的地位 高齢者の法 一九九七年

Equality between Men and Women and Family Responsibility New Introduction to Labor Law Today 二〇〇一年

男女の平等と家庭責任 新現代労働法入門 二〇〇一年

有機雇用契約の雇い止めにも整理解雇の分離性基準が必要か（丸子警報機事件）

『労働判例リーディングケース』に学ぶ人事・労務の法律実務 二〇〇一年

S・ファイアストーン『性の弁証法』、『フェミニズムの名著50』所収 平凡社 二〇〇二年

安西愈先生古稀論文集『経営と労働法務の理論と実務』 共著。「男女同一賃金の原則をめぐる法的問題―同一労働同一賃金と同一価値労働同一賃金原則」 中央経済社 二〇〇九年八月

佐藤進先生追悼論文集『社会保障法・福祉と労働法の新展開』 共著。「労基法四条改正と同一価値労働同一価値原則―職務評価制度の導入をめぐる問題」 信山社 二〇〇一年七月

労働法〔初版〕 法律文化社 二〇一二年一月

新・講座社会保障法3 ナショナルミニマムの再構築 日本社会保障法学会編 法律文化社 二〇一二年七月

講座ジェンダーと法第2巻『固定された性役割からの解放』 日本ジェンダー法学会編 日本加除出版 二〇一二年

『ILO衡平の促進：性中立な職務評価による同一賃金―段階的ガイドブック』 一灯舎 二〇一四年

労働法〔第2版〕 法律文化社 二〇一四年六月

## 轍――林先生とWWV（WWV作成）

一九九六年 一月 「均等法10年目の決算 女たちの異議あり！ 均等法の虚と実」林弘子講演

一九九七年 七月 北京JAC総会 分科会「女性と労働」担当（林）

十一月 シンポジウム「働く女性のビッグバーン到来 働く女性に未来はあるか？」
宮地光子（弁護士）、林弘子、藤田一枝（福岡県議）

一九九八年 三月 「均等法・労働法改正であなたの職場はどう変わる？」林弘子講演

七月　アミカス国際シンポジウム開催「ヨーロッパに学ぶ　人間らしい働き方」ウルスラ・ルスト、ハンナ・ショップ・シリング（ドイツ）、林弘子（コーディネーター）
主催：アミカス　共催：変えよう均等法in福岡、フォーラム女性と労働21・福岡、WWV

一九九九年　五月　働く女性のエンパワーメント連続講座「二十一世紀の職場づくりのノウハウ」第1回　講演「働きやすさはアップする」林弘子

六月　第2回　日米国際シンポジウム「セクシュアルハラスメントの舞台裏」
主催：アミカス　共催：WWV（ワーキング・ウィメンズ・ヴォイス、旧変えよう均等法in福岡）

二〇〇〇年　六月　国連特別総会「女性二〇〇〇年会議」と並行して開催されたNGO集会に参加。ニューヨークへ

九月　講演会「間接差別と闘う女たち～住友賃金差別の今～」原野早智子（弁護士）

十月　均等待遇二〇〇〇年キャンペーン「働く女性のための一日ホットライン」、講演会「あなたの賃金なぜ安い　PART2～間接差別とは？～」朝倉むつ子（東京都都立大学教授）

十一月　アミカス国際シンポジウム「ヨーロッパに学ぶ　人間らしい働き方」アリス・レナード、イレーヌ・ドネリー（英国）、林弘子（男女平等の国際基準）

二〇〇一年　六月　日米国際シンポジウム「ストップ！ジェンダー・バイアス～アメリカの司法教育に学ぶ　リン・シャフラン、辻本育子（弁護士）、林弘子

十月　講演会「ジョイス・ゲルブさん女性問題を語る〜ドメスティック・ヴァイオレンスから雇用差別まで」（ニューヨーク市立大学大学院政治学部教授）
二〇〇三年　十月　「国連から見た日本の男女平等」ハンナ・ショップ・シリング（CEDAW委員）アミカス協力
二〇〇四年　五月　講演会「働く女性の平等への挑戦〜あの勝利的和解を勝ち取った住友電工の原告を招いて」白藤栄子、西村かつみ
二〇〇五年　五月　均等待遇アクション21　EU男女均等政策調査団に参加
十月　シンポジウム「働く女性の現在・未来〜均等法改正に向けて」中島通子（弁護士）、伊藤みどり（ACW2代表）、林弘子
十一月　「間接差別と均等法改正　女子差別撤廃委員会（CEDAW）の勧告は現実のものとなるか？」ハンナ・ショップ・シリング（CEDAW副委員長）、林弘子（コーディネーター）
二〇〇六年　十月　北京JAC九州・山口・沖縄「第6回シンポジウム in ながさき」「女性の働き方・生き方」分科会運営（北京JACふくおか・WWV）
二〇〇七年　四月　第一回WWV総会記念講演　林弘子「不平等、格差社会と女性労働　改正均等法はカンフル剤となるか！」
七月　福岡市男女共同参画推進センター・アミカス市民活動支援事業〝第2回「働きやすい職場環境づくり」林弘子講演
八月　北京JAC第十二回全国シンポジウム（福岡）パネルディスカッション　パネリストおよ

び分科会「均等法から二十年 私たちが生き延びるためにできること」登壇者：林弘子、伊藤みどり、坂喜代子、黒岩秩子

二〇〇八年 三月 シンポジウムＩＬＯの旅「同一価値労働同一賃金」登壇者：越堂静子、森ます美、浅倉むつ子、林弘子、木村敦子

二〇一一年 五月 第五回ＷＷＶ総会記念講演 林弘子「同一価値労働・同一賃金」

二〇一二年 五月 第六回ＷＷＶ総会記念講演 林弘子「非正規労働の転換点を検証する」

二〇一三年 三月 〝林弘子教授福岡大学退任＆宮崎公立大学学長就任記念講演＆トークライブ「パイオニアたちが切り拓いた女性労働法の現在（いま）と未来」共催：福岡大学法学部林弘子ゼミＯＢ・ＯＧ会〟

# chapter 2

# わが友へのオマージュ
## ――日米の懸け橋を志し　時代に愛された人

坂岡　庸子（久留米大学文学部名誉教授）

### プロローグ

水と油のような性格の相違、成育環境の違い、すべて真反対の二人がなぜ絶交もせずに、追悼集を出したいと、大勢の方を煩わせるまで友情が続いたのか？　未だもって我ながら答えが出ず、書きにくい読みにくい追悼文になることをお断りしながら、思い出すことなどを断片的に綴ることにより、皆様の思い出に何らかの彩を添えていただければと思います。

これほど多面的な才能を持っている人は稀有な存在なのではという、最後まで特別扱いをしている私がいます。ご不快な思いをされる方もおられると思いますが、故人への追悼の意を表す文章であるということに免じまして、寛容なご配慮をいただけますと幸いに存じます。

また、文章中、林の表記は、敬称略にします。文章のリズム感と冗漫になることをさけるためです。林はスピードを最重視していましたから、本当の現代人です。これもアメリカ娘の本領です。慎重で面倒くさがりやで責任の重さを感じると、他者が関わることは何でも先延ばしすることが一番いい方法だと思う典型日本人の坂岡の評価です。

私から見ると、林の性格の特徴は白黒をはっきりさせないと気が済まないという、忖度社会の日本では、我が道を行くしか生き方がなかった人と要約されます。この性格は、若さだけが取り柄の院生時代に、同じくまだ若かったアメリカ――国際的に見れば米ソの対立と競争時代に突入し、祖国であるイギリスの石炭による産業革命と乗用車などの個人商品を大量生産する時代から、国際的にもいち早く宇宙衛星、軍事開発、生命科学を必須アイテムとする情報化社会に踏み出し、さらに企業の組織も国籍不明の多国籍企業へと一歩を踏み出し、これらの経済変動に対応するべく公民権運動、学生運動、ヒッピィー世代の出現という社会的な大転換期を迎えたアメリカ――とシンクロしながら、自己形成を行っていったからではないかと私は分析しています。

ルイジアナ州ニューオリンズにあるチュレーン大学のロースクールでの修士号取得（一九六八・九〜一九七〇・六）を経て、自由を享受する精神と、古き良き時代のアメリカ人教授から民主主義とリーガルマインド、プラグマティズムとヒューマニティを体験、感得できたことが、林の研究者・教育者としてのバックボーンになったと思います。

この時代の林の語りとして、カポーティの『冷血』（IN COLD BLOOD）にショックを受け、信じられないと思いつつも、明日の日本の姿かもしれないと思ったこと。慣れるためと思い、一か月早く行ったため、入寮するまで、綱渡りのようなホームスティをした時、最初夫婦と顔を合わせて、偶然に二十代の子供たちに出会っても、挨拶するだけで、話しかけてくれるわけでもなし、親子なら話しているのかと思ったけど、その気配もなく、いっしょに食事をしているのかどうかもわからず、まったく個人化した家族との、全員がホテル・シングル利用住まいのような、奇妙な同居生活を体験したこと、などを語ってくれました。伝わってきたことは、皆本当に孤独なのだ。伝統的な古き良き時代の人間関係は破綻してしまい、必要に迫られる機能的な人間関係を欲しても、それで特定の個人に自分が絡めとられるのはまっぴら御免と思うから、人は孤独にならざるを得ない。リースマンの『孤独な群衆』を思い出し、日本の村八分にされる孤独とは質が違うのだと薄々感じるところがありました。

今の日本人の若い世代はこの手の孤独が大半だと思いますが、団塊世代までは、特に父親が戦争帰りの場合は、遺体の収集もされないまま死んだ方の無念と、生きて帰れた親の持つ誰にも言えない孤独感、悲しみ、無力感、怒りやＰＴＳＤ、虚無感等を一心に感じ取って育ったものです。そういう一人として育っていた私は、学問をしながらも、宗教や芸術に最高の価値を求めざるを得ない人生になったのではないかと思い、さらに言えば、林と私の二人の親和性は、この共通点があったからこそ継続したと思っています。戦争を体験した父について、語り合ったことはありませんが。

林の留学時、急激に現代化する米国社会の中にも古代以来の男尊女卑が根付いており、その矛盾はどんな権力も権威も抑圧することは困難であり、女性だけ、複数のカップルに個人が加わるコンミューン家族に近い暮らしも見聞し、さらに様々な人種が交わり、南部なまりの英語とフランス語が公用語であるジャズ全盛のニューオリンズで、今までの人生観を完全にひっくりかえされたようです。私を育ててくれたのは、アメリカ。目の色を青に変えると決意するほどアメリカの自由の虜になり、人生は自己決定の連続ということを自ら内面化していき、忖度する精神などどこからも出て来ない人になり、最後まで、日米の懸け橋になりたいと、お世話になった日米のフルブライト機関の方々や同窓会の方々、故相馬雪香様、一冊の会の大槻明子様、小山志賀子様を心底敬愛しておりました。

林は、アメリカで半徹夜を何日もしながら修士論文のタイプ打ちをして、若いときから並外れた意思と体力で、知的な生産を継続してきました。私は林が突然死するまでは、心の片隅に、不死身の人と思うほど健康に恵まれた人と思っていました。しかし、実際は様々な要因が絡み合って、これほど大変な心身状況にある人は滅多にいないという事実を、自分も虚弱体質であったため察することができました。私は今で言えば、ひどいアレルギー体質で、気管支ぜんそくなどの呼吸器疾患を伴う登校拒否の子供のはしりでした。中学二年生のとき、会社病院のサナトリームの非結核病棟に十か月入院して、中学二年生を二回する留年生になりました。その体験から考えても、ある時期からの林は、いつ死んでもおかしくない人だった。でもすごい生命力というか知力と気力がこの人を活かしていた。実際は、保護しなければいけない人なのか、半殺しにしても死なない人なのか、遺骨になった今でもその得体のしれなさに、考え込んでしまいます。

二月二十六日寒い時期に産院で生まれて、自宅に帰った生後一週間目にお父さんが沐浴させて、風邪をひかせてしまい中耳炎になりました。結局耳が弱いということを、一生の宿痾にしてしまったのが、この留学時代の無茶苦茶な昼夜逆転の体内時計のリズムを壊した研究生活でした。しかしながら、最初の手術を執刀した医師は、耳の難病を患っていたアメリカの恩師が、林の病状を聞き、躊躇せずに紹介してくれた彼の主治医で、彼は当時アメリカの耳鼻科学会長で、通常術後聴力を失うのは当然であった時代、聴力を失わずに手術に成功しました。これほどの幸運なしには、これ以後の林の研究業績や翻訳や通訳による社会的な啓蒙活動、さらには、行政、各種女性団体との交流による男女平等を目指した社会活動は、できませんでした。

## 林との出会い

いつも馬鹿にされていた常套句「あなたたちが学生運動しているとき、私はフルブライトで初めてのアメリカ留学をしてきたのよ」と。文学部は、一九六九年の五月からバリスト（バリケード・ストライキ）に入り、秋には、教養部の機動隊導入で、授業ができるようになった。学生はなかなか授業に戻って来ず、新学期になると、就職試験を受けるため、さらに四年生の足は遠のいた。私は、入学前から大学院進学、大学の先生になると決めていたので、まず、卒論の良いのを書かなければ進学もできないからと、三年の後期から卒論の下準備に没頭していて、院生や助手の方たちに指導を仰いでいました。四年生の夏休み前、海外研修をしたことのある院生から、「坂岡さん、こんな所でぼんやりしていないで、フルブライト留学生になってアメリカの大学に行きなさい」と言われて、大概のことには驚かない私も、「えー、よりによって英語。英語が苦手で、行きたい大学受験できなかったのに」と呆然としていたら、ともかくフルブライト帰りの法学部の女性助手の通訳が余りにもすごすぎて、それで興奮して私に行けと言ったということが察せられたが、その助手が林弘子であった。

私は修士修了後、二年間保育士養成専門学校の教員として初職を得て、二年目に熊本短期大学（現熊本学園大学）に、翌年採用が確定して、非常勤勤務を一年間することになり、ご挨拶をしに先生方の控室に行くため階段を上がろうとしたら、上から背の高い知的な顔立ちの方が降りてこられたので、下でよけて待って会釈を交わした。後で、その時の私の印象を語るのに、『四十代の子持ち生命保険の外交員かと思った』であった。私は林（一九四三年生まれ）より五歳年下の二十七歳でした。

その年の秋、林はフルブライト研究員で渡米する。女性の先生が一気に増えて大喜びしていた初代女性教授が発起人になって、女性だけの歓送会をすることになり、私も加えてもらい、この方が、あのとき話題になった通訳者かと思い林に確認したら、「表現の自由がテーマで領域違いであるけれど、最初東大での講演をそのまま話すからということで引き受けたら、一週間前になって同じことは話せないので変えますという連絡があり、当日はそのテーマに馴染む先生方が前に陣取っていて、私は留学帰国後すぐで日本語を使えない生活を一年間して帰国したばかりに、初めての学術の同時通訳だし、どうなるかとハラハラしていた。教授夫婦との昼食のとき、大体の打ち合わせをして、本番は何か所か専門用語で日本語に置き換えられない時は、助け船が出て難なく終了した」とのことであった。教授の妻が、「貴女の通訳は国弘正雄さんなみに素晴らしかった。皆にメッセージが正確に伝わっているのがよくわかった」とお礼を述べられたそうです。

林の専門は労働法と社会保障法です。アメリカ社会学を選択すれば、英語は必須なのに、なかなか身につかなかった私は、その劣等感に押されて、林の翻訳の口述筆記をする仕事の手伝いをすることになり、結局この作業を通じて、私と林は、無二の親友になっていきました。これも不思議な縁と今になって思い返しています。

赴任先も後期になり林が帰国すると、川崎クニ子さんのいる社会福祉研究所に直行して、偶々いた私も、お母さんが持たせたステーキ数枚と松茸があるからと、三人で一緒に林の家に行き、林の手料理でステーキと松茸を御馳走になったのが、運のつきであった。それから、たびたび訪問するようになり、アメリカから運び込まれた膨大な資料や英語の本がまぶしかった。アメリカ政府が出している労災関係資料に、様々な労災の事例が列挙されていた中に sexual harassment の用語があった。一九七六年一月から八月まで滞在したイエール大学からの帰国資料にこの用語を発見して、女性の身体をめぐる眼差しの高さに驚いた。

当時の日本は、男尊女卑、家制度、性別役割分業に異議を唱えることも難しい時代であった。農漁家の長男以外は、ほとんど都会に出て被雇用者（中卒の金の卵から丸の内サラリーマン、官吏まで）になり、一方、女性は低比率ではあるが高学歴化も進み、四年制大学を出て即結婚ではなくＯＬになり、二、三年で寿退職・職場結婚・性別役割分業核家族形成（夫は終身雇用労働者、妻は専業主婦）が標準家族になった。他方、農村では、戦後の農地改革により経済的資産となる土地の私権を農民は獲得し、付随した民法改正により親族法上ありえない前近代の家制度が継続していた。その後、現在の人口ゼロカウントダウンが危惧される自治体壊滅に向けてひた走りにはしり、軋みにきしみ、歪みにひずんだ鵺のような国家が、我が国の現状である。結局、欧米にとっては破壊すべき男尊女卑と性別役割分業が、富裕層以外の大半の日本国民にとっては、一番幸せな家族モデルになってしまい、これが日本の社会病理であるという認識は、林と出会ったときから共有していた。

## 林のお母さんとのこと

コーネル大学の恩師クック先生も泊まられた飯塚の家を見せたいと、林に連れて行かれた。林は買い物があるようで出かけて、お母さんと二人食卓で向き合っていた。お母さんが、不意を突くように、「坂岡さん、弘子はどんな人に見える」と言われて、「そうですね。天涯孤独の人ですね」と言うと、目を落として辛そうな表情を見せて「やはり、あなたにもそう見えますか」と言われるので、「私もそうですから」と答えたら、「はー」と言う顔をされてまじまじと私の顔を見つめられていた。

二年後、林の傍若無人のわがままぶりに林に抗議をして怒鳴っても、ヒステリーを起こしても、遂には何て人だと逆上して平手打ちをしても、態度変容一切なしにあきれ果てて、林本人に文句を言っても始まらないという事実に直面した。対処方法として思いついたことは、彼女の持論である「日本の労災法にはアメリカのようなPL法（製造物責任法）がないから困る」と言っていたのを思い出し、ああ、これだこれだと思い製造物責任を取ってもらおうと考え、直に林のお母さんに電話して抗議した。「一体どのような育て方をしたら、あれほど傍若無人のわがままな性格になるのですか?」。お母さんの返答は「坂岡さん、弘子は、私にとって戦友だったのよ」。今度は私の方がはあーと言う感じになった。

林は一九四三年（昭和18）生まれである。夫が出征した留守母子家庭の、食べるために義母（生母とは三歳の死別・初子）のいる実家で、しつけどころか一日中家事をして、高熱のある我が子をほったらかしにしなければならない辛さを、「オムツを一度も濡らしたことのない、いっさい手のかからない、いつも帰ってくる母親にとびっきりの笑顔で、熱を出していたときも、足音を聞きつけて、ハイハイして踊り場まで迎えにきてくれて、私と目が合うとにっこり笑ってくれて、涙が止まらなかった」と言われた。

林は、自分の欲しいものを買ってくれないと駄々をこねて、泣き叫ぶ子供を見ると発作的に殴りたくなるほど逆上すると言っていたが、赤ちゃんのときから、母親が戦友と言うぐらい聞き分けが良かった。母の愛を知らずに育ったお母さんにとっては、我が子ながら神仏に見えたかもしれない。考えようによっては、この時代のおりこうさんが、後年のわがままの原因かもしれない。

義母については、同居していた叔父が、同じ母方の親族であったため、母が義母からどのような仕打ちを受けたか、林が母の生育歴に関心を持ち、話を聞きに行ったときに同行させられて、この耳で確認した中に、林のお母さんの友人で、女学校に行かせてもらえなかったのは、お母さんだけである。

続けてお母さんから痛烈なメッセージ。「こんな弘子が最近何か自信満々で、親に対しても見下した態度を取るようになった。皆がチヤホヤし過ぎではないか」。私はピーンときたけれど、謝らずに、「ああそうですか。失礼いたします」と言って電話を切った。今になって考えると、私が林を自由にさせなかったことが林の一番辛かったことで、それも傍若無人のわがままと私が一方的に決めつけて攻めることになり、結果的に林の最高のストレス源になっていたのは私であることを、お母さんが一番見抜かれていたような気がする。このような考えは、最近の気づきであるが、それ以前に、林のお母さんを本当にすごい人だと心底感服敬服したことがある。

林は中年期に無理がたたり、院生時代アメリカでした中耳炎の手術以後、全身麻酔で、脳に一番近い所にメスをいれるため、生命の危険性、あるいは、脳の損傷による廃人になる可能性も非常に高い補助手術を二回し、メニエール病で入院投薬治療もして、その間には、慢性的に鬱状態、酷い耳鳴りによる睡眠障害に悩まされ続けてきた。それで、お母さんの心配は極限に達して、ちょうどその頃自営業の奥さんたちで、商売繁盛を祈願するために、吉野ヶ里にある天台宗の古刹に通っていて、思い余って林の病気祈願も申し込まれていた。このような祈願は本人が行くのが一番いい方法であるが、林は行くはずがなく、身代わりに私に白羽の矢が立てられた。「久留米駅に来てください、そこからタクシーで一緒に行きます。準備は何もいりません」と、突然電話があり、二つ返事で引き受けるしかない。病気をどうにかしないと大変なことになるという心配は、お母さんと共有できる心情であった。

ところが、その日は年に一度の火渡りの神事がある日（十一月三日文化の日）であった。気づいたときは既に時遅しで、ええぃ、どうにかなる。なるべく最後に行き、下を見て熾火を踏まないようにすればよいと。最初に火渡りの仕方の説明がありました。何を言われても聞く耳持たず、こうなったら、ひたすら火をよけることに専念してマイペースで行くしかない。こんな所で転んで入院なんかできるものか！　中ごろから、均（なら）された火渡りの道を歩く方たちの大半が私と同じ考えで歩いていくので安心しました。ふっと気づくと林のお母さんだけ、言われたとおり、まっすぐお堂の中心を見上げて、ズブズブと火の残っている中を歩かれていました。度肝を抜かれて唖然として見送りながら、この人は、真の人だ。だから、林が戦友足りえたのだ。自分の番が来たとき、感動のあまり、私も林の身代わりだから同じ行動をするとはならず、お母さんには負けたとクールに頭をエゴモードに直して、細心の注意を払い、少しでも熱くない所を転ばないように、でもグズグズしないように要領よく渡って、足に水をかけて一安心しました。

最初、火渡りの神事に気づいたときは、このバカわがままな子にして、この傍若無人な母親がいたと臍を噛む思いで、場所もはばからずに恨みの炎をメラメラと燃やしていたのに、帰りはこの母親にして林弘子が存在すると、心から感動しました。同時にぐったりして、何かキツネに魂をさらわれたような妙な諦めの覚悟ができました。この先は、これ以上のことを耐えなければならないのだろうと漠然と思いました。被虐待者の洗脳結果という心理分析もありますが、やはり、凄い母と娘だという尊敬の念の方が勝っており、自分なりに林母子を受容して、その内容を言語化できないのに、そのすごさを腑に落ちたと納得している自分がありました。信者さんたちがよく口にされる、「不思議が起こり、何度も助けて貰った」と言われるのは、こういうことも含まれるのかもしれません。

林のお母さんの死（昭和六十三年一月）は、ある程度予想はされていましたが、思いがけず急展開になり、通夜の日、喪服を届けに行くことになりました。林のお母さんには、博多駅でグローリィという蘭が入った花束を買い届けました。翌日私は授業もあり、林の愛猫タマ（チンチラペルシャ）も寒いのに留守ばかりさせていたので、可哀そうだからと帰りました。お母さんの葬式は、葬儀屋が、これほどの葬式をさせてもらってとお礼を包まれるほど盛大な参列者の人数だったそうで、地元の方々のお母さんを慕う熱い気持ちがわかりました。私の花束はなぜか棺に載せられ、そのまま葬祭場に運ばれたそうです。

## 林と受洗

林は何回目かの留学のときメキシコに行き、メキシコの修道尼院（カトリック）で受洗しています。受洗の動機は、愛（ホスピタリティ）を感じたからと言っていました。同じ体験は、日米フルブライト交流計画五〇周年記念レセプションのとき、美智子皇后さまから、『二回もフルブライトで留学されたそうですね』とお声をかけていただき、心に染み入る優しさに、これほど全ての人を平等に見られる方はおられないと感じて、深い感動と敬愛の念がわいてきたと申していました。また、相馬雪香様がお亡くなりになられたとき、美智子皇后さま、三笠宮さまと、歴代の首相の方々や小渕優子様参列の「相馬雪香先生を追悼し感謝する会」に、一冊の会のメンバーとして誘われて、美智子さま献花の白菊をいただいて帰りました。林は雪香様から一度も叱られたことのない、ただ一人の人だったそうです。

林が懇意にしていた設計師と全てのコーディネイトを話し合い、アーリーアメリカンをコンセプトに、お父さんが経営する建築会社で建てた福岡市の自宅は、一階がビューローで、その上に居室のある二階建ての建物でした。一階の書斎、二階の寝室の窓から眺める位置にシンボルツリーとして、ハナミズキ（Dogwood）を植えていました。原産地は北アメリカ東部、相馬雪香様の父親である尾崎行雄（咢堂）が、一九一二年ワシントンに日米親善のため桜を贈り、一九一五年にタフト大統領から、お礼にハナミズキが贈られてきました。ハナミズキの花言葉は「答礼」「わたしの思いを受けてください」です。

また、寝室の窓辺には、子羊を抱いて杖を持つ顎髭の長いキリスト像と、マリア像の二五センチぐらいの見事な木彫りの像が置いてありました。ある時杖がなくなってしまったことに気づいた林は、直ぐに、ハナミズキを見ながら、少し枯れ気味の細い枝を切り取り、杖の代わりにしました。磔刑に使われたキリストの十字架は、ハナミズキの木であり、林はそれを知っており、迷わず杖に使ったようです。私は、イエス像はマリアが抱くピエタ像とベロニカのハンカチが一番好きですが、こんな所にも二人の微妙な差が表れているようです。

ちなみに、自宅の庭には梅、木犀、コブシ、モクレン、アンズで、桜はありませんが、一階のベランダのある居間側からは、ため池を挟んだ向かい側が国立病院の豪華な桜の並木です。また玄関側の道をはさみ、一段高い位置にある向かいの家は、最初に山桜が咲き、林の書斎の窓からは目を落とすとハナミズキ、向かいに視線を上方に向けると見事な山桜と、桜の借景にも恵まれていました。

## 林と芸術

林の読書は、ありとあらゆる分野にまたがり、理系は生物学や医学に強く、植物図鑑を愛用しており、ファーブルの『昆虫記』やシートンの『動物記』は愛読書であったらしく、虫愛ずる姫君よろしく家に集まる虫を正確に言い当てていました。教養の幅広さと質の高さは、飯塚タイル商会を一代でおこした母方祖父の書斎を重宝して、そこに入り浸って読書に耽った体験から、本好きの子になったことに端を発する。子供のときの習い事はお琴と池坊のお花であった。お茶は家に茶室もあり、お母さんの友達が来てお茶会をしていたから、自然とたてて飲むくらいはできて、結果的に日本文化の方が、アメリカ留学では役に立ったと言っていました。

当時の飯塚市は、コーヒー豆、各種西洋楽器、洋雑誌も含む書店、楽器修理屋と商店が並び、炭鉱の全盛時代で、三菱、三井、住友の財閥系、一流企業である麻生、日炭、元官営企業であった日鉄等、国民の大半が敗戦から立ち直り一息つく頃に、富のもたらす最高の文化に触れることのできる数少ない地方都市であった。祖父の人脈で、財閥系で東京から赴任してきた重役の同級生男子の家に遊びに行き、革靴をはき、子供部屋には会社の社長さんクラスの机とイスが置いてあり、書棚、絨毯、これは祖父宅も同じだからさほど驚かなかったが、使っている文具などが、ほとんど見たことのない種類のもので、国産にはない垢抜けしたデザインに目を奪われた体験からか、死ぬまで文具には、かなりのこだわりがあり、新しく珍しい文具を見つけると買ってしまう癖がありました。また用紙についても、アメリカとサイズも異なりタイプを打たないといけない紙と、筆や鉛筆で書く和紙の紙質の差について、時々持論を展開してくれました。ちなみに、コーヒーは小学校四年生から商店街に買いに行き、豆を挽いてもらって自分で淹れて飲んでいたようです。

幼稚園のときから、お気に入りの革のカバンに好きな本を入れて持ち歩いていました。レコードも好きな盤を買ってきて、グレン・グールドの古いタイプのレコードを持っていました。ＣＤは全巻持っていてよく聞いていました。コーネル大学ＡＣＬＳ研究員のとき、グールド（一九八二年十月四日）とテネシー・ウイリアムズ（一九八三年二月二十五日）がたて続けに亡くなり、自分の心を育ててくれた人の死に出会えて良かったと、悲しみの中にも今ほどネットもない時代、好きなだけ情報が読めて一層掘り下げた人物像を得て喜んでいました。『欲望という名の電車』は、林にとって杉村春子の名演技と合わせて、自分を再生してくれたあのアメリカの激動の変化（南北戦争の時代の面影が一掃され、工業化時代が経験できない史実となり、米ソの武器から本格的な情報の冷戦時代に突入する）と関連させていたからかと私は林の精神分析をしていますが、終生忘れがたい作品のようでした。

林は、大学受験までは、法学者を目指していたわけではなく、画家を目指して受験勉強をしていました。目標は東京芸術大学の美術学科でした。小学生高学年から受験用の絵画教室に通い、絵の具の色は基本色を用いて、自分で作成でき、白も黒もそれぞれ相当の種類があるらしく何番と瞬時に言えて作れました。また、日本画の顔料の使い方も習っていました。結局、初めての上京に親戚の家に宿泊して受験しましたが、よく眠れず不調のままに受験して不合格になりました。合格していても、生活できる画家になれるか自信はないし、商業デザイナーならできたかなー、と言っていました。

一浪して美術系を目指す気力はなくなり、現役なら東大文系を勧められたけれど後がないから、九大の医学部に行くか文系なら法学部、ただし、医者は客商売の所もあるし、法学部で官僚になる方が職業的な適正も高いのではと言われて、法学部を選択したようです。一浪で九大法学部に行き、卒業時は、国家公務員上級職を受けて合格し労働省に採用も決まっていましたが、研究者になりたくて修士課程に進学し、修了後に講座制の助手に採用されて二年目、チュレーン大学の修士課程に留学して、帰国後助手に服務して、現熊本学園大学の教員になりました。

当時、法学部女子学生の大学院進学はまれなことのようでした。林の同期の女子学生は五、六人（記憶あやふやです）、大抵いつも一緒に行動していたと言っていました。また、フルブライト留学は通常ハーバード大学に行かれる方が多いのですが、林は英米法ではなくて大陸法と労災補償法研究の希望を出していました。第二外国語はドイツ語でしたが、教養部生のときからフランス語も履修していて、特に初の留学前（法学部助手）は、城野節子先生（九大初の女性教授）の文学部仏文ゼミや個人指導も受けていました。仏版の『星の王子さま』の絵本は、生涯の愛読書でした。

## エピローグ

私の追悼文は、ここまでにします。後の活動は、関心があればこの情報社会、調べればわかります。何よりも皆様の追悼文で、林の人となりを確認できます。追悼文を書かれている方の大半が林と出会えていない時代の話を、記憶をたよりに、自己分析、日本人論、家族社会学研究に必要とされる知識として習得した内容を駆使して、私なりの林弘子像を纏めてみました。

林のすべては、お母さんの「戦友」という一語にこめられているというのが、私が林と長年付き合って痛切に感じることです。また、それは、我が家にも通じる話です。敗戦を十代後半から二十代後半で迎えた世代は、現在のコロナの時代と同様に、前代未聞の日本国敗戦・占領政策による民主化政策のこと、考えたこともなく想像もつかない風景の住人として、生き直しを迫られた方々です。日本全国津々浦々まで壊滅的な空爆を受けながら、命拾いをして、「堪え難きを堪え、忍び難きを忍び……」の初めて聞く御言葉、国民の心の琴線にふれる玉音放送からスタートした戦後復興への歩みは、日本国民が、亡くなった方々への負い目を感じる哀悼と悲しみ、生かされていることの感謝と喜び、死者への報恩の気持ちと、占領された結果とはいえ、主権在民、象徴天皇、平和憲法、三権分立、男女平等は、すべての国民の明日への希望を育み、戦後復興の礎となり、戦後生まれの私たちに、物質のみならず精神的にも豊かさをもたらしてくれたと解釈しています。

林も、弁護士として所属していた女性協同法律事務所が発起人の福岡女性九条を守る会で、寂聴さんをお迎えしたいと、天台宗ですから、火渡りの神事をしたお寺のご住職様を通じて、寂聴様にお願いをしました。この前年は、京都一〇〇〇年祭など、引っ張りだこでお忙しいところを、倒れて来られないかもしれないと不安でしたが、二日前から、静養されて、無事講演会も終了いたしました。その後もお付き合いが続いていて、林が学長になり、宮崎に招きたいと思い電話をしたら、寂聴様から『私は人から指図されるのが、一番嫌いです』と断られて、二、三日して、恐る恐る「来られないなら、寂聴さんの新刊の予告タイトルに使われている『百花繚乱』を使わせてもらっていいですか?」と、お願いしたら、それならいいと言われてほっとしていました。

無能な自分が情けなくて、林は天才だからと言うと、「庸さんは手抜きの天才よ」と切り返されて、「天才とは努力できる能力のことで、ホモサピェンスとして大差ない地頭の力とは違う」と、よく言い聞かされていました。また、私が林の激しい叱責の罵声を浴びせられて、身の置きどころがなくなり、どうしようとパニック状態になりかけると、「御免、庸さんに怒っているのではなく、できない自分に怒っているの」としょんぼりして言うこともありました。こういうときは、自分が理解できないことで仲間外れにされたり、責められたりして苛立っていることが多かったです。

要は、近場にいる気を許して甘えている人への八つ当たりです。大体、筋の通らない駄々をこねるような話が多いです。時には人知れず涙ぐんでいることもありました。私は気づかぬふりをして、やり過ごしていました。私以上に感受性の強い母は、林のことを、あれほど繊細な人はいないのにと、私が林に突っかかっていくことをたしなめていました。

亡くなって丸三年が過ぎます。やっと、林の死を受容できるようになりました。追悼文ができたら、林の業績を集めた単著をと、出版の段取りを開始しました。亡くなる年から、退職後直ぐに、林の集大成である、初の単著出版に向けて動けるように、私は日本労働社会学会代表幹事の木本喜美子先生に紹介者になってもらい入会させていました。先生のお弟子さんたちの中には、優れた労働現場の新書などを出版されており、私は炭鉱労働者の塵肺問題しか論文がなく、今の労働現場を研究する人が必要と思い、木本先生にアドバイザーをお願いしていました。また、すいれん舎の社長さんも、岩波、青土社、その他二、三社の編集者を集めて、月一回、林も上京して、神田で編集者の方々と会議を始めていました。すべて、一九四三年二月二十六日生まれの林が、二〇一七年三月三十一日以降を目指した出版準備でしたが、元有斐閣の大橋将様と私が引き継ぐことに致しました。林さん、次に開始する私の単著ができるまでは、お迎えに来ないでね。改革をさせたら、天下一品の人だから、どこの国かわからないけれど、ミッションを託されて、この世に出てきているかも。会ったときは声かけてくださいね。

1993年２月。川崎クニ子（左）、林と坂岡（右）で

最後に、ヒロ、いつも、とびっきりのユーモアから笑えないオヤジギャグまで駆使して、苦虫かみつぶしたような神経質で屁理屈屋の私を、健康にして、笑える人に変えてくれて感謝・感謝・感謝です。ありがとうございました。私の両親が一番感謝して喜んでいました。私が、病気の百貨店になり、ともかく、猫の守をしながらでも良いから、せめて、四十歳までは生きてほしいという両親の願いを成就できましたので。この猫の守は林のおことでしたね。あっ、そうか。林は、お母さんにとって、我儘ではなく、非の打ちどころがなくて、叱る必要のない方でした。それなのに、私は叱ってばかりいてごめんなさいね。

小言辛兵衛から叱咤激励の人へ　（了）

# 第2部

## 思い出の中から

――林 弘子とのあの日あの時

# chapter 1

# 九州大学大学院生から助手の時代

## 林　弘子さんの想い出さまざま

石橋　美惠子（筑紫女学園大学名誉教授・仏語仏文学）

「残り半年足らずで、全ての職を辞して福岡に帰ります。四月からはまた定期的に（ＢＰＷ福岡クラブ、通称「虹の会」月例会のこと）会うことが出来ます」。

これが電話での最後の言葉になりました。恩師の林迪広先生お見舞いの是非について、老いた姿を弟子に見られたくないのではという、如何にも林さんらしい心遣いの相談でした。九月に久保カヨ子さんの呼び掛けで何人か集まり、食事会をした一月後なので、ご逝去の前月のことです。先生の次女、是松いづみさんから、早速父上の詳しい状況を書いた手紙が届いた筈ですが、返事は無いままだったそうです。義理堅く即決型の林さんには珍しいことで、余程多忙だったたか、既に些か体調不良であったのかと、いづみさんと語り合ったことでした。

私が林さんを知ったのは、彼女がまだ大学院生の頃でした。年齢は随分違います。ある時干支を聞いたら未年とのこと、それでは申年の私より十一歳も下でした。同じ研究室出身の夫、石橋主税を通しての知人の筈ですが、そのことを忘れるほど親しくしていただきました。

私宅にお越しになると、まだ小さかった娘が憧れの眼差しで付き纏っていました。ある時、その娘が傍から消えたので、いぶかって探したら玄関で踵の低い大きな靴に自分の足を入れているのです。「林弘子さんの靴」と言いながらきまり悪そうな顔をしていました。颯爽と長身で、まるで宝塚のスターのようでした。ところがその外見に反して意外に病弱でした。アメリカにフルブライトで留学中も病気の中を滞在一年で修士論文を仕上げた頑張り屋です。

それほどの方でも、女性差別が激しかった頃ですから、職はありません。憲法や民法はまだしも労働法では法・経学部を設置した大学しか専任職は難しいです。夫も後輩の身を案じて尽力はしても、せいぜい非常勤職をお世話することしか出来ません。ご本人も時々は我が家で弱音をもらされることもありました。長い間勉学を続けられたのも、裕福な家庭でご家族皆様の理解と支援があったからでしょう。

漸く熊本商大にポストがあり、熊本に移られてから、高校生になっていた娘と二人で熊本のお宅に泊めていただきました。福岡大に移籍なさってからは、折にふれお顔合せが出来るようになりました。

一九八八年設立の福岡市女性センター・アミカスは二〇〇七年三月まで財団法人で、隔年で国際的な大事業を開催していました。九四年の第二回国際女性フォーラムでは、コラソン・アキノ元フィリピン大統領の招聘が決まり、実行委員会会長の梁井迪子館長と副委員長の私は、対応に苦慮しました。大講演会の司会と対談相手には、国際感覚に優れ、元首級への作法の心得がある林さんにお願いし、彼女は見事に大役を果たしてくださいました。

宮崎に学長としてご赴任後間もなく、ジェンダー法学会全国大会を開催するので来ないかとのお電話をいただきました。専門外とお断りすると、遠来の客の中に必ず知人がいるからとのこと。立石和枝さん（元家裁調査官）と一緒に「枯れ木も山の賑わい」と観光気分で出かけて、日仏女性研究学会の法学関係の方々と旧交を温めることが出来ました。

翌年は、ハワイ大学マノア校およびハワイ大学カピオラニ・コミュニティカレッジと宮崎公立大学との学術交流締結記念パーティーである、家元出演の能へのお誘いです。「虹の会」大先輩の弁護士で、能が趣味の湯川久子さんも最後の出演とのこと。私は先ず財源が心配でしたが、地元企業の協賛金で大丈夫との由。田島安江さんの車に便乗して、また立石さんと三人で出向きました。前年同様、大学職員が手足のように働き、行き届いたおもてなし振りに、林さんは実に人使いの名人であると感心しました。

前述の九月の会では痩せ過ぎが気懸りでしたが、十月の電話の声は活力に充ちていましたので、杞憂であったと安堵していました。それで訃報はまさに青天の霹靂でした。今もひょっこり我が家をお訪ねくださるような気がしています。間もなくお浄土で再会できますね。

# 林　弘子さんとの思い出

手塚　千鶴子（元慶應大学日本語・日本文化教育センター教授）

昔の写真がある。若かりし頃、熊本に訪ねた時の彼女が、お茶目な姿で、私と写っている。昭和二十一年生まれの私は歳下で、彼女ほどの際だった才能も個性もなく、ボォーっと生きてきたのだから、林さんには姉貴の風格があった。大学四年の夏、英語学校主催の米国旅行で出会った九大大学院生の彼女は、頭は切れ、弁が立ち、何事にも興味津々。冒険をこよなく愛し、頼もしくボーイッシュな先輩であった。

1970年初め頃、熊本にて（左が林）

この出会い以降も彼女が上京のたびに、その幅広い人脈の中から、優秀で魅力的なビジネス・ウーマンや研究者・学者・編集者たちをご紹介いただき、その席にお相伴させていただいたものである。美味しいお料理と、丁々発止の刺激的な議論。そのたびに、鋭く挑発的な問いや意見を出すのは、林さんである。

そんな彼女の眼には、くそ真面目にお勉強はするものの、自分らしいテーマも問題意識も育てずに、万年お嬢様風の私には、はがゆい思いもしていたのではなかったか。いつとはなしに、「真面目ちゃん」とのあだ名をもらった。からかわれていたのか。でも満更でもない私であった。

こんなこともあった。米国のテュレーン大学へ留学する林さんを羽田に見送った時のことである。大荷物二、三個を抱え足許もおぼつかない太った外国の老婦人を目ざとく見つけると、心配だから自分が出発した後、面倒を見てやって、そう言い残して颯爽と搭乗口に消えてしまった。

その老婦人は、ある新宗教の研究にインドに行く予定なのだ。今後の生き方について日本の山伏の教えを乞いたいので、紹介して欲しいと言う。ニューヨークの市役所を退職し息子も育て上げ、これから自分の人生をと夢見る情熱にほだされ、赤坂に宿を見つけ、無事、大荷物と一緒にホテルまで送り届けた。親類のお坊さんに問い合わせると、今の日本にそんな人はいない、とのにべもない一言（現在は素晴らしい山伏がいる）。どうやらラフカディオ・ハーンの小説かエッセイにそんな人物が出てきたらしい。当時の豊かな米国で、バリバリの資本主義の暮らしに嫌気がさし、遠いインドに心が傾むいていたのか。私はなぜか彼女に魅せられせっせとホテルに通い、お相手をしたのである。

その後、インドで確か一年近く生活するが、そこにも格差をはじめ様々な根深い社会問題があること、インドに比べればまだ若い米国は未だ産みの苦しみの中なのだと気づき、期待は裏切られたがある種の納得と共に、彼女は帰国したのである。

こんな不思議で心に残る出会いをアレンジしてくれたのが、林弘子さんなのである。

その後私は三十五歳で、ミネソタ大学に留学、一九八六年に帰国。慶応大学に就職し、主として留学生のカウンセリングを担当し、日本人・留学生混合の「日本人の心理学」や「異文化コミュニケーション」を教えるようになる。その授業に、学生参加型のアートやミニ内観を取り入れ、身体知的な教育実践という、自分らしい道をようやく探し当てた頃には、林さんは、研究・教育その他の多様な領域で内外に活躍の場を拡げられ、お年賀状のやりとり程度のおつきあいになってしまった。そこには常に新たな挑戦への熱い想いと覚悟が綴られていたように記憶している。

定年退職後九年を経た今、天国の彼女と言葉を交わすことがあれば、お互い何を語ったであろうか。そして私はやはり「真面目ちゃん」と呼ばれるのであろうか……。いやいやそれは私が天国に行った時の楽しみにとっておこう。

# 林　弘子先生を偲ぶ

阿部　和光（久留米大学名誉教授）

## はじめに

昨年（二〇一六年）十一月二十一日、本学会の会員で、宮崎公立大学学長（当時）の林弘子福岡大学名誉教

授が、ご自宅で急逝された（享年七三歳）。女性の平均寿命が八〇代後半に達している今日では、早過ぎる旅立ちである。

私は翌二十二日の早朝、大橋將・前日本赤十字九州国際看護大学教授からのメールで、先生のご逝去を知った。突然の訃報に驚愕し、信じがたい思いであった。

私が最初に先生にお会いしたのは一九七〇（昭和45）年四月に、九州大学大学院法学研究科（社会法専攻）に修士として入学し、故荒木誠之先生（九州大学名誉教授）の社会法ゼミに初めて出席した時であった。私は授業の開始時刻の大分前から、ゼミ室で緊張しながら待機していた。そこへ先生が来られ、「助手の林です」と名乗って着席した。私は慌てて立ち上がり、ぎこちなく自己紹介をした。

この時の出会いから、四十有余年の歳月が経過した。これほど長い間、林先生に研究会仲間としてお付き合いいただくことになるとは、当時まったく想像もしていなかった。そのうえ私が先生の追悼文を書く立場になるとは、神のみぞ知る巡り合わせである。私の力量不足に加え、同門であまりにも近い存在なので、先生のご研究について客観的な学問的評価をするのは難しいが、在りし日の先生の学問への情熱に思いを馳せながら、先生を偲ぶ一文を記すことにしたい。

## 一　研究者の道へ

林先生は福岡県飯塚市に生まれ、九州大学法学部に進学して、一九六六（昭和41）年、卒業と同時に同大学院に入学し、大学院ではアメリカ労災補償制度を研究テーマにした。先生が大学院を選択したのは、後に指導教授になる恩師の林迪廣九州大学名誉教授の勧めがあったからである。

先生は一九六八年に修士課程を修了して、九州大学法学部助手になった。この翌年四月に、荒木先生が熊本大学法文学部から九州大学法学部に転任された。九州大学の社会法講座は林（迪廣）・荒木両先生が二枚看板となって、研究指導体制が強化された。荒木先生が労災補償法の研究から社会保障法学に視野を広げ、荒木理論と称される社会保障法の基礎理論を確立された時期に九大に来られたのは、労災補償制度を研究対象にしていた林弘子先生にとっても僥倖であった。

当時の九州大学法学部助手は、博士課程の院生と比べると「特権的地位」にあった。九州大学法学研究科では、修士課程修了後の進路は、博士課程（今日の博士後期課程）と助手のいずれかであった。助手には手厚い給与と個室の研究室が与えられていたのに対し、博士課程の院生は経済面では貸与制の低額の奨学金しかなく、研究室は数名の院生の共同使用であった。林弘子先生が助手に抜擢されたのは、社会法講座の指導教授であった林迪廣先生と教授会が先生の研究者としての将来を嘱望し研究能力を高く評価していたことを示している。今日まで、先生はその期待を裏切らない研究成果を挙げてこられた。

先生はアメリカのチュレーン大学ロー・スクールでもアメリカ労災補償を研究し、一九七〇（昭和45）年同大学から修士の学位（LLM）を授与された。

帰国後、一九七二年に熊本商科大学（現熊本学園大学）に専任講師として就職し、翌年助教授、一九七九年に教授になられた。そして一九八五年に、福岡大学法学部教授に転任された。同大学法学部では、先生が初の女性教授であった。この頃は福岡大学に限らず、全国的に女性の研究者・教員は少なかった。私の学生時代も法学部に進学する女性の数がきわめて少なく、当時の九大法学部の女子学生は一割に満たなかった。当然、大学院入学を希望する女子学生もほとんどなく、さらに労働法を専攻する女性は皆無といってもで過言ではなかった。林弘子先生は九州大学社会法講座では、最初の女性の院生であり助手であった。

専任教員に就職されてからも、林先生は在外研究にしばしば出かけられた。一九七五（昭和50）年には、フルブライト研究員としてイェール大学ロー・スクールで研究に従事されたが、それはほんの一例にすぎない。日本社会のあらゆる分野における男女の不平等は、高等教育分野でも例外ではなく、女性が研究者として育つ条件は、時代を遡るほど厳しかった。そのような時代的社会的環境の下で、先生は社会法分野の研究を通して「グラスシーリング」を突き破り、自ら男女平等の実現を求めて先駆的役割を果たしてこられた。

## 二　初期の研究

林先生の労働法研究の出発点は、大学院におけるアメリカ労災補償法の研究であった。その成果の一部は「アメリカ労働者災害補償制度㈠——及びわが国における労働災害補償制度の若干の問題点——」（法政研究三七巻五・六号一三五－一八二頁）である。この論文の中で、先生はアメリカの労災補償制度の研究の目的について、次のように述べている。

「今日（筆者注：一九六〇年代当時）、労災、公害、交通事故が重大な社会問題化しているのは、わが国のみならず世界的傾向といわれているが、後の二者は同時に労災問題の重要な構成要素ともなっている。

……（中略）……公害問題に関しては、被害者の救済のために企業の無過失責任の法理の導入あるいは被害者側の因果関係の立証責任の緩和が要請されている。この問題についてもアメリカの労災法の歴史と現状の分析が、何らかの示唆を与えはしないかと思う。というのは、無過失責任法理に基づく労災法が、長い苦闘の後に生み出されたアメリカとは異なり、わが国の場合、外形的には立法による上からの解決という形で無過失責任の導入は、何の抵抗もなく行われたからである。」

先生のこの問題認識は、後に労災保険法と労基法の災害補償との性格付けが、学説でも判例においても論点となることを予見していたようにも思える。

こうして始まった先生のアメリカ労災法研究への取組みは、上述したチュレーン大学ロー・スクールでさらに研究を重ね、一九七〇年代に一連の労災補償の論文として発表された（たとえば上記法政研究に掲載した続編でもある「アメリカにおける労災補償法の成立」〔熊本商大論集三九巻、一九九三年〕や「アメリカにおける労災補償と民事賠償（上）（下）」〔労働研究会報一二七九 - 一二八〇号、一九七九年〕など）。

先生のご業績を改めて振り返ってみると、初期のアメリカ労災補償法研究は、その後の研究に大きな影響を及ぼしているように思われる。

第一に、アメリカ法の比較法的研究を通して堪能な語学力を駆使し、国連条約、ＩＬＯ条約およびＥＵ諸国の法律など幅広く渉猟し、法の解釈や制度の検討に客観性、普遍性を付与する手法は、論文に論理性と説得性をもたせることに役立っている。

第二に、荒木誠之先生が労災補償法研究から社会保障法へと研究対象を広げたように、先生も社会保障法の領域へと視野を広げていった。この傾向は荒木門下の良永彌太郎熊本大学名誉教授や柳澤旭山口大学名誉教授などとも軌を一にしており、かつての九大社会法講座で学んだ研究者の共通点でもある。

第三に、労災補償における労働契約の付随義務である安全配慮義務を敷衍して、健康配慮義務から職場環境配慮義務へと深化することによって、セクシュアル・ハラスメントの法理の理論化の基礎的土壌となっている。

第四に、セクシュアル・ハラスメントから、労働条件の平等化（差別禁止）、さらに「ジェンダー主流化」へと展開し、性に起因する問題がより深く掘り下げられていくことになる。

このように、林先生は主たる研究関心を、セクシュアル・ハラスメントから労働関係における女性の地位向上へと移していかれた。

## 三　セクシュアル・ハラスメント法理の構築

周知のことであるが、林先生はセクシュアル・ハラスメント法理の確立に、大きな貢献をされた。わが国におけるセクシュアル・ハラスメント問題は、一九八〇年代から次第に大きく論じられるようになったが、一九八九（平成元）年八月に提訴された福岡セクシュアル・ハラスメント訴訟が、労働問題としてのセクハラが社会的に注視される契機となった。この事件で先生は鑑定意見書を福岡地裁に提出し、原告および弁護団を理論面でバックアップするとともに、精神的にも支援をした。なお、山田省三中央大学教授もイギリス法からのアプローチを踏まえた鑑定意見書を福岡地裁に提出された。

こうした訴訟支援と併行して、先生は専門誌にセクシュアル・ハラスメントについての論文を発表し、学界にインパクトを与え論争を喚起してきた。ジュリスト九五六号（一九九〇年）がセクシュアル・ハラスメントの特集（座談会と三本の論文）を組んでいるが、そのなかに林論文も含まれている（林「職場におけるセクシュアル・ハラスメントへの法的対応」）。

男女雇用機会均等法（一九八五年）は、一九八〇年代前後の段階ではすでに制定されていたものの、同法にはまだセクシュアル・ハラスメントの規定がなかった。もちろん、セクハラそれ自体は社会的事実として以前から発生していた。しかしセクハラを規制する法規範は実定法上もなく、判例法理もまだ形成されていない法的環境にあった。先生はアメリカの公民権法第七編の性差別禁止規定と、それに基づく雇用機会均等委員会（ＥＥＯＣ）のガイドラインの定義を援用して、日本におけるセクシュアル・ハラスメントの法理の構築を志向した。上記ＥＥＯＣのガイドラインは、セクシュアル・ハラスメントを「代償型」（後に「対価型」と呼称される）と「環境型」で定義している。この定義はアメリカの裁判実務でも受容され、他の主要国にも普及しており、林先生はこうした状況を踏まえて、論文でも、また福岡セクハラ訴訟の鑑定意見書でも、対価型と環境型のセクハラ定義を前提に、セクハラ行為に対する法的評価（違法性と行為者および使用者の不法行為責任の成否）を検討している。

セクハラ事件では最初に提訴された福岡セクハラ訴訟事件で、原告労働者が勝訴し一審の福岡地裁判決が確定したことは、学界および社会に対して大きな影響を与えた。わが国のセクシュアル・ハラスメントの法規制は、アメリカなどに比べると十年は遅れているとの認識（林「セクシュアル・ハラスメント　国際的にも認められる二つのタイプ」法学セミナー四四八号、一九九二年、五三頁）から、先生は精力的に論文などの著作や裁判活動の支援で、裁判所、学界および社会に積極的な働きかけをしてこられた。

一九九七（平成9）年の均等法改正で、セクシュアル・ハラスメントが立法化され、事業主のセクハラ行為に対する「配慮義務」が定められた（同法21条）。先生は一九九九年春の労働法学会報告「アメリカにけるセクシュアル・ハラスメント法理の再検討」（日本労働法学会誌九四号　三九頁以下）で、一九八〇年代以降のアメリカのセクハラ規制の状況を検討し、一九九七年均等法二一条が、「女性の男性に対する、男性の男性に対するハラスメントは適用対象外になっており、性を理由とする差別が放任されている」と批判的に指摘した。二〇〇六（平成18）年均等法改正は、従来の「女性に対する配慮義務」を「措置義務」へ改正して規制を強化した（同法11条）。セクハラに対する法規制は、立法上の不備を含みながら、漸進的であるが進んできている。

## 四　ジェンダー・雇用の平等への取組み

林先生は長年、「ジェンダー平等を原則とする雇用における男女平等」の実現を、研究課題にしてきた。セクシュアル・ハラスメント問題への取組みも、こうした研究の一環である。研究生活の当初から、先生は最低労働条件法である労基法の均等待遇（3条）および男女同一賃金（4条）の規定上の不備（前者には「性別」が含まれず、後者には法案の準備段階であった「同一（価値）労働同一賃金」の文言が含まれていないこと）の問題性を指摘し、改善を求め続けてきた。

雇用における女性労働者の差別的扱いを利用する企業社会の悪しき慣行は、結婚退職制、女子若年定年制、女子差別定年制などの裁判を通して、次第に否定されてきたが、それでもわが国の「女性の社会への参加度」は、国際的に見ても今日なお非常に低い（調査対象国一四五か国のなかで日本は一〇一位、World Economic Forum. 'World Global Gender Gap Report 2015'）。

林先生は、コース別賃金が男女の賃金格差をもたらすとして、女性職員がその是正を求めて提訴した住友電工事件（大阪地判・平成十二年七月三十一日）の控訴審で、大阪高裁に労働法学の立場から鑑定意見書を提出した（林「住友電工地裁判決鑑定意見書」労働法律旬報一五二九号、二〇〇二年、三〇頁以下）。

地裁判決が原告の請求を退けた理由は「男女コース制は憲法一四条の趣旨に合致しないが、使用者に採用の自由があり、他方、均等法（当時の8条）では募集、採用は努力義務にとどまるもので、昭和四十年代当時の男女役割分担意識の強さなどから、企業の採用方法は当時としては違法といえず公序違反といえない」ということにあった。こうした裁判所の判断手法を、先生は「時代制約説（論）」と呼んで、鑑定意見書や論文で「ジェンダーバイアスおよび統計的差別は、必ず個人を抑圧するという典型的な事例」と批判している。

同事件では、先生を含む他分野の研究者の鑑定意見書や論文などが、数多く控訴審に提出され、そのうえ国連の社会権規約委員会の最終所見（二〇〇一年八月三十日）が、コース別雇用管理を容認する均等法の意義と適用を疑問視し、適切なジェンダー視点を備えた新たな法律の採択を日本政府に勧告するに至った。

このような男女コース制賃金差別に対する内外の批判を受けて、控訴審の大阪高裁は被告会社にコース制を改めるように要請する「和解勧告」を出し、この勧告を訴訟当事者双方が受け入れたことにより、実質的に控訴人（原告）勝訴の和解が成立した（大阪高裁和解勧告・平成十五年十二月二十四日）。

大阪高裁は原告労働者側の「時代制約論」という批判に対して「過去の社会意識の残滓を容認することは社会の進歩に背を向ける結果となることに留意されなければならない」と積極的に前向きの応答をし、さらに「現在においては、直接的な差別のみならず、間接的な差別に対しても十分な配慮が求められる」との見解を示した。これはまさに、林先生のいう「変革のツールとしての法廷闘争」の成果であったといえるであろう。

## 五　社会保障法分野の研究と学会活動

林先生は労働法だけでなく、社会保障法の分野でも研究活動を続けてこられた。詳述する余裕はないので、初期と近年の論文を若干例示するにとどめる。前者には「『堀木訴訟』判決をめぐる福祉行政の問題」（日本労働法学会誌四一号、一九七三年）、「女性と年金」（賃金と社会保障九一三号、一九八五年）などがあり、後者には社会保障法学会講座の所収論文「最低生活保障と平等原則——外国人への適用を中心に」講座・社会保障法第五巻『住居保障法・公的扶助法』（法律文化社、二〇〇一年）および「ひとり親世帯と社会保障」新・講座社会保障法第三巻『ナショナルミニマムの再構築』（法律文化社、二〇一二年）を挙げておく。二つの社会保障法学会講座は、いずれも先生が編集委員の一人として企画・編集を担当された。

社会保障法学会の活動としては、先生は一九八二（昭和57）年の学会創設時の第一期理事会の時代から引続き理事に選出され、以来二〇一四（平成26）年まで三十二年間にわたり、理事として学会運営に携わってこられた。学会創設期の理事には労働法学会の重鎮である沼田稲次郎先生、有泉亨先生（初代代表理事）ほか、錚々たる学者が含まれていたなかで、若い世代の林弘子先生も理事に選出され、学会運営に参画していたことに改めて驚きを感じる。

## 六　学長就任と第二の人生の夢

林先生は二〇一三（平成25）年三月に福岡大学を定年退職され、翌四月から強く請われて、宮崎公立大学の学長に就任された。就任時の新聞報道によると、セクハラ問題で大きく揺れていた同大学は、労働法の専門家でセクハラ・パワハラ問題に熟知した著名な林先生に、大学が直面している諸問題の解決――失われた社会的信頼の回復と大学運営の正常化――を期待したのであった。学長就任後三年間で、先生は多くの成果を挙げ、後任の次期学長候補者の指名まで早々と終えていた。先生は二〇一七（平成29）年三月の学長職の任期満了により、大学と地域社会から託された任務を終え、福岡に戻ることを楽しみにしていた。

林先生は福岡大学在職中の二〇〇三（平成15）年に、福岡県弁護士会に弁護士登録をされ、教育研究の傍ら、福岡市内の法律事務所の客員弁護士として活動されていた。先生は宮崎から帰福して、ホームグラウンドである福岡で、研究生活と弁護士活動に専念し、第二の人生をエンジョイされる計画であったのではなかろうか。大学行政から解放され、ライフワークであるジェンダー・フリー（男女の平等化）のための研究と「ツールとしての法廷闘争」の本格的な再開の条件は整っていた。しかし先生は第二の人生の扉を開くことなく、天上へ旅立たれてしまった。理論と実践の両面を融合させて活動できる得難い存在を失うのは、学界および社会にとって甚大な損失である。あまりにも早いご逝去が惜しまれてならない。

## 七　二つのエピソード

最後に、林先生の人柄が偲ばれるエピソードに、少しだけ触れておきたい。一つは私が大学院に入学した際の新入生歓迎コンパのときのことである。歓迎コンパは荒木誠之先生がご自宅で行うことを提案された。おそらく大学紛争後の社会法ゼミの荒んだ雰囲気を改善したいというご配慮だったのであろう。院生たちは鍋料理に必要な材料と酒を買い入れ、荒木先生のご自宅（大学職員宿舎）にお伺いした。林助手は院生のためにサントリーレッドのジャンボ・ボトル（二リットル）を持参された。ウイスキーはまだ高価な時代で、日常的に院生が飲める酒ではなかった。院生たちは「何だ、レッドか」と減らず口をたたきながら、内心は喜んで飲んだので、ジャンボ・ボトルはすぐに空になった。ウイスキーの持参も林先生のさりげない気遣いであったが、それに気づいたのは私が年齢を重ねてからのことである。九人のゼミ生は飲めるだけ飲んで酔っ払い、あちこちで喧嘩に近い議論を始めた。紅一点の林助手もその議論の輪に参加し、一歩も引かなかった。先生は若い時代から「静かなる微笑みの闘士」であった。

もう一つは、一九九四（平成6）年、九州社会法研究会で荒木先生の古稀記念祝賀会が催されたときのことである。先生は荒木先生に七十本の紅い薔薇の花束を贈られた。深紅の薔薇七十本は美しく壮観であった。先生は深紅の薔薇に何を託されたのか。おそらく紅い薔薇には（人間）愛と（学問への）情熱、そして

（平等な社会への）変革という先生の信条が込められていたに違いない。

## おわりに

林弘子先生が研究生活を通して追い求めてきた雇用における平等、ジェンダー・フリー、そして社会的平等の実現に向けた問題提起は、人間社会にとって時と場所を超えた普遍的な課題であり、誰もが自らの問題として受けとめ取り組んでいかなくてはならない。今日の国内外の人権を取り巻く環境は、決して安心できる状況ではない。しかし先生が指摘し続けた課題と示された問題解決の方向性は、多くの人々によって受け継がれ、平等の実現に向けた努力が止むことはない。

追悼文を終わるにあたり、あらためて、林弘子先生のご逝去を悼み、心からご冥福をお祈り申し上げます。

（日本労働法学会誌［日本労働法学会誌会１２９号（２０１７年）、法律文化社］に掲載）

# 林　弘子さんのこと

植木　とみ子（社会福祉法人 福岡市民生事業連盟理事・統括施設長、元福岡市教育長）

大きな犬を連れて散歩、英語が得意、白亜の大邸宅、上等な仕立てスーツ、薔薇、ワイン……。私が林弘子さんに関して真っ先に連想するのはこのような単語です。もちろん労働法の大家であり、我が国初のセクシャルハラスメント訴訟で勝訴を勝ち取るについて、大変な功績があったということは十分に承知の上ですが。

私が九州大学法学部大学院に進学したのはもう五十年も前のこと、その当時そこに在籍していた院生は修士・博士課程含めて二十人ばかりでしたが、女性は私一人でした。実は私より数年先輩に林弘子さんという方が在籍しておられたが、今はアメリカに留学中とのこと。その時からお名前はお聞きしており、私は民法専攻でしたが、林さんは労働法専攻ということで、それにもかかわらず（？）前述のような華やかなイメージが多くの男性院生の間に共有されていたので、私は勝手に自分なりの林弘子像を作っておりました。

その後だいぶん経ってから学会でお見掛けすることが何度かあり、またはじめてお話ししたのは、私はまだ博士課程在籍中、林さんは熊本商科大学に入職される直前だったと思われますが、就職のことで熊本のご自宅に相談にうかがった時です。その時の印象はざっくばらんで物事をはっきりおっしゃる方だということで、研究者とはこうあらねばならないのかと胸に刻みました。

その後もいろいろな会合でちょくちょくお会いすることはあったのですが、本当に親しくお付き合いをさせていただくようになったのは、ほんの十数年前からです。「古川照美さんが福岡女学院大学学長として迎えられるので、福岡の女性で支えてやってください」とある人に頼まれて、古川さんと同世代の九州大学医学部出身の元福岡県副知事の稗田慶子さんと、古川さんの法学部大学院の数年後輩にあたる林さんをご紹介しました。実に法学部大学院にはほぼ十年間、古川、林、植木と三人の女性しか在籍しなかったのです。

誰が名付けたか「巨頭会談」、もちろん私が一番年下でいつも連絡役の小間使い。でも一年に二〜三回食事をし、ダベリング。錚々たるおばさま二方が、このときばかりは女学生に戻った雰囲気で、ちょっと信じられないでしょうが、ワインの酔いが回るとあだ名で呼びあい、猫語で話し、私はびっくり！　この時初めて、林さんが犬だけでなく猫もお好きなんだと知りました。

林さんが宮崎公立大学の学長に就任されたときには、その頃はもう古川さんは東京の法政大学に戻っておられたのですが、「林さんに学長の心得をお伝えしなければ」と東京から召集の命が下りました。もっとも皆さんが集まると、いつもの通りおいしい食事とお酒とよもやま話、それでもとても楽しく三〜四時間はすぐに過ぎてしまうのです。

ある時、林さんから電話がありました。「古川さんの様子がおかしいの。ちょっとあなたからも様子を伺ってくれない？」。私から古川さんにお電話しても、たしかになんだか違和感がありました。これはちょっと皆さんでお会いしたほうがよろしいかと、古川さんの喜寿祝にかこつけての「巨頭会談」を企画しました。林さんはとても律儀な方で、たった一晩のこのイベントのために宮崎から飛行機で帰ってきて、翌朝一番で戻るというハードスケジュールでした。おかげで古川さんも何ともないことがわかり一同ほっとして、ラグビーの五郎丸の話なんかで盛り上がりましたが、私はこの時、林さんがとても痩せていらっしゃるのが気になりました。何も愚痴は言われませんでしたが、やはり福岡と宮崎の往復生活はずいぶん負担になっているのではと推測していました。

林さんの訃報をお聞きしたのは、それからあまり時をおきませんでした。それ以後「巨頭会談」は開かれていません。今にして思えば、たぶんこの中で林さんは中心的存在だったのでしょう。やはり、林弘子さんは私が作り上げた最初のイメージ通り、とても華やかな方だったのだと思います。

*chapter* **2**

# 熊本商科大学の時代と研究者としての出発

## 林　弘子先生を追悼して

目黒　純一（学校法人熊本学園理事長）

人の死は突然やって来るとはいえ、あまりにも急な見送りであった。お別れの日にお兄様が悔やんでおられたのを思い出す。亡くなられてもう三年の月日が過ぎた。今でも「やあ、元気」と言って、左手で研究資料を持ちながら声をかけてこられそうだ。

九州大学法学部助手、佐賀大学非常勤講師等を経て、昭和四十七年四月に熊本短期大学講師として赴任された。間もなくして、当時、私が編集を担当していた広報誌「熊本学園通信」に「婦人参政30年」という玉稿をいただいた。「先の地方統一選挙には『国際婦人年』にふさわしく史上最高の婦人候補者が立候補したにもかかわらず当選率は極めて低かった。また、国会議員も衆議院七名、参議院十八名で定数に対して三・四％弱であり、いやな言葉だが政治は依然として男の世界にとどまっている。」との一節がある。

さらに、この稿には続きがあって、日本の婦人運動の嚆矢となった市川房枝参議院議員の熊本での講演会を大変楽しみにしている件がある。後の業績から察するに、林先生が婦人参政権運動の生きた記念碑と称えた市川女史との出会いが、自身のなかで労働法と社会保障制度についての新たな触発を得たかもしれない。

この寄稿を読むにつれ、八木峠の山道をダンプカーのハンドルを握りしめ家路を急ぐ姿が思い浮かぶ。福岡県飯塚市のご出身、家が建設業で、ダンプカーを運転できると聞いたことがある。八木山峠は夜間でもトラックの往来が激しいことで知られ、飯塚市近くでは「七曲り峠」と呼ばれるヘアピンカーブが続く福岡市と飯塚市を結ぶ幹線道である。

熊本短期大学に就任された当時、背が高くあの美しい先生に皆の注目が集まったのをよく憶えている。昭和の時代も終盤に差し掛かったころに、熊本商科大学で「法学（憲法二単位を含む）」を履修した職員が五十代後半の現役で残っている。曰く、「七十年代アイドルとして人気を博した林寛子さんと音読みが同じだったことと、気さくで実直なお人柄が人気で、学生達はお若い先生を七十年代のアイドルのイメージと重ね合わせて『ひろこちゃん』と親しみを込めて呼んでいた」そうだ。たしかに、胸を張って、颯爽と授業へ向かうお姿が、今でも瞼に焼き付いている。

昭和四十三年九州大学大学院修士課程を修了した後、翌四十四年にはフルブライト留学により米国ニューオーリンズのチュレーン大学のロースクールにて学んだ経歴を持ち、欧米を中心とした労働法や社会保障への造詣が深く、多くの著書と学術論文を業績として残された。

たとえば、昭和五十八年六月十五日に熊本商科大学・熊本短期大学国際交流委員会が発行した「国際交流レター第二号」には、米国モンタナ州の姉妹提携した九大学のうち三大学から十九名の研修視察団を六月十九日から七月十七日まで、約一カ月受け入れ、先生が七月七日に講義された記録が残されている。滞在中、林教授により「日本の婦人労働者」について、英語で講義が行われ、昭和五十四年にエズラ・F・ヴォーゲル著『ジャパン アズ ナンバーワン』が発刊された時代を象徴するかのように、日本の労使関係が礼賛された一方で、当時の労働者の三八・七％が女性である事実に多くの外国人が驚く様子などが詳述されている。また、併せて、自身がコーネル大学から出版した『Working Women in Japan』についても紹介し、日本の婦人労働者の現状についても解説されたようだ。

本学在任中は熊本商科大学付属海外事情研究所の所長に就かれ、間もなく熊本日日新聞夕刊の一面トップに大きくワードプロセッサーを紹介されたことを記憶している。現在では、多くの人がスマホやパソコンを存分に使いこなしているが、当時としては大変読者を驚かせた記事であった。とにかく時代の先端を走られていた。まさに、エンタープライズ、進取の気性を持ち合わせた女性であった。毎年、アメリカを中心に学会に参加されていたことも強く影響を与えたのだろう。

突然、福岡大学に異動されると聞かされたときは、大変な驚きであった。拙宅ともご近所で、娘に英語を教授していただいたこともあるほどの親しいお付合いをしていただいていた。

以後、福岡大学法科大学院教授などを経て、大学におけるセクシャルハラスメント問題改善の手腕を請われて平成二十五年四月から宮崎公立大学の学長となられた。近しい教員から伝え聞くところによると、昭和四十七年から六十年まで十三年間に亘って教鞭を執り、研究活動を行った熊本商科大学・熊本短期大学の自由な研究環境と潤沢な研究費の支給、同等の研究環境を公立大学で実現しようと夢見たとのこと。当時の熊本商科大学でそれが出来たのは、創立者ともいうべき寄附行為者がいない、いわゆるオーナーが存在しなかったことによることが大である。また、研究者の中から経営を担う者が出て大学をリードしてきたことが大きい。

現職での急逝は、あるいは、志し半ばであったのかもしれない。

私には、いまでも熊本市大江のキャンパスや拙宅のある帯山の地で、背中越しに「目黒さん！」とあの覇気のある通る声が聴こえるような気がしてならない。

## 林　弘子さんとの想い出

井上　勝子（熊本学園大学名誉教授）

林弘子さんとは、熊本商科大学時代に同僚としてご一緒させていただきました。まだ、大学に女性の先生が少ない頃で、女性はひとかたまりになって過ごしていたような気がします。専門は皆違う中で、女性の集まりを各個人の家を順番に回って食事会をしていました。大学でのこと、個人的な話など尽きることのない話題が時間の経つのも忘れさせてくれました。

弘子さんの家で食事会をしたときのことでした。床の間に猫の置物が置いてありました。それはペルシャ猫の置物ということで立派な置物だと思っていましたら、その置物がしばらくして動いたではありませんか。本物の猫だったのです。私たちが驚いたのを見て、弘子さん、喜んで大笑いしていました。いつもは、難しい学問をしていて、ユーモアのセンスなどないように見える彼女でしたが、茶目っ気のある人でもありました。

今から四十年ほど前、私は三十八歳でお茶の水女子大学に内地留学して、しばらく東京に滞在していました。出張で東京に来た弘子さんと待ち合わせて六本木で会いました。古川さんという、東京の出版社に勤めているお友達と一緒でした。古川さんはお酒が強い人で、飲みながら食事をして、しこたま飲んでしまい、その後、何とその頃流行していたディスコに行って三人で踊りました。弘子さん三十五歳のときだったと思います。古川さんとはそれが縁で、たまに会って新宿に飲みに行ったことを覚えています。

弘子さんはそんなにお酒を飲む人ではありませんでしたが、友人の古川さんは、お酒好きな人で、店に入るとすぐに「焼酎下さい」と大きな声で言うので、その頃女性が堂々とお酒を飲む時代ではなかったので、ちょっと恥ずかしかったのを覚えています。また彼女は猫が好きで十匹ほどの猫を飼っていて、猫の本にも原稿を載せていました。弘子さんも猫が好きでしたから、仕事上のつながりもあったことと思いますが、猫のつながりもあったように思います。

弘子さんは、昭和六十年（一九八五）三月に福岡大に転勤し、「博多にきたときには連絡してね」と言われていたのに、博多に行くときはいつも時間がなく、とうとう博多では会う機会が持てませんでした。

宮崎公立大学の学長になったというお便りをもらい、初めはちょっと驚きましたが、後からは、これまで積み上げてきた彼女の業績や人柄に納得してお祝いの電話をかけました。「今度こそ宮崎か熊本で会おうね」ということで電話を切りました。その後、彼女から「宮崎公立大学で国際的なフォーラムがあるので、来ないか」という誘いがありましたので、スケジュールを空けて準備をしていました。私の英語力で大丈夫かな？　パーティもあるので何を着て行こうかな？　などと楽しみにしていたのですが、出席者が思ったより多いので、ゆっくり話もできないかもしれないので、ほかの機会に会おうという電話があり、ちょっとがっかりもしましたが、次の機会を楽しみにしていました。後で坂岡先生から、「弘子さんは主催者としてとても立派だったよ」と聞き、出席できなかったのが残念でした。

その後、私が仕事で宮崎に行く機会がありましたので、一泊するので会いたいと連絡したところ、彼女は東京出張ということで、会うことができませんでした。結局、最後に会ったのは、熊本学園大学の五〇周年の祝賀会に坂岡先生と二人で出席してくれたときのこととなってしまいました、今から二十五年ほど前のことでした。

平成二十八年（二〇一六）四月、私が住んでいる熊本はマグニチュード七・三という地震に襲われました。ライフラインは止まり、物資は不足して生活に困っていました。そのとき弘子さんから野菜や食料品の救援物資が届いたのです。本当に有り難く涙が出ました。忙しい学長職なのに、この心遣いに感激し、彼女の優しさに感動しました。

早速、お礼の電話を掛けたとき、「来年の三月には退職するので、熊本に遊びに行くよ」とのことでした。楽しみにしていたのに突然の訃報に愕然としました。

でも、今でも彼女は私の心の中に、いろいろな想い出と共に生きています。

## 「雅知哉(がちや)工房」の日々

川崎　クニ子（元熊本商科大学事務局職員）

週に二〜三回、夕方から林先生のお宅で日曜大工をしたり、音楽を聴いたり、先生と語らったりする時間と空間を、先生は「雅知哉工房」と名づけ、大きな板に毛筆で看板まで拵(こしら)えて楽しんでおられた。卒業したての若者四〜五人と、大学の事務局職員の私がそのメンバーであった。

アメリカ帰りの先生から尻を叩かれて、ＤＩＹの真似ごとをやらされたのである。まだホームセンターなどない時代で、木切れ一本、板一枚、釘一本、ペンキ一缶買うのでさえ、自転車を走らせて材木店、金物店、塗料店……と駆け回ったものだ。

夜中の十二時過ぎまで、ノコギリやカナヅチの音を響かせて、隣家との目隠しの板塀を設(しつら)えたり、大型の郵便受やカセットテープのラックなどをつぎつぎと作っていった。下作業は私たちが当たり、その間先生はみんなの夜食を作ったり、コーヒーを淹れたりされた。仕上げのペンキ塗りは先生の出番、かつての画家志望魂が目を覚(さま)すのか、実に楽しそうに刷毛を動かされる。

一つの作品が仕上がると、打上げ会。ワイングラスを傾けながら、エディット・ピアフやクラシック音楽のレコードをかけて、賑やかに騒いだ。少し酔いが回ると、先生は愛猫の「タマっちくん」を抱いて立ち上がり、当時まだ熊本には上陸していなかったエリック・サティの「ジムノペディ」やグレン・グールド／バッハ・フランス組曲などに合わせて機嫌よく踊られたものだ。

大工仕事が無い日は、先生は自身の日々の思索の一端を語ってくださった。先生は美術・音楽・文学といった芸術全般への造詣が深く、内容は多岐にわたり、その語りに深く心を揺さぶられた。先生のことばの一つひとつは、私の魂の奥底まで届いてくるものであった。「感性」とは手ほどきしてもらえるものではないが、かく「雅知哉工房」に身を置くことで、鈍根の私の感性も薄紙を重ねていくように培(つちか)われていったのだと思う。

哲学・思想にも話は及び、ハイデガー、ガブリエル・マルセル、フッサール、サルトル、ボーヴォワール、ニザン、シモーヌ・ヴェイユ、ヴィトゲンシュタイン、M＝ポンティ……等々について熱度高く語られる。未知の世界を知りたいという渇望感の中にいた私を、工房はまさに釘付けにしてしまった。

林先生を、「アメリカ的」「アメリカ人的心性の人」と評する人も多いが、私の受けた感じでは、先生は、深くヨーロッパ的知の伝統の流れを汲んでおられるように思えた。

先生は一貫して、「学びなさい。学ぶことは魂を鍛えていくことだ」ということを強く説かれた。あわせて「自立した個を生きなさい。個を生きることは孤独ではなく、同じく自立した他者と連帯していくことだ」ということも常に説かれつづけたのだった。

工房の舞台であった渡鹿の仮寓から、帯山の広い邸宅に移られてからは、先生もいよいよ忙しくなられて、「雅知哉工房」も自然解散となった。

「雅知哉工房」を〝主宰〟された先生の、透明でありながら深さを堪えたあの数年は、先生にとっても、自身の青春後期を彩る「玉」のような至福の日々ではなかっただろうか。


文勲赫赫と冬薔薇(ふゆさうび)甍ふる（圭々）

## 一編集者の印象から

奥村　邦男（元有斐閣京都編集部）

その昔、神田神保町にあった中華料理店（たしか新世界菜館）の小部屋で執筆者会議があり、入り口に現われた林弘子先生と初めてお目にかかった。一九七八年頃かと思われるが、季節はハッキリしない。ふとシモーヌ・ヴェイユが頭に浮かんだので、恐る恐るそう申しあげると、「そう言われることあります。特に海外で……」ということであった。その頃、アランや森有正の本をあれこれ読んでいたことによるのかもしれない。

「林先生はいいですよ。林先生に書いてもらいましょう」と編者格の先生に薦められて依頼したのであった。その後、東北大学の法哲学会でお目にかかったこともあるが、穏やかなあっさりした対応だった。

その次の記憶は、わたしの勤務地京都で秋学会のあった折、一段落つかれたようだったので、よろしかったらどこかご案内しましょうかと申し上げると、「そうですね。高尾の神護寺に空海の像があるらしいんですよね」ということであった。残念ながら、博物館にあずけられていて実際には拝めなかったのであるが、学問的な視線の高さやパワフルなフットワークの点で、林先生とどこか響きあいがあるのかなと思った。

「最近イギリス式のガーデニングに関心をもってるんですよ」と言っておられたこともあった。「モネの庭を見てきました」と言っておられたのは、いつ頃のことであったろうか。

時々、海外でのご活躍ぶりをハガキで知らせてくださったりした。「日本に帰らず、そのままこちらでやっていってはと言われるんですよ」と言われても、林先生ならそうなんだろうなという自然な感じがした。

## 林　弘子さん断章

大橋　將（元有斐閣。九州大学。日本赤十字九州国際看護大学）

林さんは、労働法の女性研究者としては、黎明期の先達です。私は、熊本商大時代から執筆をお願いし、長いお付き合いになります。林さんは一言で言えば、わがままいっぱいで人を振り回すくせに、目配りが利いていて面倒見のいい不思議な人でした。ここでは、論評を控えて、思い出す事実のみ記します。

最初の接点は、一九七九年刊行のジュリスト増刊『労働法の争点』の生理休暇の原稿です（林さん三十代半ば、他の女性執筆者は明治大学の入江信子さんだけ）。締切を大幅に過ぎた上に、見開き二ページの筈が三ページをオーバーする原稿。無理矢理三ページに削ってもらいました（労基法制定時の立法趣旨にも触れながら、職場環境劣悪の中で、生理休暇が必要であったことを力説、自称【便所論文】。掲載原稿は、お別れの会の際、参会者に配りました）。林さんも印象が強かったようで、晩年に至るまで「あんたは私をいじめた」と非難された原因の発端でしょう。

本格的なやり取りは、小生がジュリストから書籍編集部に移った後の『育児休業法のすべて』。執筆が滞る林さんのおしりを叩き、来た原稿をチェックし、書き直しを要求してほとんどけんか腰の一時もあったような。著者の言うことを聞かない小生にメインの担当編集者（先輩の女性）になんども「本当に大丈夫？」と心配された記憶があります。

林さんは贈り魔でも有名で、関係編集者に必ずお中元、お歳暮を贈ってくださいました（小生にはワイン）。その極めつけが、小生の還暦誕生日（二〇〇五年二月二十七日）。たまたま日曜日で、小生が団長を務めていた「川口市民オーケストラ」の演奏会とぶつかりました。四月からは九大に行くことが決まっていたので、小生の最後の演奏会とあり、打ち上げでしこたま飲んで帰宅すると、なんと赤いバラが六十本届いているではありませんか。家内も娘達も目を丸くしていました。そのときにはまだ、九大に移ることは林さんには伝えていなかったので、九州行きとは関係なかったと思います（後日改めて聞いてみたら、なんと「ニューヨークから手配したのよ」とのことでした）。

福岡に来て最初に会ったときに「あんた、さんざん私をいじめたのだから、これからはお返しをしてもらうわよ」とのご託宣。実は、九大法学部ではマネジメント担当助教授という役割で、授業担当はなく、学生の就職指導やその他環境整備が主で正直時間には余裕があったので、まずは、福大ロースクールの授業のオブザーバーを命じられました。それまでは、編集者として大学は外部からしか見ていなかったので、直接授業に関与するのは新鮮な経験でした。

そのうちに「今教科書を書いている、もう二、三年経つけど全然進んでいない」とのお話。実は、有斐閣時代前記編集者から「林先生に教科書を頼みたい」と相談を受けたとき、「完成する可能性が薄いからやめた方がいい」とアドバイスした記憶がある。それが我が身に降りかかってくるとは……。ともかく、進捗状況を聞いて最大限の協力を余儀なくされたのです。当時の福大大学院生の皆さんの全面的な協力も得ながら、法律文化社小西氏の尽力もあり、紆余曲折の末ようやく二〇一二年一月『労働法』が完成しました。もっとも、労働法は非常に動きの激しい分野。毎年新しい立法があり、補遺を作り、第二版（二〇一四年六月）に向けての改訂作業の際には、宮崎公立大学まで遠征したものです。さらに第二版の補遺も出しましたが、細かい作業については、半分以上丸投げをされた記憶があります。

しかし、気配りの人は、小生が公務員宿舎から分譲マンションに移ったときに、「東京に帰るのではなかったの。九大の後はどうするつもり」と聞いてくださいました。「特にあてはない（還暦過ぎの爺さんには考えられない脳天気）」と答えると、「じゃあ、私が何とかしてあげる」と旧知の日本赤十字九州国際看護大学学長に話をつけて、同大学特任教授の再々就職先を見つけてくださいました。家内にも、時々福大の大学院で催しがあるときには声をかけて下さいました。今でも、家内からは林先生を懐かしむ思い出話が出ます。お陰様で、今でも福岡の住人として過ごしています。

そのお礼を兼ねて、高取焼きの窯元で見つけたランプシェードを贈ったら、「うちは洋間が中心なので置く場所がない」とのこと、「それでは返して」と言うと「嫌よ」との一幕もありました。特に福岡に来てからは振り回され続けながらも、徹底的に面倒を見ていただいた思い出の一端です。

今頃は、天上から「何勝手を書いているのよ!!」とプンプンしておられるかもしれません。本当に残念な方を亡くしました。

## 林　弘子先生

藤原　精吾（弁護士）

林弘子先生が急逝されて早三年になる。

林先生とのお付き合いが始まったのは一九八二年に創立された社会保障法学会だった。そしてまだ顔を知っている程度の私に、林先生は知人のアメリカから来た文化人類学研究者、グレンダ・ロバーツ（Glenda Roberts）さんをよろしくと紹介してきた。グレンダさんはフルブライト奨学金で日本に来て、論文を作成するためにワコールの京都工場で働き始めていたのだが、林先生はフルブライトの縁でグレンダさんと友人となっていた。林先生は、関西で労働法や労働者のことを教えてくれる弁護士ということで私を紹介したのだ。

当時、林先生は熊本商科大学（現熊本学園大学）の助教授だったと思う。その後福岡大学の教授となられたが、毎年二回の社会保障法学会大会や理事会などで亡くなるまで三十二年間のお付き合いがあったことになる。

林先生が労働法の学者であり、著名な福岡のセクハラ事件の意見書で初の勝訴判決をかちとったことや、労災補償法、労働法、社会保障法のあれこれを機会のあるたびに語り合った。林先生が著書『労働法』を出版されたときは初版も第二版も送ってもらった。二〇〇三年からは弁護士登録もされて、二〇一三年から宮崎公立大学の学長となられてからも、変わることなく、二〇一四年に公立大学管理者会議が神戸外国語大学で開かれた機会には神戸でお会いし、食事をした。お礼に日向鶏、ワイン、マンゴーチップスなど宮崎づくしを送っていただいた。気配りのある人だった。

林弘子先生が亡くなったことを数日後に聞いたときは、信じられなかった。あの学識と学長の仕事で得られた経験を生かして、これから更なる業績をというときに逝ってしまわれたことは、悔やんでも悔やみきれない。

# 林　弘子教授の危険有害業務就労拒否権

山田　晋（広島修道大学）

私が九大大学院に入学し林弘子教授にお会いしたころ、教授は既に社会法における男女平等論の第一人者であった。国際的にも活躍されており、国際学会などでカフェに連れていっていただくと、国際労働機関（ＩＬＯ）のヨハネス・シュレグレ労使関係局長が同じテーブルに来られて親しげに議論されていた。

教授の業績は、労働法、社会保障法など多岐にわたるが、男女差別の課題に全霊を注いでおられた。しかし先生の研究者としての出発は、労働災害補償法についてであり、それゆえ労災法のメッカともいえるアメリカ合衆国のチュレーン大学に留学されたのである。

先生は男女平等に関しては、研究のみならず実践にも深く関与されていたが、労災に関しては違ったようだ。しかし林弘子教授が一九八三年に、恩師である林迪廣教授の還暦記念論文集『社会法の現代的課題』（法律文化社）に発表した論文「アメリカにおける労働者の危険有害業務就労拒否権をめぐる問題」は、多岐にわたる教授の業績の中でも、こんにち改めて検討されるべきものである。

労働者の危険有害業務就労拒否権（以下単に就労拒否権）についてはすでに一九八一年のＩＬＯ労働安全衛生条約が規定していたが、わが国の労働安全衛生法はこの権利に何ら言及していない。千代田丸事件最高裁判決（昭和四十三年十二月二十四日）は就労拒否権を認めたが、研究論文は桑原昌宏新潟大教授（当時）の「危険有害業務就労拒否権と米日労安法」(『月刊いのち』一六七号 一九八〇年)がほぼ唯一のものであった。

林弘子教授は右記論文で、連邦労働安全衛生法が就労拒否権を直接規定していないアメリカで、どのようにそれが展開し認められてきたかを判例にも言及しながら検証した。そして労災の主要課題は職業病にあり、就労拒否権については、今後は衛生の問題、危険有害物質による恒常的な健康破壊は重大な問題になることを指摘し警鐘を鳴らした。

教授の論文発表から三十六年が経過した。その後、就労拒否権はどのような展開を見せたのか。ＩＬＯは安全衛生の国際的規制については、予防へと重点を移し労使の協力による労災撲滅の文化構築へと移行した(労働安全衛生促進枠組条約など)。その意味でＩＬＯはトーン・ダウンした。一方、比較法的に見れば、英国やアメリカの各州法、カナダの連邦法および州法など、英米法諸国を中心に就労拒否権を規定する国は増えた。これに比してわが国では労働安全衛生法にいまだに規定がない。むしろ東日本大震災を契機に危険有害業務就労は拡大し、滅私奉公的「英雄」的就労が賛美されるなど逆行がみられる。

このような状況で、林教授の指摘のように、労働者の知る権利の保障と就労拒否権の有機的連携の重要性は増している。就労拒否権の前提は、労働者が職場の危険性を判断・察知できることである。就業における危険性についての安全教育・訓練は、外国人、身体・知的・精神的障害者、高齢者、派遣労働者など労働者の多様性に適正に対応しているのか。また林教授が指摘した「衛生」については、原発労働における放射能のみならず、電磁波などによる健康被害など科学的に完全に解明されていないものもある。

このように労働安全衛生の状況は悪化しつつあるが、林教授は前述論文以降、就労拒否権について積極的に発信されなかった。一九九九年九月の東海村ＪＣＯ臨界事故では二名の労働者が被曝し死亡している。この時点でわれわれ社会法研究者は敏感でなければならなかった。一九八四年のインドのボパール化学工場爆破事故については敏感であった林教授が「なぜ」という疑問が残る。

私は教授とは十五年の年代差がある。林弘子教授と同じ「九大シューレ」にあっても、その一年から数年後輩にあたるいわゆる「全共闘」世代の研究者と林教授の間には、ある種の「溝」があった。私はその「溝」とは無縁な存在であったのだから、林教授の就労拒否権に関する「沈黙」について真意を問い、続論を要望すべきであった。新型コロナのパンデミックで、医療・介護労働者が危険にさらされている今日、そのことが悔やまれる。

# chapter 3

# 福岡大学に移って。セクハラ裁判のこと

## 林　弘子教授を追悼して

石村　善治（福岡大学名誉教授）

林　弘子さんが亡くなって（二〇一六・十一・二十二）三年が過ぎる。新聞紙上で訃報を知り、まさに「息を呑んだ」ことを昨日のことのように思い出す。即刻、宮崎公立大学に電話で事情を確かめてみたが、新聞報道以上のことは知らされなかった。結果は、ご葬儀にも参列できず、その後も十分なご連絡もとれず、今日に至ってしまった。

福岡大学法学部御着任以来、毎年のように、ご家族から「新年のお酒」（一升）を戴いたのも忘れられない思い出であり、ご厚意にいま改めて感謝申し上げたい気持ちでいっぱいである。しかし、なによりも残念なのは、二〇一七年の八月までで学長職を終え、四月から福岡にもどって、本格的に弁護士として活動すると聴いており、期待していただけに、訃報は信じられなかった、信じたくなかったというのが、そのときの気持ちだった。

彼女の労働法研究の詳細な内容を私は理解しているわけではないが、「アスベストの被害」を、おそらく日本でもいち早く警鐘をならしたことを忘れることはできない。とくに、わが福岡大学の「アスベスト被害」について、私もまったく理解していなかった段階で、具体的にその被害対策を大学としてとらせたのも彼女の「力」によるものだったといってよいと思う。

さらに一つ、彼女の素晴らしい語学力（英語力）である。イギリスの大臣の通訳を務めたという事実、現に彼女の素晴らしい通訳を何度も見、聴き、知っている私としては、日本の労働法及び労働法学の国際性を飛躍的に高める「因子」が福岡にも育つことを、彼女自身期待していたのではないかと思う。

しかし「研究者」であると同時に「実践者」だった彼女の「一生」は短かすぎた。彼女の歩みを振り返ると、なぜ、「天」は彼女を今少しこの世に置いてくれなかったのかと「うらみごと」も言いたくなる。やりたいことを、いっぱい残していった彼女の「思い」を、誰か受け止めてもらいたいと思う。いや「あとつぎ」はきっといると思う。そんな想いを抱きながら、林弘子さんの三周忌に心を込めて「追悼の記」を贈る。

（二〇一九・一〇・二九）

# 「あのねぇ〜」が始まり

砂田　太士（福岡大学法学部教授）

二〇一六年十一月二十一日、林弘子先生は急逝されました。一九八三年の比較法学会（広島大学）にて、初めてお会いしてから三十四年目、「まさか」の悲報でした。

一九八五年四月林先生が福岡大学法学部に赴任され、ご挨拶した時のことは忘れていません。赴任教員歓迎会の際、林先生は皆さんと個別に挨拶されておられ、私の前に来られました。「初めまして、昨年赴任した商法の砂田です」と話したら、「あのねぇ〜初めてではないのよ。広島でお父様から紹介されましたよ」。これが、林先生との二十九年間の同僚としての最初の会話です。こちらは大学院生で学会に参加していましたから、それだけで緊張しているのに、多くの大学の先生方を紹介され、しかも当時は名刺も持っておりませんので、名刺交換もほとんどしていない。覚えていないのです（広島ではSwain先生も紹介されたのですが、赴任時にSwain先生から話されるまで覚えていなかった。なおSwain先生は本学を二〇〇八年に退職され、米国にて元気に過ごされています）。

専門分野は異なりますが、研究対象は英米法でしたので、林先生とは、大学以外の場所、とくに学会等でお目にかかる機会があり、またご業績を目にすることが多くありました。もちろん同僚ですので、学部の教授会等のみならず、福岡大学法学部を支える同志でもありました。私は、大学の研究に関する委員、学生部委員ほかの委員をしましたが、何と言っても教務委員を務めた時は、林先生と話すだけではなく議論もしました。理路整然とした話し方で、こちらはタジタジ。しかも私への「お願い」でも「クレーム」でも、毎回、最初の言葉は「あのねぇ～砂田さん」です。これを耳にした瞬間「来たぞ、今度は何かな」と心の中で構えたものでした。これから先は「あなたねぇ」、「そうなの～」、「わかりました」の順に進めるかどうかです。だいたい第二段階で轟沈していたのは私の方だったので、「わかりました」の確率は低かったでしょうね。でも、憎めない。いつもの「あのねぇ～」が全て。こちらは、最初にお会いした時のことを忘れていたという負い目の象徴でもある「あのねぇ～」を耳にすると、日頃の強気も消えてしまったようです。この「あのねぇ～」を、福岡大学で二十九年間耳にしていました。ある時、林先生がミスをしたので（内容は秘密）それをカバーしたことから、とても美味しいワインをご恵贈いただきました。また、子が誕生した時にはお祝いも頂戴しましたが、私たち夫婦のみならず両親への温かいお言葉まで頂戴しました。これらの時のみ、「あのねぇ～」がありませんでした。本学退職後、宮崎公立大学学長に赴任されたので、時々、宮崎公立大学のホームページを拝見していました。二〇一六年の秋頃だったと思いますが、翌年四月からの学長が決定していたと掲載されていたと記憶しています。退任されて福岡に戻られて、弁護士として活躍されると思っておりました。

一見怖そうで、シビアに対応をされる先生でしたが、世間一般の常識を持ちまた面白いお話もされる方でした。いろんな意味で学ぶことがあった林弘子先生は、まさに〝smart〟な女性でした。この場を借りて、天国の林弘子先生に次のことをお伝えします。

「あのねぇ〜、林先生。天国に行くのは早すぎるよ。もっともっと、いろいろと尋ねたかった。今の大学、今の教員、今の学生、どう思っていますか？　貴女の育てた学生の皆さんの活躍、ちゃんと見ていますか？　ついでで良いから、私のことも少しは見ててね。おかしな時は、『あのねぇ〜』と話かけてくださいよ」、と。

# 林　弘子先生追悼の書

八谷　武子（元労働基準監督官）

林弘子先生との思い出はたくさんあって、廻転木馬のようにゆるりと廻っています。

先生と最初にお会いしたのは、熊本から福岡に移ってこられた一九八五年四月の頃であったと思います。その頃福岡には日本有職婦人クラブ全国連合会福岡クラブという会がありました（略称を福岡虹の会）。月一回二十二日（虹）に夕食をともにしながら、女性労働者を応援するための会でした。

林先生もこの会に入会し、ご多忙のあいだをぬって出席なさいました。当時、私は国の出先である福岡婦人少年室、労働基準局福岡労働基準監督署に勤務、労働基準監督官として労働基準の業務に就いていました。

先生は見えられると、準備しているお弁当を一つとって、私の横に座り、食べながら、時間外労働のこと、三六協定のこと、労災保険のこと等、聞かれたり話したりしていました。

その後、先生もご多忙となり、私も監督官の資格で北九州八幡署、小倉署と転勤を重ね、お会いする機会はなくなっていました。ずっと後になって、私は現役を退め、福岡市中央区舞鶴に社会保険労務士事務所を開設しましたが、その頃になって先生からお電話をいただいて、三度ほど福岡大学法学部〝林ゼミ〟に講義のお手伝いに行きました。先生の教授室はあの十六階建ての十五階にありましたが、講義教室は正門に近い旧来の建物で、二階三階と続く階段式教室でした。

一回目の時は冬でした。先生の案内状の中で聴講生六百五十人、オーバー着用可とあり、想像を絶するところがありました。伺いました一九九二年一月十一日はみぞれ降る寒い日。壇上から見るゼミ学生はみな真剣な眼差しでした。階段式に長椅子にオーバーを着用して座っていると、こちらが息がつまる思い。暖房はなかったが熱気で充分暖かくなっていました。マイクが左右六台、大型四角型の箱ものが前、中、後方と取りつけられ、気色張らなくても充分、聞こえるようでした。

何だか終わりました。ステージでは林先生と私、かけ合い万歳のようだったのではなかったのだろうか? しかし、みなにこにことして満足そうでした。

後二回は少人数で、もっと専門的勉強のグループでした。一回は夏。前述の冬場と異なり、翌年の六月でした。この時も六十人程度の研究生のグループでしたが、今は話の内容は思い出せません。この日のことをしっかり覚えているのは何故かと言えば、今手元に写真があるからです。この写真をつくづくみると、その日のことが思い出されます。

講義のあとに林先生と（1993年６月）

講義が終わって、あの十六階建ての十五階にある教授室へ案内され、そこで労働の世界の移り変わりなどを話したあと、十六階に上がって行き、冷たいコーヒーをごちそうになり、たまたま来合せた副学長、その他の教授に紹介してくださって、こちらも嬉しかったです。林先生とは、この一瞬姉妹のような感じさえし、心楽しいひとときでした。写真でみると、九三年六月二十六日となっています。まことに懐かしいばかりであります。

さて、もう二つ書きたいことが残っています。

一つは、林教授のこのゼミの中から学生の一人が、私の労働基準監督官というのが国家試験であり、独住宅で猛勉強をし、その年の国家試験に合格したと知らせがありました。私自身、感激して、我が社労士事務所で泣きました（たとえ一人でも）。

さて、最後の一つ。納涼ワイン会。岡山のブドウ園から毎年取り寄せるという四リットル入りの大ビン。二リットルの倍の大きさの角ワインのビンを胸にかかえ、ゼミ学生他に注いで廻る教授!!

何度も先生は〝林ゼミ〟を大事にひたすら愛情深く育ててこられました。あの教室の出席者六百五十人、みな教え子。先生、今はみなよき社会人ですね。善き隣人、林弘子先生安らかに。

［著作］「セーフティ・ファースト　半世紀を働いた或る女性の自分史」（梓書院　一九九八年七月刊　ISBN：9784870351073）

「平成業成」（文芸社　二〇一九年一月刊　ISBN：9784286201306）

# 林　弘子先生のこと——福岡セクハラ事件での出会いから

角田　由紀子（弁護士）

林先生と知り合ったのは、一九八九年八月に福岡地裁に初めてのセクハラ事件を提訴した弁護団の一員としてであった。当時、私は東京を拠点にして仕事をしており、労働事件を専門にしていたわけでもなかったので、林先生のことは存じ上げなかった。後から振り返れば、私たち弁護団はみな若年であった。最年長（?）の私でさえ、四十七歳であり、女性協同を中心にした福岡の弁護士は三十代から四十代であったのでは？　林先生もほぼ同年代に見えた。林先生は私より一歳若い新進気鋭の学者であった。

辻本弁護士たちは日頃から親しくしていたようだが、私には女性の労働法学者が地元にいらしたことはちょっと驚きであった。地元のよしみでか、弁護団はおんぶにだっこの感じであれこれをお世話になった。アメリカのＥＥＯＣの最新情報も林先生から教えていただき、翻訳までお世話になった（少なくとも、翻訳者の手配は林先生がされたと思う）。

林先生のお世話で、山田省三先生（当時は中央学院大学法学部専任講師）に二通の意見書を書いていただいた。林先生にはアメリカを中心に鑑定意見書を書いていただいた。最終準備書面の提出日が接近していて、林先生に裁判所を説得するための国際的視点からの長大なものを作成していただいた。この鑑定意見書は、勝訴の決め手になったと思っている。

その日付は一九九二年一月十六日である。この日付には、格別の思いが蘇る。林先生は、そのころ、重篤な風邪で高熱を発して寝込んでおられた。そこを、無理やり執筆をしていただいたという記憶だ。私は、学者が裁判所に提出する意見書を作成するのがどんなに大変な仕事かはほとんど理解していなかった。弁護団は、提出期限に追われて極めて非人道的な態度に終始した。林先生、本当にごめんなさい。

林先生には、情報の提供、意見書の作成だけではなく、ありとあらゆるご協力をお願いし、私たちはそれに助けられた。例えば、法廷の傍聴へのご協力があった。裁判は、当時の福岡地裁の一番大きい法廷を使っていた。全国からたくさんの傍聴人が参加することを見込んでのことだった。実際に法廷はたいてい満席になったが、さすがに途中で傍聴人が少なくなり始めた。そこで林先生はご自分のゼミの学生さんたちを動員してくださった。大学の先生はいろいろなことができると知った。その学生さんたちのお陰で法廷は常に満席を保つことができた。こんなことにまで、細かく気配りをしてくださったことを有り難く、懐かしく思い出す。

この裁判をきっかけにして林先生とのお付き合いが始まった。折に触れ、様々なことを教えていただいた。二〇〇三年にジェンダー法学会が創立されてからはそこでの交流を楽しんだ。林先生は、人ぞ知るワインの専門家であり、蘊蓄を傾けるだけではなく、ジェンダー法学会の懇親会にはおすすめの美味しいワインを差し入れてくださった。最後になった宮崎公立大学でのジェンダー法学会の懇親会には、地元の都農ワインが披露された。学会後の「公式観光」(?)には高千穂にご案内を頂き、帰りに都農ワイナリーを見学させていただくというおまけまでついた。東京・新宿に宮崎県の物産館があり、行くたびに都農ワインを購入している。都農ワインは林先生の思い出と結びついているからだ。

林先生が生きていらしたら、セクハラ禁止法についてお話ができたであろうに、と思ってしまう。二〇一九年六月にＩＬＯは一九〇号条約として「仕事における暴力とハラスメントの除去に関する条約」を採択した。日本は禁止法を作らなければこれを批准できない。そのためにどう闘うのかを林先生と意見交換できないのが残念だ。あらためて大事な方を失ったことを思い知らされている。

## 弘子先生！　出会いに感謝！

清水　純子（大野城市議会議員）

林弘子先生とお会いする前、私は福岡市外電話局で働きながら、組合の役員をしていた。

当時は、「国連婦人の十年」中間年女性会議（一九八〇年）で日本も署名した女子差別撤廃条約の批准のためには、国籍法の改正、家庭科の男女共修、雇用の場における男女平等の法整備が必要とされ、なかでも雇用平等法が最重要課題だった。この雇用平等法づくりに労働四団体をはじめ全国の四十八女性団体が団結して奔走していたが、その先頭に立ち全国的な運動を指導されたのが全電通の大先輩の山野和子総評女性局長。まだまだ露骨な男女差別意識がまかり通るなか、審議会委員、国会議員あての署名やハガキ、要請書の提出、一〇〇万人デモ、労働省前での座り込みやシュプレヒコールなどの運動の盛り上がりと行政の努力の結果、一九八五年の第四回世界女性会議前の条約批准直前に「男女雇用機会均等法」が成立。

その後、総評は解散し労働界の再編統合で連合がスタート。一九九二年、山野和子さんはフォーラム「女性と労働21」を結成。私も連合女性委員会、連合副会長を経験した。

ある日、学習会の講師の件で山野さんに相談したら、「なに言ってんの、福大に労働法のプロがいるじゃないの！『女性と労働21』の情報誌を読んでないの！」「えっ！」。慌てて創刊号のページをめくったら「福岡セクシュアル・ハラスメント判決とこれからの課題」林 弘子（福岡大学教授）。その上、企画・運営委員としても名前が掲載されていた。早速、連絡をして全電通福岡支部の労働学校の講師をお願いした。山野さんをとても尊敬しておられた林先生は「山野さんからの紹介で……」と言うと快諾してくださった。

「やった‼」

これがご縁で連合女性委員会の学習会の講師や連合傘下の労働組合の学習会・研修などの講師依頼に、いやと言えない先生は低額な講師料で引き受けられた。先生は、よく言われていた、「性差別については、労働組合の取り組みが遅れている」と。

先生は大学での仕事の他、数多くの原稿依頼、講師などで超多忙であった。「家の中が片づかなくて、大変なの！」と電話の度に耳にするので、思い切って片づけの手伝いに。驚いた！ 瀟洒な広い家の中は書類や新聞などの山があっちこっち。キッチンと玄関でオシマイ。その後、連合女性委員会のメンバーと相談し、何回か片づけに行った。林先生曰く「うちの掃除部隊のメンバーになったら、議員になれるよ！」。大笑いをしたが、江頭晶子糸島市議、神本美恵子参議、吉安蓉子県議、まさかの私も大野城市議

市議に当選し一緒に万歳をする林（右）

になってしまった。

林弘子先生との想い出は限りないが、最高の思い出は米国研修。弘子先生から、「米国の大学に留学中にぜひ！」。この言葉に甘えた私たち女性委員会は、米国の労働組合と女性のポストと働き方を研修するために訪米した。現地で弘子先生のお世話になり、実りある研修だった。そうそう、先生が米国にいかれる時、愛車を譲りうけた。車が来る日先生と話しながら、「ところで車は何？」「アッ、言ってなかったね。ベンベで左ハンドルよ」。絶句！　の私だった。

宮崎公立大学に行かれてから、電話での会話が多かったけど、最後にお目にかかったのは二〇一六年九月十八日クローバープラザでの講演。次のご予定までの待ち時間に廊下の椅子に座りお話をした。その時の会話。「（学長の）後任も決まり、来年三月で終わり。研究課題を仕上げなくては」「良かったですね。私も困りごと相談のようなのをやりたいので、知識と力、いっぱいくださいね！」「うん、いいねェ」「先生、無理しないでね。労働法のプロが過労死、なんてやめてよね！」。二人で大笑いした。思い出すとこみあげてきます。

二十三時ごろの電話……「純子さ～ん、大変！　大事な書類がないの。原稿が書けない……」。もう、またァ～と言いながら屋形原までハンドルを握る……弘子先生からのベルは、どんなに待っても永久に鳴らない。

弘子先生心底感謝　合掌

# 林　弘子先生を偲ぶ

浅倉　むつ子（早稲田大学教授）

林弘子先生が二〇一六年十一月二十一日、七十三歳で急逝された。高い志をもちながらも気さくな人柄で、本当に多くの人から愛されていた林先生の、突然で余りにも早い旅立ちだった。林先生と二度と会えないと思うと、私は、今なお深い喪失感にとらわれる。

林弘子先生は、九州大学法学部卒業、同大学大学院修士課程修了後に助手になり、フルブライト交換留学生として渡米、その後、熊本商科大学と福岡大学で教授として教鞭をとられ、二〇一三年からは宮崎公立大学の学長として、現役で活躍しておられた。この間、イェール大学、コーネル大学、カリフォルニア大学、ラトガーズ大学、ニューヨーク大学、コロンビア大学、デューク大学、ハワイ大学の客員研究員・客員教授を経験され、二〇〇三年には弁護士登録もされた。国際人であり、多彩な才能にあふれた、スケールの大きな研究者だった。

林先生の主たる専門領域は、労働法、社会保障法、そしてジェンダー法である。数多い研究業績については、福岡大学法学部紀要「法学論叢（林弘子先生古希記念号）」五七巻四号（二〇一三年）に詳しい。先生が力を注いでこられた研究課題は、（1）日米の労災補償法理や労働安全衛生法の研究、（2）女性労働者の権利、均等法や雇用差別禁止法理、セクシュアル・ハラスメントの研究、（3）介護休業・育児休業、社会福祉、年金法などの研究であった。先生が残されたいくつかの研究論文を読むと、その時代の先端を行く斬新な発想にあふれていること、それが深い洞察と強い信念に裏打ちされていることに敬服する。

一例をあげよう。生理休暇には医学的根拠がないとした労基法研究会報告（一九七八年）が論争を呼んでいた当時、この休暇を母性保護カテゴリーに入れることが廃止反対説の主流だった。しかし林先生は、女性の権利擁護の立場にたちつつも、一九七九年の論文（「生理休暇」『労働法の争点』所収）で、月経時に取得が限定される生理休暇制度は、もっとも休養を必要とする月経前緊張症等の女性は利用できず、母性保護カテゴリーに入れるべきではないとして、むしろ疾病休暇制度の導入を主張された。廃止か継続かをめぐる激しい論争のただ中でこのような主張をするには、相当の勇気が必要だったのではないだろうか。

林先生について特筆すべきは、一貫して女性の権利を強く擁護・推進されたことである。先生が若い頃に刊行された訳本がある。アメリカのラディカル・フェミニズムの代表的論者であるシュラミス・ファイアストーン著『性の弁証法』（評論社、一九七五年）（原著：The Dialectic of Sex, 1970）である。当時、熊本商科大学助教授だった林先生は、この頃、もっぱら労働法・社会保障法の専門的研究者として、精緻な労災関連の業績をいくつも公表されていた。その一方、当時から親交を深めていたアメリカのフェミニズム運動家や研究者による女性解放に向けた理論が、先生にとっては重要な研究上のモチベーションとなっていたのだろう。本書の刊行後に福岡大学に赴任されて以降、先生は、働く女性の訴訟のためのいくつかの鑑定意見書を書くことに熱心に取り組んでこられた。

なかでも、初めて使用者責任が認められた福岡セクシュアル・ハラスメント事件の「鑑定意見書」（労働法律旬報一二九一号、一六頁以下に掲載）ならびにコース別雇用に関する住友電工事件の「鑑定意見書」（宮地光子監修『「公序良俗」に負けなかった女たち』明石書店、四〇四頁以下に掲載）は、質量ともに圧巻である。前者では、アメリカとカナダのセクシュアル・ハラスメント法理を丹念に紹介しつつ日本の法理を組みたて、後者では、両性の平等を保障する憲法一四条の規定は、民法一条ノ二の適用を介して民法九十条の公序良俗の一部を形成していると理論化して、時代制約論にたつ地裁判決を鋭く批判された。アメリカの友人たちは、ヒロコ・ハヤシを「日本のルース・ギンズバーグ」と呼んでいたと聞く。まさにぴったりのニックネームである。

先生の研究分野は私と重なることが多かったため、講演や報告でご一緒する機会はしばしばあった。私たちの研究は結論を異にする場合もあり、林先生から鋭い指摘を受けたり、批判されたこともあった（例えばＩＬＯ一〇〇号条約の解釈など）。しかし、私より五歳年長だった林先生は、顔を合わせれば常に、包容力のある寛大さで、親しく温かく接してくださった。林先生との交流はすべて、楽しい思い出に満ちている。

何度か福岡のご自宅で催されたホームパーティでは、女性シェフによる美味しいフランス料理とワインを堪能した。二階の広い応接間の奥には書斎があり、ロッカーには多くの抜刷りが執筆者の五十音順に保管されていた。「若い人たちを励ますために、送られた抜刷りはこうやってとっておくのよ」と言っておられた。先生のワイン好きは有名で、先に亡くなられた坂本福子弁護士とは、よいワイン仲間だった。

左から浅倉、ショップ・シリング、林、「雇用均等法の母」と呼ばれる赤松良子

外国にも何度かご一緒した。ＩＮＴＥＬＬ（国際労働法改革ネットワーク：世界の労働法研究者の集まり）主催の研究会では、イタリアのカターニアやメキシコのクエルナバカで、毎日、よく飲み、よく話をした。先生は話術が巧みで、常に話題の中心におられた。日本でさまざまな国際会議をしたときには、交流会などの場で、まったく労を惜しむことなく抜きんでた語学力で同時通訳をしてくださった。英語も日本語もともに林先生が通訳してくださるので、アメリカの友人が英語

で話した後に林先生が突然英語で通訳を始めたため、爆笑したこともあった。
林先生は、美術の道に進もうと美大を受験したこともあると聞いた。ハワイ大学には、林先生自作の絵皿が飾られており、その写真をみせていただいたことがあった。確かにすばらしい出来映えだった。先生は、あれほど旅慣れていらしたのに、実はすごく方向音痴だった。今、どこかで道に迷っていないか、とても気になっている。

（日本社会保障法学会誌『社会保障法』第32号〔２０１７年、法律文化社〕二四七頁～四九頁に掲載）

# chapter 4 働く女性の地位向上へ、連帯の橋わたし

## 林　弘子先生、ありがとう！WWNと世界を結びつけてくださって!!

越堂　静子（ワーキング・ウィメンズ・ネットワーク代表）

「浪速のスーパーレディー・越堂静子さんに振り回された私の十年」。これは、林弘子先生の寄稿のタイトル。私の定年退職文集"My life & My friends"に掲載されました。

林先生との出会いは、もう二十五年以上も前になります。当時、私は「商社に働く女性の会」で、同一価値労働同一賃金の実現を目指していました。ところが、労組の男性幹部たちから「これは職務給に道を開く」など批判を受け、それでは、真実をこの目で確かめようとアメリカ、カナダに実態調査に行く計画を立てました。

宮地光子弁護士の紹介で、当時、アメリカのラトガース大学で客員教授だった林先生に、「アメリカ・カナダへのペイ・エクイティ調査に林先生のお力添えをいただきたい」とお願いの手紙を送りました。一

大ゲンカもしたという仲。越堂（左）と林

九九四年のことです。

こうして、弁護士、研究者、商社の女性、各二名と新聞記者が一名、合計七名の自費によるペイ・エクイティ調査団が決まりました。訪問先はすべて林先生がアレンジくださり、トイレタイムもないほどハードな旅となりました。訪問先は、アメリカ労働省女性局、ヘイ・グループ（ワシントンDC）、アメリカ労働組合女性連合、オンタリオ州労働省など十一カ所です。帰国後、「平等へのチャレンジ――カナダ・オンタリオ州のペイ・エクイティ法とその運用」というパンフレットを自費出版しました。

一九九五年十月、北京世界女性会議の後、住友メーカー三社裁判支援を契機にワーキング・ウィメンズ・ネットワーク（WWN）が発足。林先生は「私はWWNの顧問じゃないよ」と言いながら、ドイツのCEDAW委員のショップ・シリングさんや、シカゴ大学のゲルブ教授、NY大学の教授たちを紹介くださり、また、林先生にとっては生涯で初めての経験だと思いますが、ニューヨークで国連前や住友ビル前でのビラまきなど、住友メーカーの原告たちのPRをサポートしてくださいました。

それから、多分、私ほど先生と大喧嘩をした者はいなかったのではないでしょうか？　一番大きな喧嘩は、一九九七年ドイツを訪問したときです。初めてお会いするショップ・シリングさんは、あいにく不在。すると林先生は私たちに何の相談もなく、「ショップ・シリングさんを日本に招待するから」と現地の方と約束。そこから大喧嘩が始まりました。

1994年のペイ・エクイティの旅。左から２番めが林

当時、ＷＷＮを発足してまだ二年弱です。すべて自費で行動している私たちにとって、海外の方を招待する経験もお金もありません。「フライト代などお金はどうするんですか！　何の相談もなく勝手に約束しないでください」と怒り心頭でした。結果的には、公的な助成金や皆さんのカンパなどでまかない、一九九八年、ドイツからショップ・シリングさんを含め二名の方を日本に招待し国際シンポを開催しました。

二〇〇〇年は、林先生は旧友である大学教授を紹介くださりニューヨーク大学でワークショップを開催、住友メーカー男女賃金差別裁判を世界に広める役割を果たしてくださいました。特に、二〇〇三年は画期的なことが起こりました。ニューヨーク国連ＣＥＤＡＷ会議を前に、ショップ・シリングさんは住友メーカー裁判原告たちにヒヤリングし、ＣＥＤＡＷ会議の当日、日本政府に、「異なった雇用管理のカテゴリーを均等法の指針が許容しているのは問題である。低い賃金、昇進できにくい分野に女性が集中しているのも先進国では間接差別とされている。雇用管理区分という比較の仕方は間接差別ではないか」と、鋭い質問を行って、住友メーカーの原告たちに「裁判勝利」を引き寄せてくださいました。

林弘子先生は、「三月にリタイアーしたらハワイへ行くからね」と言われていましたので、みんなでご一緒する予定でしたのに……「先生、約束を守ってよー!!」

※〔住友電工裁判和解勧告の一部〕男女平等の実現に向けた改革は、男女差別の根絶を目指す運動の中で一歩一歩前進してきたものであり、すべての女性がその成果を享受する権利を有するものであって、過去の社会意識を前提とする差別の残滓を容認することは社会の進歩に背を向ける結果となることに留意されなければならない。そして現在においては、直接的な差別のみならず、間接的な差別に対しても十分な配慮が求められている。

※本書編集中に越堂さんの思い出に関係する報告が見つかりました。本文を補う内容となっておりますので、紹介いたします。

## 「平和の鐘」製作者の娘さんをお迎えしました（二〇〇五年十一月十三日㈰）

去る十一月十三日㈰、朝の御ミサが終わり晴天のもと教会のお庭は七五三お祝いの晴れ着姿ではしゃぎ回る子供たち、結婚式直前の記念撮影をする幸せいっぱいの新郎新婦さんや列席の家族友人の皆さん、サラーム・バザーの品々に集まって楽しそうな人々……いつにも増して賑わっていました。その時なんと、

熱心に説明を聞くハンナさん

ハンナ・ベアテ・ショップ・シリングさん

ドイツから寄贈された「平和の鐘」と「パイプオルガン」に大変ゆかりの深いご婦人のご来訪というお恵みまで私たちは賜りました。ドイツ・ハンブルグ在住の国連・女性差別撤廃委員会・副委員長のハンナ・ベアテ・ショップ＝シリング女史ご夫妻が大阪のワーキング・ウィメンズ・ネットワーク会の三人の方々に案内され広島駅より直行到着なさったのです。

ハンナさんの亡きお父様は一九五三年に「平和の鐘」を製作したボフメル・フェライン社でまさにその「製作責任者」でいらしたそうです。また現在ケルンで八十八歳、ご健在のお母様は『ヒロシマにパイプオルガンを贈る募金活動』にご尽力くださいました。当時十四歳であったハンナさんはご両親が深く関わったヒロシマをいつか訪問したいものだ、と以来つよく念願なさり、今回の三度目の来日で実現かなったそうです。十月に来日なさり、十二月まで立命館大学で客員教授として京都に滞在なさるので、今回は広島旅行のゆとりが持てたそうです。

澤野神父様のご案内で塔を上り、《再会》を果たした四つの鐘に手を触れたハンナさんは、感慨深い面持ちで「ボフメル市での贈呈式はそれはそれは盛大なものでした。今でもはっきりあの深い感動を思い出せま

案内役だった越堂さんと

ハンナさんご夫妻

す……」。傍らでご主人も「私は当時ボフメルに住んでいませんでしたが、なにしろあの贈呈式は国民的大行事でしたからね、私もよくおぼえていますよ」と懐かしそう。次にパイプオルガンにも《再会》していただき、パイプオルガン設置後すぐの秋にドイツの高名なピアニスト、ウィルヘルム・ケンプ氏が来堂くださりその時のパイプオルガン演奏を録音し、ケンプ氏自身の肉声メッセージとピアノ演奏も加えたLP盤レコードとし、それらの売り上げ収益金が幾度も「被爆者支援に役立ててください」と、日本赤十字社を通じて広島市に贈られてきたことをお話ししました。「そのレコードは今でもどこかで買えるでしょうか？　帰国したら探してみます！」という真剣なご要望に私たちなりの対処をお約束しました。

ご案内後ささやかながら感謝を表したくて茶話会をもちました。そしてかねてより私たちが気がかりであったこととして、「鐘製作に使われた鉄は、大戦中の兵器を溶かして再生した鉄ですか？　それともまったく別の鉄で作られましたか？」とお尋ねしましたら、「おそらく兵器を溶かしたものでしょう。帰国後調べて確かなご返事を致しますから、十二月までお待ちくださいね」という誠意に満ちたお答えに恐縮いたしました。

結婚式の始まりを告げる鐘の音を聴きながら、平和資料館と宮島へ向かうためご一行は聖堂を後になさいましたが、門の前でバザーのクリスマスグッズに目を留められたハンナさんに「これはパレスチナの女性自立支援バザーです」と説明したら「とても大事なことです！」と大きくうなずかれました。ドイツの人々から物心両面で膨大な支援をいただいて建てられた世界平和記念聖堂で私たちがさまざまな活動をしている様子を垣間見ていただけた、と安堵いたしました。

（報告：世界平和記念聖堂案内係　杉田）

ハンナさんを偲ぶ会で挨拶する林

（この記事はＷＷＮのＨＰにも紹介されました。ＷＷＮと世界平和記念聖堂の許可と協力を得て掲載しています。）

## ［付］ＷＷＮの二十年間の国際活動

一九九七年　ベルギーＥＵ、スイスＩＬＯを訪問

二〇〇〇年　New York・世界女性会議参加・New York 大学リプトンホールにてワーク・ショップ開催

二〇〇一年　スイス国連・社会権規約委員会にて傍聴参加、本会議で発言・ILOを訪問、同一価値労働同一賃金およびコース別人事の実態をアピール
二〇〇三年　二月　New York 女性差別撤廃委員会（CEDAW）作業部会にて発言
　　　　　　七月　New York 国連・CEDAW日本政府レポート審議会に傍聴参加。同本会議で住友メーカー裁判原告たち発言。CEDAW委員へロビー活動
二〇〇五年　二月　New York 国連女性の地位委員会・北京会議＋十に傍聴参加
　　　　　　六月　韓国にて世界女性学会議。ワーク・ショップを二カ所にて開催
　　　　　　十月　ハワイ大学にて講演……住友裁判とWWNの国際活動
二〇〇六年　五月　ドイツ・ライプチヒ大学にて講義。オーストリア・ウイーン女性グループと交流＆ラジオ出演
二〇〇七年　九月　ILO、スイス国連、イギリス（労組）へ同一価値労働同一賃金の情報収集
二〇〇八年十一月　ジュネーブ、CEDAW・日本政府への質問書作成作業部会へロビイング
二〇〇九年　七月　ニューヨーク国連・CEDAW日本政府審議会へ二十三名傍聴参加
二〇一三年　五月　スイス国連社会権規約委員会に日本政府審議会に参加。ILO、世界経済フォーラムへWWNから中国電力の男女賃金差別裁判原告・長迫忍さんが発言
二〇一六年　二月　ジュネーブ国連へ第七次CEDAW日本政府審議会へ参加（長迫、雨宮英語でスピーチ）

# 林　弘子先生との出会い　そして共にあった日々のこと

大槻　明子（NPO法人一冊の会　会長）

NY国連本部で開催された、CSWの会議に国際女性の地位協会の会員として参加。大雪の中ホテルに到着しました。指定された部屋に入るとすぐに、ホテル側の要請で松浦千誉先生と相部屋となりました。松浦先生とはこれがご縁で生涯のお付き合いになりました。

松浦先生の友人が林弘子先生でした。松浦先生を訪ねて来られた林先生は、「何で大槻さんがこんな大きな部屋に居るの？」と口を尖がらせてお尋ねになりました。松浦先生は、「大槻さんの肩書きが社長なのでホテル側はそれで部屋割りをしたのでしょう。きっと、そうよ。私たちは、先生（教師）でしょう？」と説明してくださいました。すると林先生が、「あら？　そう？　この部屋いいわ！　私もここにご一緒させて」ということになり、それ以来二〇一六年まで、温かい楽しい関係が続きました。

私の仕事に興味を持たれ、「何の社長なの？」「建築です」「フーン　珍しいわね。自分で独立した社長？　何の仕事を請け負っているの？」等々興味津々の質問が続きままました。会社では、四十七人構成に一人一人に前金払い形式で、男女共に同一労働同一賃金で経営していること等……説明すると、「私はいろいろな人と会っているけど、貴女のような人は初めてよ。仲良くやりましょう」から始まりました。ハッキリとスッパー・スッパーと相手に質問される先生は、珍しい女性と出会ったという初対面の感想だったようです。

一九七五年メキシコで開催された第一回世界女性会議に市川房枝先生のご推薦で参加したこと。四回も参加をお断りしても市川先生は、津田塾の藤田タキ先生をも引っ張り出して粘り強く参加を勧め推薦をしてくださったことに対して、事情を知る有権者同盟の紀平悌子会長に問い合わせの上納得して参加されたとのこと。大槻さん、貴女はもっと、お母さんに感謝して偉大な市川先生に感謝すべき、等々訓示を頂きました。

林先生は、国際人であり、才能にあふれた、スケールの大きな研究者でしたが、私たちの前ではとても気さくに、悩みや不安なことがあると、いつも親身になって考えてくださる方でした。そして「私ね、弁護士でもあるのよ。ウフフ……」と笑う、寛大で包容力に満ちた先生でした。

こんなこともありました。一九九四年国際家族年の行事がイギリスで開催された時、「大槻さんと一緒に行ってあげて!」と松浦先生に親身になって言ってくださいました。しかし、松浦先生は、イタリアから直接到着ということになり、私はイギリスの交通機関がストのため（電車・自動車関係はマヒ状態で動かず）ロンドンまでやっと一人で到着しました。無事、松浦先生と合流出来たことを、帰国した時に林先生に報告すると、「無事帰国してホッとした」と言って安心してくださったことは、終生忘れられない思い出です。

先生は若い頃フルブライト交換留学生として渡米。七つの大学で学ばれました。先生の旺盛な探究心、目の前にある要件は全て学び取って見せるという実行力に、いつも私はオロオロしながらお付き合いをしていたことが懐かしく、亡くなった今もヒョイと「明日上京するから迎えに来てね。羽田よ!」と電話がありそうな気がするのです。そして今回はここに一緒に行きましょうと。先生のお陰でいろんなところに、行かせていただきました。

敗戦処理に奔走した白洲次郎の話題になった時は、その足で早速町田市に直行。武相荘見学となりました。帰りは渋滞になると会議の時間に間に合うように、「志ーコ！　ハイ箒で掃いて」。その志ーコは自動車の助手席で、箒で掃く真似をするという滑稽な風景です。こうして無事先生をお届けする大きな使命が私たちにはありました。ちなみに「志ーコ」とは、私の相棒の小山志賀子です。

学術会議・各大学・関連官庁・美術館等々寸暇を惜しんで時間を有効に使って走り回りました。特に絵画に関係することには、目の色が変わり、「実はね、美大の受験に失敗して研究者の道に変わったの」と言って有名な絵画の展示の時は、遠い近いに拘らず見て回り、時間ぎりぎりまで見逃すまいとするエネルギッシュな先生でした。先生の自作の〝薔薇の絵〟は今でも大切にしております。そして時間どおりに会議に間に合ってホッとするという私と小山でした。

先生との思い出は、尽きません。貪欲にしても何にでも、一流の物は、見る・触る・質問する行動派であり、何事にも動じることなく前へ進む行動力はお手本でした。

女性が初めて参政権を行使した時の証言集『１９４６・４・10――初の婦人参政権行使と日本女性自立への出発（たびたち）』の出版の折には、香港大学でのロースクール教授として集中講義でお忙しい中、寄稿文を寄せていただきました。このことは私にとって〝宝物〟です。

出版記念会には、先生のお友達のベアテ・シロタ・ゴードン女史がニューヨークから駆けつけてくださいましたが、その時はご自分のことのように喜んでくださり、返礼として約束どおりニューヨークのベアテさんのご自宅を訪問。たくさんの棟方志功の版画に囲まれたお部屋での語らいは、忘れられません。

にぎやかだった出版記念会

林先生は相馬雪香先生とは、日韓女性親善協会を通して親しくなられたと伺っております。大変尊敬しておられ、特に相馬先生の綺麗な英語力には圧倒され学ぶところが多かったと、いつも仰っておられました。

相馬先生の米寿のお祝いには、林先生・志ーコと三人一緒に出席致しました。この時はデビ夫人ともご一緒になり、記念の写真を撮っていただき、良い思い出が出来ました。

林先生と相馬先生は竹を割ったような性格が、とてもよく似ていて気が合う同志のようでした。

世界の一流の人との交わりかたをお教えいただけたわが身の幸せを心から、有難く、有難く、感謝の思いでいっぱいです。

林先生の口癖は、私に対して東京秘書の小山さんを二年間でいいから私に貸してよ、と。即時に「何度頼まれても、お断り、駄目です」と返答しました。このことは、何回も繰り返されました。

林先生の友人とお会いした時は、「東京の運転手の大槻です」と自己紹介すると、「違う、違う、大槻社長です。一冊の会の会長さん」と必ず訂正して紹介する先生でした。

一冊の会35周年のパーティにて

林先生とお約束して実現出来なかったことがあります。一つは坂岡先生と四人での富士頂上登山の件。二つ目は軽井沢の莫哀山荘に相馬先生をお訪ねする件。とくに相馬先生をお訪ねすることは、私と志ーコは何十回もお訪ねしているだけに、残念です。ゴメンナサイ。

もう一つ心残りのことがあります。二〇一五年十二月スウェーデンで中国初の女性ノーベル生理学医学賞を受賞した科学者屠呦呦女史について話が弾んだことがありました。

「十一月に（一冊の会主催）レソト王国の国王両陛下の晩餐会に私も出席するので雅叙園でお会いしましょう。その時までに屠さんについて調べておいてね。私、今とても忙しいの！　志ーコと二人でね。お願い……報告楽しみにしているわ」。

……これが私たちに託した林先生の最後のお言葉でした。残念ながら先生は大切な晩餐会の前に急逝され、報告をお伝えすることが出来ませんでした。

新型コロナウイルスで世界中が、混乱に巻き込まれた今年の前半でした。いつまた第二波が襲って来るか分かりませんが、ようやく抜け出しつつある昨今。これから私と志ーコは全国出前講座の折、屠呦呦女史について発表したいと思っております。今その計画を立てております。

林先生のすべてを知る真の友人・坂岡先生が福岡で林先生に寄り沿い続けてくださったことが、どんなにか林先生にとって心強かったことでしょう。本当に感謝です。

この度「ザ・ブランド・ローリエ　ブランドＩＣＯＮ賞」を受賞しました。長年の人権および社会への貢献に対してでした。一冊の会五十五年間の労苦の結晶を認めていただきました。日本女性初ということです。

因みに、今までには、日本では世界的音楽家の坂本龍一氏、スポーツ界では錦織圭氏、世界では、ネルソン・マンデラ氏、アウンサン・スーチー女史、スティーブン・スピルバーグ氏等が受賞されています。最高顧問を務めてくださった林先生がどんなにか喜んでくださったかと思うと、今、目の前におられないのが心残りです。

林先生の御心をしっかり受け継ぎ、人権の世紀を構築すべく民衆大河の流れをつくって参ります。〝女性の声が時代を変える〟。その時代までもう一歩です。その先駆けとなってくださった先生！　ありがとうございます。先生の努力の賜です。

「女性こそ平和の資源」を合言葉に、今後も希望の世紀構築のために、坂岡先生と連携しながら努力して参ります。

弘子先生安らかに、お休みくださいませ。

志ーコと共に大槻　合掌

## 豪快さと温かさと —— 林　弘子先生の思い出

林　陽子（弁護士）

林弘子先生のお名前を知ったのは一九七〇年代の学生時代、確かファイアストーンの『性の弁証法』の訳者としてであったと思う。

親しくお話しするようになったのは、一九九四年に「国際女性の地位協会」のメンバーとして女性差別撤廃委員会（ＣＥＤＡＷ）を傍聴するためにニューヨークでご一緒してからである。数少ない学術界の女性の先輩として、とりわけ法学者としてのご業績に、私は素直に尊敬の念を抱いた。

名字が同じことから、お互いに「弘子先生」「陽子先生」と呼び合っていたが、弘子先生はたゆまないユーモアのセンスと旺盛な周囲へのサービス精神で、いつも楽しく周囲を笑いに包んでくださり、ご一緒の旅行は本当に楽しかった。その印象は、ジェンダー法学会や大阪のワーキング・ウィメンズ・ネットワークの会合などでご一緒する機会が増えるごとに深まっていった。一度、弘子先生が私の講演を聞いて、「陽子先生は国際人としてのパスポートを持っている。それはユーモアのセンス」と誉めてくださったことがあり、とても嬉しかった。

林弘子先生のことで記しておきたいことは、先生とベアテ・ショップ・シリング(Hanna-Beate SchÖpp-Shilling)さん(ドイツ出身の元CEDAW委員)の長年にわたる友情についてである。弘子先生はコーネル大学のアリス・クック教授(労働史学者)の下で学ばれ、米国に知己が多かったが、ショップ・シリングさんとも米国で知り合ったと聞いている。ショップ・シリングさんは有力なCEDAW委員として委員会の議論をリードされてきた方であり、日本のレポート審査の際にも率先して雇用差別の問題を取り上げ、的確な質問を政府代表団に投げかけ、重要な勧告を引き出してくださった。

私がCEDAWの委員に就任した後、新人である私をショップ・シリングさんはいつも温かく励ましてくださった。私が委員会で何か発言すると、後ろの席から very good point! というような手書きのメモを送ってくださり、どれだけ励まされたかわからない。残念ながら、ショップ・シリングさんと私はCEDAWでは一年しか任期が重ならず、ショップ・シリングさんは私が就任した二〇〇八年の暮れに引退された。最後の会期にドイツからおつれあいが委員会を傍聴に来られ、その晩ご夫婦で私を食事にご招待してくださったことは、大変心に残る思い出である。それもこれも、ショップ・シリングさんが林弘子先生を通じて親日家であったこと、私が林弘子先生の知り合いだったことが大きく影響していたと思う。

ショップ・シリングさんは委員在任中の二〇〇七年にCEDAW設立二十五周年を記念した本（"The Circle of Empowerment"）を編集され、米国のFeminist Pressという出版社から刊行した。弘子先生はその邦訳の出版を企画され、現役のCEDAW委員であった私に協力を求めてこられた。私は知り合いの若手研究者、弁護士らに声をかけて翻訳をし、弘子先生がニューヨークでFeminist Pressと邦訳版出版の諸条件（契約後、一年以内に日本語版を刊行すること）を交渉する場にも立ち会った。弘子先生はマンハッタンの高級なレストランを予約され、Feminist Pressの女性の代表者を高級な食事とワインでもてなされ、太っ腹な方だなあと改めて感じ入った。

しかし日本の出版事情は厳しく、専門書の翻訳の出版を引き受けてくれるところが見つからなかった。弘子先生から、ある人権関連の書籍を多数発行している出版社との話し合いに同席を依頼され、出かけて行ったことがある。先方が指定した都内の喫茶店に出向くと、手慣れた感じの男性の編集者から、「まあこれだと二百万ですね」と言われた。何のことだか意味がわからなかったが、よく聞いてみると、私たちが二百万円を出資すれば出版してもよい（すなわち自費出版）、ということであった。弘子先生がいつものユーモアのセンスで「陽子先生、これからアコム（サラ金）に行きましょう」とおっしゃったので爆笑したが、もちろんそのお話は断った。

そうこうしているうちに、Feminist Pressとの間で約束した一年以内に出版という期限が過ぎてしまい、結局、この本の邦訳は出版できないことになってしまった。訳出に協力してくださった方々に対しては本当に申し訳なく思う。弘子先生も、親友のショップ・シリングさんの編著を日本に送り出すことができなくなったことは心残りだったに違いない。

ショップ・シリングさんは弘子先生よりも早く、二〇〇九年に病気で還らぬ人となってしまった。仲の良かったお二人は、今ごろ天上でワインのグラスを傾けながらおしゃべりをしていることだろう。

ジェンダー平等を目指す道のりは山あり谷ありの険しさだが、弘子先生が教えてくれたように、ユーモアの精神を忘れずに、前へ進んで行こうと思う。弘子先生、先生の後に続く私たちを見ていてくださいね。

## ホテルで働く魅力

～縁（えにし）で紡がれたリーガルマインド～

内田　賢一（愛弟子）

「お気をつけていってらっしゃいませ」。この言葉をお掛けしたあと、お客様から「ありがとうございました。お世話さまでした」とよくお声をいただきます。ホテルで働く最大の魅力は、巡り逢うはずのない世界の方と笑顔でお話ができ、自らを毎日、研鑽できることです。これも何かの縁（えにし）。様々な縁と縁の交錯点がホテルです。

縁といえば、仕事帰りの京都の冬の夜空を見上げると、東山の方に輝くオリオン座が。毎年、オリオン座を見上げますと、恩師、宮崎公立大学元学長　林弘子先生のお誕生日、二月二十六日が近づき、ボルドーの紅ワインを贈らないと！　と想う季節であります。先生がアメリカにいらっしゃる時にお贈りした自作の短歌を先生は喜んでくださっていました。この想いでも毎年オリオン座が紡いでくれる先生との縁であります。

私は大学時代、憲法のゼミの卒業論文の課題を探している時に、住友電工事件大阪地裁判決の記事をたまたま新聞でみつけ、その時の原告白藤さんのあまりにも無念に涙する顔に心を打たれ、すぐさま控訴審を傍聴するようになりました。そこで林先生、宮地弁護士、原告と出逢い、WWNに加入しました。住友電工事件は画期的な和解を迎え、その後は東京高裁で兼松の男女差別訴訟を支援し、卒論もこれらの裁判をとりあげました。

内田とともに写真に収まる林（左脇）

この折、よく林先生から論文のアドバイスもいただきました。「真の法律家は弱者に耳を傾けて事実を聴けば、自ずと問題と解決すべき法理論が浮かぶもの。それに、国際的視点も鑑みれば、どれだけ日本は男女雇用機会均等の分野で遅れているか」とよく教えてくださいました。そして何より、原告たちと交流会や勉強会でお話をし、労働問題の実態と苦悩を聴いたことが人権意識を高める礎と今もなっています。

その後、ロースクールを二年受験しましたが失敗し、スーパーマーケットに就職しました。ところが三十五歳の時、ここが店舗撤退となり、不安ながらハローワークで就職活動、語学と接客が好きだったのでホテル業界を思い切って選びました。梅田のビジネスホテルにすぐに就職が決まりました。中小企業の不動産の会社を母体としたホテルでした。

ここでは、一カ月単位の変形労働時間制でしたが、夜勤でも深夜業手当もなく、休日労働出勤でも通常の賃金支給でした。この時、初めてWWNの原告たちの気持ちを痛感しました。「一生懸命夜勤で働いても深夜業手当が出ないなんて！」と。しかし、ちょうど会社が変革期で丸紅を退職された方が取締役に就任し、新しい風が吹いていました。ここで労務問題について取締役に相談すると、顧問の社労士を交え、議論する会合が設けられ、深夜業手当支給、休日労働手当の支給が実現しました。

その後、二〇一八年六月に人の縁で三井不動産ホテルマネジメントへと転職しました。今は三井ガーデンホテル京都駅前でナイトインチャージ（夜勤帯責任者）として働いています。今の会社では関西エリアで支配人は女性の割合が高く、正社員、非正規雇用問わず女性が多く、活躍しています。女性が活躍できるという点はホテルで働く魅力です。職場環境が整っていて初めてお客様にも笑顔で元気に接することができます。

WWNで学んだリーガルマインド、それはホテルという業界でも十分に活きています。それはなんと言っても原告たちと触れ合った中で感得した人権意識です。ホテルでナイトインチャージとして、実際に働きやすい職場環境を作るというところに活きています。学生時代のWWNの活動もホテルも振り返ればそこには人と人の縁がありました。

今でも仕事帰りのオリオン座の輝きが星になられた林先生に見えてなりません。ＣＥＤＡＷショップ・シリング女史、兼松代理人弁護士、そして坂本福子さんと、ＷＷＮの活動の縁で巡り逢えた方々も星になられ、今のＷＷＮを見守ってくださっているだろうと思います。われわれの心の中に生きながら、新たな活動に向けて。

最後に林先生にお贈りした短歌を添えて結びと致します。

異国にて輝きにけるオリオンを師もご覧ぜば志はひとつかも

## 林　弘子先生は市川房枝だった？

神尾　真知子（日本大学法学部教授）

今から三十年以上前、私が労働法の研究者として駆け出しのころ、学会に行ってもほとんど知り合いがなく、ポツンとしていましたら、林弘子先生が声をかけてくださいました。それからは、学会でお目にかかるたびにお話しするようになり、切れ味のよい先生のお話にひきつけられました。当時は、労働法学会に女性会員の数は少なく、女性研究者の先頭を行く颯爽とした憧れの先生でした。

林先生との思い出で不思議な思い出があります。それは、一九九五年の北京で開催された国連の第四回世界女性会議のＮＧＯフォーラムに参加した時の出来事です。「北京」といえば「北京ダック」。林先生と先生のご友人のアメリカ人と私の三人で、有名な北京ダックのお店に行くことになりました。そのご友人は後から来られるとのことでした。ひとまず林先生と私は、そのお店に行きました。四階建ての立派なお店です。お店の人に二階に案内されました。そこは、テーブルクロスのかかっていないテーブルがぎっしり並んだ大衆的な活気にあふれるフロアでした。少し待ったものの、先生のご友人は現れません。私たちは心配になり、席を立ち、もう一度一階の受付で待ってみることにしました。やがて、先生のご友人が来ました。

そこで、再度入店の受付をすることになりました。すると、受付の女性が林先生の顔を見て、メモ紙に鉛筆でさらさらと「市川房枝」と書いたのです。そして、通されたところは、先ほどの二階ではなく四階のフロアでした。四階は、天井が高く、テーブルには白いテーブルクロスがかかっていました。そして、テーブルとテーブルの間はゆったりとしていました。二階の喧騒とは全く異なり、静かな時が流れています。北京ダックの値段は二階と変わりません。どうやら上得意の客を案内するフロアだったようです。

なぜ、一見の客である外国人の私たちがそのようなフロアに案内されたのでしょうか。それは、受付の女性が「市川房枝」とメモ紙に書いたことにあるとしか思えません。受付の人は、林先生を「市川房枝さん」と思ったのでしょう。そして、「市川房枝さん」に敬意を払った応援をしようとしたのではないでしょうか。

それにしても、その受付の中国人女性は、なぜ市川房枝さんを知っていたのでしょうか。中国で一般の人が知るほどに市川房枝さんは有名で敬愛されていたのでしょうか。キツネにつままれたようなお話ですが、林先生は市川房枝さんと思われたとしか考えられません。

先生の風貌は確かに市川房枝さんに似ています。研究者としての生き方も市川房枝さんに似ていたのかもしれません。研究一筋で妥協を許さない姿勢を貫きました。二〇一五年春の近畿大学で開催された労働法学会の時のことです。私はミニシンポジウム「男女雇用機会均等法をめぐる理論的課題の検討」において、男女雇用機会均等法の立法論的課題について報告をいたしました。既に宮崎公立大学の学長をなさっていた林先生は、おいそがしいなか参加してくださいまして、私の報告に対して同一価値労働同一賃金に関する質問をなさいました。厳しい質問でした。

先生は、用事があるとのことでその後すぐにお帰りになりました。私はいつかお会いしたら、先生のご質問にお答えしようと思っていました。しかし、それは結局かないませんでした。二〇一六年十一月、思いがけない先生の訃報に接しました。信じられませんでした。本当に残念です。

林弘子先生、どうか天国で安らかにお眠りください。いつかそちらに行くことになりましたら、この前のご質問にお答えしたいと思います。合掌。

# 林　弘子さん　私といつも議論してくれてありがとう。

伊藤　みどり（ＡＣＷ２）

林さんとは二十年以上の付き合いでした。対等な立場で論議してくれる数少ない年上の友でした。時々ハガキももらいました。とてもこまめな方でした。

それに、「女性ユニオン東京」の頃から「はたらく女性の全国センター（ＡＣＷ２）」へと、私の活動のために金銭的な援助もいただきました。今となっては本当にお礼のしようもありません。

突然逝ってしまった十一月二十一日。最後に会ったのは少し前の二〇一六年十一月三日。この日も数日前に、上京するので赤坂見附の赤坂東急ホテルにモーニングをご馳走するから来てほしいと、FacebookのＤＭでメッセージをもらいました。一緒にホテルのモーニングを食べながら話したのが最後でした。

実は、林さんは上京すると必ず、赤坂見附の常宿に私を呼び出し、モーニングをご馳走してくれるのですが、私たちの通信を隅々まで読んでくれていて、その内容について質問をしてくれたり、女性労働問題について意見交換をするというような関係をずっと続けていました。

その時に、最後に話したことは、その年の「ＡＣＷ２」の、進行する細切れ雇用化を問題にしたテーマ「週三日の賃労働でも生きさせろ」についてで、林さんも学生がアルバイトで忙しくて学業に集中できない子どもが増えてきて、今の雇用状況の厳しさについて学生を通して理解できると話していて、共感してくれました。また、英訳したい本があり、退官後はそれに集中するとも言っていましたが、本を出す前に亡くなられてしまいました。残念だったでしょう。たくさんやることが残されていたと思います。

私と会うことは、特に学長になってからはアカデミズムの世界とは違う世界に住んでいるものであるという理由で、楽しみにしてくれていたようでした。自分が取り組みたい労働法の世界について議論できる人が少ないと、いつも嘆いていました。労働法は労働組合法とセットでないと使えないと何度も言っていたのも、印象に残る林さんの言葉です。

思い出せば女性ユニオン東京を結成した後、WWVで私を招いてくれて、そこで「フグを食べさせないと九州女がすたる」と言って豪快に飾らず話してくれ、意気投合したのが最初の出会いです。以来の長い付き合いでした。年上の世代で私を下に見ず対等な立場で意見交換してくれて私へ声掛けし続けた人は二〇〇七年に亡くなった中島通子さんと、林弘子さんでした。今、二人とも故人となられ、自由闊達に何を言っても対等に議論してくれる人を失った大きさは、私にとっては計り知れないものです。坂岡さんに、林さんが「親友に会いに行く」と出かける時に嬉しそうに話していたという話を後から聴いて、とても嬉しかったです。

林さん、本当にありがとう。今でも時々、若い世代の後輩に労働法の話をする時に林さんの本を開いておさらいしています。今、私は、ウーバー化（請負化）した訪問介護労働者の裁判を仲間と一緒に起こそうとしています。人生、最後の闘いです。あの世で見守ってください。それが終わったら続きの議論を別の世でしましょう。

# 林さんからの画

赤松　良子（日本ユニセフ協会長）

林弘子さんは、私よりかなり若く（私九十歳）、そして元気な方だったのに、そして大学の学長という要職にあって、働き盛りという時だったのに、病気とも聞こえてこないうちに、あの世へ逝ってしまわれた。びっくりしたとも、悲しいとも、言っても仕方のないことなのは、わかっているが、それでも残念なのはこの上ない。

林さんは、宮崎公立大学の学長になられる前、ずっと長く、日本の女性の地位の向上のために活動しておられたのを記憶している。主として九州でのお仕事だったかと推察していたが、団体の役職もあり、東京へ来られることもあって、私がお会いする機会はまれではなかった。私の方は、長い国家公務員の間、女性の地位の向上のための業務につき、特に最後の婦人少年局→婦人局の局長時代には「男女雇用機会均等法」の制定のため、昼夜を問わず働いていたので、その間、林さんからハッパをかけられたことがあったに違いない。その頃が一番お会いしたのではないかしらと、今は昔（半世紀以上も）のことになったが思い出している。

そのあと、私は特命全権大使というものになって、ウルグアイ東方共和国というとんでもなく遠い国で三年間勤め、それを最後に役人をやめた。立場は変わったが、女性の地位の向上という思いは続き、団体

左から林、ショップ・シリング、一冊の会会長の大槻、赤松

の役員の他、女子大の教師にもなり、これは林さんと親類のようになっていた。

その時代だったと記憶するが、林さんからお電話があって、原稿を書いたか、スピーチをしに九州に行ったか、ひょっとしたら両方か、お手伝いをしたことがあった。そういう時の林さんは、さっぱり、すっきりしていて気持ちがよかった。そして、そのあと、お礼の気持ちと言って八号ぐらいの絵が送られてきた。明るい美しい色のキュービズムっぽい画で、早速、WINWINの事務所の壁に飾った。事務所には、もう一枚マリー・ローランサンの版画をかけているが、これも優しく気持ちの良い画で、週に一度、出かける小さな場所だが、十人程度で定例会をしていても、気持ちがなぐさめられるのは確かである。

私は絵描きの娘だからか、絵を見るのは大好きで、立派な部屋でも、ろくな絵しかなかったら、がっかりしてしまうし、ちゃんとした絵がかかっているとホッとするのである。従って、林弘子さんとは、事務所に行くとお目にかかった気分になれるので、ずっと忘れられない方であった。

急逝されて本当にがっかりしているが、これからも頂いた画を眺めることができるので、心の中でハローと言っている。本当によいお仕事をし、後輩を立派に育て、女性の地位の向上のためにつくしてくださった林弘子さん、本当にありがとうございました。

## 林　弘子教授との思い出

江﨑　康子（福岡労働局労働基準部監督課外国人労働者労働条件相談員）

ある時ステファニー・ウエストン教授にご紹介いただいて林弘子教授の研究室にうかがいました。大きなクマのぬいぐるみ、壁いっぱいの書棚には専門書などが縦横斜めにあふれ出て幾重にも所狭しと積み重ねられ、形ばかり置かれた長ソファーも書籍に埋もれた中に、やっと一人分のスペースを作ってコーヒーを淹れてくださいました。

英字新聞の中に面白い記事を見つけるお手伝いもさせていただき、先生は独特の鋭いユーモアで非常に興味深い内容を選ばれました。ゼミ生の夏期研修では学びの一環として研修の計画・立案・実習・報告などを実施させ、社会人への第一歩を教示されてました。ある夏期研修では、「ド・ロ神父記念館に寄りたいが無理みたい」と残念がっておられました。遠藤周作著『沈黙』で有名な長崎市西出津町の外海地区主任司祭に赴任された神父様です。先生の宗教に寄せる思いを深くは分かりませんが、英語を学ぶ上で、短歌で日本語を磨き、ある教会の神父様に師事されたことで、翻訳の端々に深いニュアンスをお持ちであることを後日知りました。

さまざまな方々との出会いについては、美智子上皇后の優しさ、瀬戸内寂聴さんの逸話、市川房枝先生に間違えられ超ＶＩＰ待遇を受けられた中国での自慢話、韓国の労働法学者との出会い、多くの研究者、政治家や法曹家との交流、多種な草の根グループとの真摯な活動など尽きることはありません。私にとってニューヨーク市立大学のジョイス・ゲルブ博士との出会いには驚きがありました。

非常勤で勤めていた私はある日上司の厳命を受け、一日その方に日本の労働行政の実態を職場の案内とともに説明し別れました。幾年も経て林先生から「友人が来るが自分は迎えに行けない。良ければ空港に行ってほしい」と電話を受けました。空港ロビーで私たちは、突然の再会に喜びました。ゲルブ先生は林先生との公務の合間にゼミにも飛び入りしＱ＆Ａを楽しまれ、林先生も学生たちを巻き込んでいつも以上に熱い講義を楽しんでおられた様子は忘れられません。

現場主義の先生は東北地方太平洋沖地震の後、原子炉がどうなっているか、すぐ飛んで行き確かめられ、お忙しい中お電話をくださいました。今先生がいらしたらこのＣＯＶＩＤ－19の感染拡大をどのように分析し、どのようなお電話をくださったでしょうか？

宮崎公立大学では公務に加えて地域に開かれた学問の府を実践し、市民講座での交流を大切になさっていたようです。友人のマサさんのアルトサックスが聴こえてきそうです。激務の中、宮崎の生活を堪能し、都農ワイナリーで美味しいワインを見つけられ、日本ペンクラブ会員の興梠マリア先生や藤木美津子様等々との折々の時間を、心の底から喜びと感謝をもって話してくださいました。

先生は宮崎公立大学の国際的発展を真剣に望み、英国スターリング大学との学術交流協定では、関妙子先生のご尽力で無事締結できたことを深く感謝しておられました。

ハワイ大学マノア校とハワイ大学カピオラニ・コミュニティカレッジとの学術交流協定締結は宮崎公立大学で行われ、私はウエストン先生と大学に参りました。応接室の花瓶や花にも細かい指示があったとのスタッフの方のお話に、先生の並々ならないお気持ちが察せられました。

福岡から二人のアメリカ領事、各地から多くの研究者や法曹家が参加し、迎える宮崎公立大学や地元政財界、市民の皆さまの熱気には圧倒されるものがありました。同大学所有の能舞台を臨時に設営された宝生流の能狂言には、林先生ご自身も「仕舞の迫力に鬼気迫るものを感じた」と感嘆しておられました。また裏千家茶道部学生たちのもてなしには、ひと時の爽やかな和やかさが広がり、先生の企画力に敬服しました。ハワイ大学マノア校には日本庭園があり、そこに裏千家先代家元が贈られた茶室があります。宮崎公立大学の茶道部とハワイ大学茶道部との交流はあるのでしょうか？　当日の茶室の室礼などにご指導の先生の細やかなお心遣いを感じました。

シンポジウムでは、文化：ゲイ・サツマ先生、政治：ステファニー・ウエストン先生、経済：ジョウン・フーステッド先生の講演を多くの方々が聴講し、北九州市立大学副学長漆原先生の流暢な英語での質問を林先生が身を乗り出してお聞きになり、先生方が答えられていた様子を懐かしく思い出します。トランプ対ヒラリー・クリントンの対決に世界が注目している時のウエストン先生の講演は衆目の集まるところであり、サツマ先生の日系アメリカ人の史実やフーステッド先生のリーマン後のハワイの経済状況など、終了後三人の先生は質問者に囲まれ次の予定に移動できなくなり、林先生の旗振りも困難なほどでした。アメリカから祝典に参加したリンダ・ウィアさんは、林先生の知の懐刀で、専門書を間髪入れず手配してくださる魔法の司書さんだと紹介してくださいました。先生の時流に沿った専門語彙の英語力の豊かさはここにあったのです。

ある時「シンポジウムの講演を冊子にすることになった」と弾む声で連絡をいただきました。その完成を見ることは叶いませんでしたが、図らずもここで私たちは拝読できるようになりました。関係の皆さまに感謝いたします。

先生の宝である多くのご友人の中でも、二〇一九年五月に八十五歳でハワイ大学を退職されたジョイス・ナジタ博士との交流は心に沁みるものがあります。「午後八時になると必ずヒロコから電話がありました」。林先生は夫を亡くされたナジタ先生の心情を思い、毎晩海を越えてお声をかけられていたそうです。二年前私は、坂岡庸子先生と共にハワイ大学マノア校にサツマ先生とナジタ先生を訪ねました。林先生は退職後、かつてアリス H・クック博士の下で研究に邁進し苦楽を共にしたナジタ先生と、ハワイで執筆活動にはいることを望んでおられました。ジョイス、ヒロコ、ヨウコ、三人のハワイの日々を思うと笑いしか出てきません。林先生、見てみたかったですよ！

今私の手元にはナジタ先生に頂戴した、アリス H・クック“A LIFETIME OF LABOR”があります。これを読みながら、先生の探求心あふれる若い頃に思いを巡らしています。先日、すいれん舎の「女性労働研究第六四号『働き方改革』を超える——ジェンダー平等に指針を定めて——政府の国家戦略と『働き方改革』、女性労働とのかかわりを紐解く」を目に留めました。先生は今の「働き方改革」をどうご覧になるでしょう。忌憚のないご意見を英語や日本語でお聞きできないのが心底残念でなりません。

広い海を渡り研究を謳歌し生きることを楽しんだ先生から、もうお電話はありません。その偉大な業績を考える時、世界との架け橋であった先生の後を継ぐ研究者や実践者が、国境を越えて日夜励んでいること、これが先生からの最後のプレゼントでしょうか？

# chapter 5 福岡で暮らして

## 林　弘子さんと私

岩下　早苗（千鳥橋病院附属須恵診療所所長　内科医）

私と林弘子さんとの出会いは、平成十年八月二十二日に彼女が当診療所に初診された時からの付き合いだ。彼女は、私が受け継いだ前医の矢野先生と古くからの友人で、福岡大学法学部教授になられても、遠く須恵町のこの診療所に来られていたそうだ。

初めて見た林さんは、すてきなブレザー姿で、福大法学部教授にふさわしく、カチッとしたカバンを持ち、八月末から三カ月アメリカに行くので、眠れないため、その相談で受診された。その後も彼女は、アメリカ各地、ニューヨーク、イタリア、ハワイ、ヨーロッパ各地、メキシコ、ボストンと海外出張が多く、彼女のカルテをふりかえると、その活動のすごさがよく分かる。風邪薬でアレルギーが出たり、目薬によるトラブルなど、出張前後には必ず受診されていた。

彼女の祖父も母も癌でなくなっており、祖父は六十四歳、母は七十歳で死亡されていたせいか、自分も将来は癌になるかもと語っていた。

福岡大学の特定検診を受けるのをいやがり、その項目を私のところで全部してほしいと言われ、少しわがままな患者さんだったが、いつも親友の坂岡先生が車で連れて来てくださり、二人で仲良く受診してくれた。

私は彼女を姉のように感じ、彼女も私を妹分にしてくれていたのではと思う。

最初は、当診療所に一番近い「すえガーデン」という和食の店でランチを共にし、その後も何かと私のことを心配してくれた。

昼・夜関係なく、彼女の中で医学的な質問をしたくなったら、すぐに電話してきて、アドバイスを求めたり、中学生の私の娘が不登校だったのを聞いて、娘に大きなクリスマスケーキを送ってくれたこともある。また、彼女の自宅で、自分のゼミの学生たちのバーベキューをする時に招待され、遊びに行ったりもした。その時の彼女の家の二階の図書コーナーがすばらしく、本当の図書館のように蔵書がたくさん整理されていたのにビックリした。

庭の大きな植木鉢に、赤いブドウの房のようなミニトマトがぎっしりできており、この世話もしていると言っていた。ゼミの学生を自分の子どものように就職の心配をしたり、知り合いの離婚問題にも首をつっこみ、私は弁護士だからあなたの立場に立って協力するからと励ましたり、女性九条の会でも頑張り、寂聴さんを呼んだりした。

平成二十五年三月末で、福大を辞めて宮崎公立大学の学長になると言われた時は、ビックリして、もっと福岡でゆっくり、女性協同法律事務所の弁護士をしたらと話したが、自分でないとできないと言われて、一大決心したと語っていた。

アメリカでの留学生活からの「習慣病」のごとき早朝覚醒と不眠に悩みながら、たくさんの仕事を精力的に片づけていた彼女を思い出す。公立大学長になっても、時々、飛行機で福岡に着き、そのまま私の所へ受診されたりもした。

私は、彼女が大好きで、彼女が元気になるように、おいしい肉まんや餃子をよく送っていたが、彼女からはいつもワインが送られてきた。

彼女が亡くなる前の最後の受診は、二〇一六年十一月十一日で、毎日忙しい、やはり眠れないと記載あり。十一月十三〜十四日に福岡で映画を見て宮崎に帰り、十一月二十日の夜十一時頃、林さんは坂岡さんと電話で話している。両方とも、風邪を引いてきつかったが、死ぬような素振りはなかった。十一月二十一日の朝、大学に出て来られてなかったために、職員が心配して家に行き、風呂場で亡くなっている彼女を発見したという！

何たる悲しみ！　ヒートショックか心不全か脳卒中か誰も分からない。ただ、ただ、彼女が安らかに天国に召されることを祈るのみであった。（何と十一月二十一日は、私の初孫娘が生まれた日でもあり、その三日後の十一月二十四日に矢野先生も老衰で亡くなられていた！）

今でも私は彼女が死んだとは思いたくないのです！

# 林　弘子先生、たくさんの愛をありがとうございました。

村山　由香里（リムリムラボ代表
元株式会社アヴァンティ代表取締役）

まさか、林先生がこんなに早く亡くなられるなんて。

訃報を聞いたその日、一人の部屋で声に出して泣いた夜をいまでも思い出します。悲しくて悲しくて。あんなに泣いたことは他に記憶ありません。

よく叱られました。そして、不思議と可愛がっていただきました。師のようであり、母のようであり、本当に愛情深い方でした。

最初の出会いは、たぶん二十年くらい前。海外からのゲストと先生の二人を講師にして小さなセミナーにお誘いいただいた時だったように思います。ナマの林弘子にお会いした衝撃的な日でした。林先生のスピード感とスタッフの方々のあたふたぶりを鮮明に覚えています。

私が発行している情報誌「アヴァンティ」の「アヴァンティ・ゼミ」企画で取材し、講座をお願いしました。講座の日、激烈に叱られました。会場の案内をしたつもりだったのですが、十二月の寒い中、会場を間違えて遅れて来られ激怒。講師に水ではなくコーヒーだったと激怒。以来、何年も同じネタで叱られ続けました。一方、女性の活躍を応援するメッセージを「アヴァンティ」で出し続けている私を辛口でずっと応援してくださいました。

その後、先生のゼミ生を私の会社でインターンシップとして受け入れたり、就職を前にしたゼミ生に講演したり、福岡大学のOBOG会にご招待いただいたり、修論発表会にゲスト参加したり。そこで見えてきたのは、すばらしい教育者としての林先生の一端でした。

ゼミのOBOG会に毎年百人もの卒業生が集まってくる、そんなゼミは聞いたことがありません。現役大学生に企画をさせ、百人規模のイベント運営の体験をさせる。ここで出会った先輩後輩のネットワークは、必ず本人たちの将来につながります。そんな場を仕掛けている先生はすごいと十年ほど続けて参加しました。

人生最大の後悔は、林先生に大学院に誘われて、二回参加しただけで脱落したことです。林先生は、本気で私を指導したい、経営者の私に労働法という武器を持たせたいと考えていらっしゃったのではないかと思うのです。いつになく、真剣な調子で誘われました。私自身、いつか大学院に行きたい気持ちもあって、「アヴァンティ・ゼミ」企画をし、いろんな分野の大学の先生を毎月取材してきたのですが、結局、仕事の忙しさにかまけ、どこにも行かず仕舞いでした。林先生のお誘いはチャンスだったのに。そして申し訳なかったなあと思います。

また、十五年ほど前、私の母のお通夜と葬儀に、ゼミ生を十人近く引き連れてきてくださいました。喪服を着た礼儀正しい学生さんたちのこと、よく覚えています。先生に抱きしめられて、「子どももいない。一人ぼっちになった」とつぶやく私に、「あなたの子どもたちはここにいるじゃない」と、受付にズラリと並んだわが社の社員たちを見ておっしゃいました。数年続いた母の闘病生活の頃も、時折、病院に付きそう私にお電話くださり、心配し、勇気づけてくださいました。

私が、いったん経営者を退いて、福岡県男女共同参画センターの館長に就任した時は、「残念だ」と言われ、でも心から応援くださいました。任期を終えて再び経営者に戻ると、雑誌が薄くなっていることを心配してくださいました。会社経営の難しさ、情報誌出版ビジネスの斜陽に、心を砕いてくださいました。

三十四歳で起業し二十五年続いた会社が、二〇一九年一月に倒産し、私は自己破産しました。もし、林先生がご存命だったら、どれほど心配かけただろうかと思います。勇気づけ、力になってくださっただろうと思います。反面、先生にお見せしなくてよかったとも思います。

林先生、たくさんの愛をいただき、本当にありがとうございました。私は大丈夫です。男女平等の社会をつくるという私自身のミッションは変わりません。六十歳から再スタートです。先生の描かれた赤い薔薇の絵がお守りです。どうか、天国で安らかに、そして見守っていてくださいね。

## 林先生と就職サブゼミと私の転職。そして政治へ。

成瀬　穫美（福岡市議会議員
元福岡大学就職サブゼミ担当職員）

本追悼文を書くにあたり、林先生とやりとりしたたくさんのメールを読み返してみました。いつも突然の要件！　それは朝でも夜でも。「急ぎます！」「大変です！」などの言葉で始まるその連絡。もう何年も前のメールなのに、当時の緊張感、切迫感がよみがえってきて、ドキドキしてしまいました。どれだけ翻弄されたか、どれだけ焦ったか。でも、いつもその「任務」が終わるたびに達成感と安堵感でいっぱいになったことを思い出します。何事にも手を抜かないでとことん追求した林先生の姿が忘れられません。

林先生との出会いは、二〇〇一年。当時、林先生は、福岡大学法学部の教授であり、学内の就職・進路支援センターでセンター委員をされていました。そして私は、就職・進路支援センター事務室で働く二十人近いスタッフのうちの一人。最初はそれだけのことでした。

二〇〇一年という年は、「超」がつくほどの就職氷河期。女子学生の就職率が落ち込むだけでなく、新卒でも契約社員、派遣社員など非正規雇用で女子学生の就職の質が問題になり始めた年です。そして、私も非正規雇用の当事者でした。

就職・進路支援センターでの仕事はやりがいがありましたが、雇用形態にはいつも不満でこの状態から脱出できる方法を探っていました。そんな中、ワーキング・ウィメンズ・ヴォイスとの出会いがありました。それをきっかけに顧問的な立場であった林先生と学外でもつながりができ、センター委員とセンタースタッフというだけの線のつながりだったものが、女性労働という共通の課題に向かう面へ変わりました。

その後、学生の就職支援や教職員組合での活動について、文系センターの九二四号、林研究室を頻繁に訪れることになりました。学生の就職について心を砕いていた先生です。就職指導には本当に熱心でした。そのうち就職サブゼミの講師を任せてもらうことになりました。働くことへの価値観の醸成に始まり、マナー、履歴書の書き方、模擬面接など、毎日のようにゼミ生たちの就職指導をしていました。

学生たちが卒業し、就職する。就職サブゼミのおかげだと感謝される。しかし、学生の就職がうまくいけばうまくいくほど、非正規という立場に置かれたままの自分のありさまに嫌気もさしていました。

あるとき、林先生に「あなたほどいろんなことが分かっている人がどうしてこの職場を選んだのか?」そう言われました。痛いところを突かれました。私の選択が間違っていたのか、新しい世界に向かうことを躊躇していないか、惰性でこの状況に甘んじていないか? その言葉をきっかけに本気で仕事を選ぶことを考え、動く勇気が湧いてきました。

二〇〇七年。ゼミ生たちの就職支援をしながら、その陰で私の転職活動もスタートしました。私の転職は林先生と林ゼミの皆さんに後押しされたものだと思っています。そういう意味で私も、林ゼミの一員だったのだと思います。

数年後、福岡に戻ってくることになり、新しい分野で林先生とのお付き合いが始まりました。「無茶ぶり」な連絡は相変わらずで、頼られていたのか、使われていたのかは今となっては分かりませんが、有無を言わせぬスピードで巻き込んでいく術にまんまと乗せられていました。でも不思議と嫌な気分にはなりませんでした。それは、林先生が個人の「適材適所」を見ていたからだと思います。そこが林パワーなのかもしれません。

そんな無茶ぶりは先生が宮崎に行ってからも続き、毎年のように市民講座のチラシの作成に関わることになりました。二〇一六年の講座が終わってしばらくたったころ、Facebook のコメント欄に「成瀬さんお元気ですか。いよいよ三月で退職します。色々お世話になりました。ジャズは、お陰様で応募者三百人をはるかに超えました。よかったです。」とメッセージが届きました。「ジャズ」というのは、二〇一六年宮崎公立大学市民講座「ジャズとアメリカ文学入門」のことです。

春になったらまた福岡でご一緒できると思っていました。十一月五日のことでした。その二週間後に別れが来るとは知らず、これが先生との最後のやりとりになりました。

先生が長年研究し続けてきた労働法。きちんとバトンを受け取れていません。もっともっと先生に学びたかったし、支えてほしかった。

あれから三回目の春が来て、二〇一九年四月の統一地方選挙で私は福岡市議会議員になりました。「安心して働くことができる福岡市へ」を政策のトップに掲げました。男女間、正規・非正規間の格差是正に向けた取り組みを前面に出し闘いました。

この決断を先生だったら何というか、どう応援してくれるのだろう？　選挙中、何度もそんな思いがよぎりました。先生の声はもう聞けません。でも、先生が引き合わせてくれたたくさんの人たちが、私の政治活動を支えてくれています。

今、私は福岡の女性たちの思いを行政に届ける立場にいます。先生が問題提起していた同一労働同一賃金の議論がこの国でこれから本格化すると思われます。セクシュアル・ハラスメントやパワー・ハラスメントなど職場の問題の解決もまだ道のりは険しいです。そのような現状をどうすべきか、二〇二〇年三月に還元することでしか先生の遺志を引き継ぐことはできないと思っています。これからが本当の闘いです。

# 林　弘子先生との思い出

佐﨑　和子

林先生との一番の思い出といえば、私が五十歳を過ぎて大学院に入学することになったことそのものではないかと思います。十年以上前のことなのに今でも鮮明に覚えているのですが、五十歳を過ぎて、体力維持のためにフィットネスクラブで筋トレにいそしんでいた私に、「身体だけでなく、頭も鍛えなさい」と言われ、福岡大学法学部の大学院への入学を勧めてくださいました。

短大卒だった私は、いつかは大学に編入して勉強したいと思っていたのですが、社会保険労務士の資格で大学院入学ができることを教えていただき、三年かかりましたが、「労基法四条をめぐる法的課題――同一労働同一賃金原則・同一価値労働同一賃金原則を中心に――」をテーマに修士論文を作成し、大学院を卒業できたこと、あの言葉で後押しをしてもらったことは、私の人生にとって大きな節目の一つではなかったかと思っています。

大学院の二年目は、先生に請われて、パートタイムの秘書としても仕事をするようになりました。大学院の院生として、パートタイムの秘書として、私は四六時中先生と一緒に生活をすることになったのです。たった一年でしたが、怒涛の流れに身を置いた一年でした。それには、いくつかの理由があったと思います。一つは中国が各国の労災保障制度の調査をアメリカに依頼したことから、もともと労災保障制度が専門だった林先生に、日本の労災制度の調査依頼が来たことだったのではないかと思います。

私も社会保険労務士ですから、労災保障制度の基本は理解していましたが、報告の資料は英語での作成です。林先生の指示のもとに英語で労災保障に関する表などを作成し、夜中どころか明け方まで格闘して、それから自宅に戻っていました。

英語の資料と言えば、ハワイ大学での講義の資料や、シシリー島での学会の参加時の英語の資料なども作成しました。先生の指示を宮沢賢治の「注文の多い料理店」だなと思いながら、エクセルでこんなグラフを作ってと言われると、それまで作成したことのないグラフに四苦八苦しながら挑戦していました。

何が理由だったのかわかりませんが、たぶん、一つは長時間労働が大きな要因だったと思います。私はメンタル不調になり、林先生の秘書を一年で逃げ出し、三年目は修士論文だけに没頭しました。今では、不思議な気がしますが、林先生の秘書からは逃げ出したものの、学生からは逃げ出さなかった私の心境は何だったのだろうか。かなり、緊張した師弟関係の中で修士論文を書き上げました。

また、林先生の人的ネットワークを通じて、日本における女性労働問題の活動家や弁護士、大学教授の方々などとつながることができました。このことは、私の人生を豊かにしたと思っています。特に大阪のワーキング・ウィメンズ・ネットワークの中心的存在である越堂静子さん。名古屋銀行のパートタイム労働者で女性労働問題の活動家でもある坂喜代子さん。女性メンバーだけの労働組合「女性ユニオン東京」を結成し、現在、「はたらく女性の全国センター」で、センターの創立以来十年以上一緒に活動している伊藤みどりさんとも知り合うことができました。そして、伊藤さんからはデトロイトでの「日米女性労働者教育ワークショップ」の参加を呼び掛けてもらったこと、また、ＥＵの女性労働問題調査旅行等、女性労働問題に取り組んでいる全国的な仲間と、ＷＷＶとしても、私個人としてもネットワークが広がっていったことを改めて振り返っています。

林先生が私について言われた言葉で「佐﨑さんは、アクセルとブレーキを同時に踏むよね」というのが今も心にトゲのように引っかかっています。それは、何かをやりたいと思いながら、どこかで無意識に諦めようとする私を表現された言葉だと思っています。この言葉を胸に、その時々の自分の気持ちをしっかり見つめて、これからの人生を進んでいこうと思っています。

# chapter 6 ゼミ生（OB・OG）の思い出

## "Learned the hard way"

武藤　康之（85台・OBOG会会長）

大学二年時の労働法ゼミの応募面接から始まり、私自身にとって初めての海外となったシンガポールへのゼミ研修旅行、毎週の課題など学生時代の林先生のゼミでの活動はまさに"Learned the hard way"の日々……。失敗を続け未熟さを思い知らされた『痛い』（怒られた……）思い出ですが、今は懐かしく思い出されます。社会人となり大学を離れてからもゼミのOBOG会の発足で先生だけでなく、先生を囲む学生の皆さんや様々な分野の方々との交流の機会をいただき、自分なりにいろいろな見識を積むことができました。

林ゼミOBOG会で任せられた『会長』という肩書は私には正直荷が重く、時には先生と対立することもありましたが、当時の学生さんや周りのOBOGに支えられて何とかここまで続けてこれました。また、先生が急逝されて改めて人の死や人生について考え、自分のことに置き換えて考えさせられることもあり、悔いのないようにと二年ほど前に始めたことが今や私の生きがいの一つにもなっていて、そのことで新しい仲間ができ交流も始まっています。

林先生の教え子であるゼミの同輩・後輩達の多くは、優秀な成績や社会での輝かしい実績を積み活躍する中で、未だに"Learned the hard way"の真っ只中にいるような私ですが、これも先生からいただいた私への最後の課題なのだろうとこれからも愚直に精進を重ねていきたいと思います。

# 恩師の背中を追いかけて

吉峯　季宏（85台・OBOG会顧問）

『吉峯が、言ったのよね。先生の英語は海外で通じるのですかって』。毎年のOB・OG会で林先生が笑って話されていた言葉です。

私は福岡大学林ゼミの一期生です。初めてゼミを受け持つ林先生のゼミの選考会で私が言った言葉のようです（私の記憶には無いのですが……。全く知らなかったのです。林先生が同時通訳を務めるほど、語学が堪能であったことを。そして、二十年以上経っても話されるのは、余程びっくりされたのだと思います）。

当時私は、福大弁論部で幹事を務めていました。九州には、弁論部

ハワイの風景を描いた絵皿

林先生の一周忌にご親族から
頂いた花の絵

OB・OG 会15周年記念で
頂いた林先生のバラの絵

が無く東京の早稲田大学、日大、東大等、関東の十校程度の弁論部の学生と天下国家を論じていて天狗になっていました。ゼミ生になってからも労働法はそっちのけで、社会問題について林先生に論戦を挑んだのですが、ことごとく論破され、とても敵わないと思っていました（今思うと当然なのですが…）。今は、全く敵わないけど、先生と同じ年には先生のようになろうと自然に思うようになりました。

教育が人を育てることを目的にしているならば、私は本当の教育者に出会い育てていただきました。

大学を卒業して三十年以上が経ち、林先生と始めてお会いした先生の年齢を超えましたが先生に少しは近づけたのだろうか、と思う毎日です。

私の部屋の寝室には、林ゼミＯＢ・ＯＧ会十周年記念で先生から頂いたハワイの風景の絵皿、十五周年で頂いたバラを描いた絵画、先生の一周忌のお墓参りの際に先生のご親族から頂いた先生が描かれた花の絵画が飾ってあります。そして、バラの絵画には、北原白秋の詩の一節が添えてあります。『バラの木にバラの花咲く。なにごとの不思議なれど』
先生の背中を追いかけてきた私には、その答えがこの詩の中にあるように思っています。

## 先生に出会えて、本当によかった

伊勢　久忠（88台）

林先生が、まだこれからというときに急逝され、その訃報に接した際の無念さは、未だに消えていません。林先生の追悼集への投稿依頼をゼミの同期生から受け、林先生の指導を受けた一人として、記憶の一端を投稿させていただきます。

私が初めて林先生とお会いしたのは、大学三年時の林ゼミ二次募集の面接の時です。ここでのエピソードでも書ければ、林先生を偲ぶことができるのですが、この時はゼミに入って大学生活を充実したものにできるかどうか崖っぷちの状態で、最高潮に緊張していたため、林先生の顔くらいしか覚えておらず、面接時、林先生から何を質問されたのか、まったく覚えていません。唯一覚えているのは、当時、私は中洲でアルバイトをしていて、そこのお店の名刺を持っていたので、それを林先生に渡したということぐらいです。私の怪しい名刺を、嫌がらずに受け取ってくださったにもかかわらず、なぜかゼミに入れていただき、社会人になってもお付き合いさせていただきました。私にとっての林先生劇場の始まりです。

林先生劇場の中での一番の思い出は、私が労働基準監督官試験に合格し、その後の勤務地を決める際、私を連れて福岡労働基準局長にご相談に行ってくださったことです。

当時、労働基準監督官の初任勤務地は、生活拠点（私にとっては福岡県）から、必ず転居しなければならないルールとなっておりましたが、私はどうしても福岡県に残りたかったので、このルールがどうにかならないか林先生に相談しに行きました。組織に入っている今なら、こんな相談は絶対にしないと思うのですが、当時は、違う土地での一人暮らしを始めることなどに、とても不安があったので、福岡労働基準局長と知り合いだといわれていた林先生に、わらにもすがる思いで、相談に行ってしまいました。振り返ってみても、本当に自分勝手なお願いだと思うのですが、こんな無謀な相談でも、林先生はすぐに動いてくださり、大学の卒業式終了後に、私を連れて、福岡労働基準局長のところに行ってくださいました。

卒業式終了後、私は仲が良かった友達との記念撮影などもそこそこに、羽織袴姿で林先生の後にくっついて、福岡労働基準局長を訪問しました。一通りの挨拶が済むと林先生は、福岡労働基準局長に、「この子は、まだまだ未熟なので、しばらくの間私の下で鍛えたい。ついては、勤務地が福岡県となるようできないでしょうか」という趣旨のお願いを丁寧に、そして一所懸命にしてくださいました。何をして良いのか分からなかった私は、とにかく林先生が頭を下げたら、それに追随して頭を下げるということを繰り返しました。林先生が私のために、何度も何度も頭をさげてくださったのですが、結果は、組織のルールは変えられないということで、私は福岡県を離れ、福岡労働基準局長から提案のあった東京で勤務することとなり、現在（厚生労働省労働基準局労働条件政策課）に至っています。

結果として、福岡県勤務は叶いませんでしたが、私のようなできの悪いゼミ生であっても、何度も頭を下げてくださった林先生の姿は、一生忘れることができません。また、これ以外にも、ゼミ旅行のこと、ゼミの飲み会のこと、OB会のことなど、林先生との思い出は、数え切れないほどたくさんありますが、とても書き切ることができませんので、この辺で筆を擱かせていただきます。

最後に、あきれずに不肖の弟子の面倒を見ていただくとともに、粘り強く指導いただきましたこと、本当にありがとうございました。心の底から思っています。林先生に出会えて、本当に良かったです。

# 林先生との思い出

岩川　頼通（88台）

## 一　林ゼミに応募

一九九〇年三月
当初、僕は刑法のとある先生のゼミを希望していました。面接では特に問題なかったと思うのですが、まさかの落選……
「ゼミに入らない」ことも考えましたが、「大学生活はやはりゼミに入らないと」と思い、林ゼミの二次募集に応募しました。

林先生にはお会いしたことはなかったのですが、友人から「厳しいよ」と聞いていました。労働法について自分は労働基準法などの名称を知っている程度で、内容はまったく知りませんでした。

## 二　ゼミでの面接

面接は先輩のゼミ生が面接官でした。後ろの机では温和な女性が座っており、「なんだ、林先生って温和な先生じゃん」と胸を撫で下していました。その思いは、四月に大きく打ち砕かれることとなるとは知らずに。

面接は和やかに進み、無事合格することができました。

## 三　林先生との出会い

四月の最初のゼミの時間、面接での温和な印象を持っていた僕は、これから始まる楽しいゼミ生活を夢見てゼミ室に入りました。

すると……、先輩ゼミ生に厳しい顔で指導をしている女性が、「面接の時の人と違う」。僕は背筋が凍りました。

実は、林先生は仕事の都合で選考面接に立ち会うことができず、机に座っていた温和な女性はご友人の先生だったのです。

第一回目のゼミで林先生は「労働法は民法の特別法です」と話され、再び僕の背筋は凍りました。前年度、必修科目の民法Ⅲを落とし再履修の僕は民法に嫌悪感を持っていました（刑法のゼミを第一希望にしたのも民法のゼミに入りたくない一心でした）。労働法は民法を理解の下に勉強しなければならないことを知った僕は「ゼミ選びを失敗した」と心の中で大きく叫びました。

## 四　労働法への関心

三年生のゼミは、テキスト「ワークブック労働法」の中から好きな問題を選び、発表するものでした。林先生からの鋭い指摘に慌てている友人をみて僕は恐怖心しかありませんでした。自分の順番が近づいた時、「難解な言葉ばかりでどれも難しいなあ」とテキストを眺めていました。そんな文字が多いテキストの中で、会社に強盗が入るイラストが描かれたページが目に留まりました。問題を読むと宿直中に強盗に襲われ死亡した従業員の遺族が安全管理の不備を理由に、会社に損害賠償請求を行うものでした。内容が面白そうだったので「これにしよう」と決め事前に先生に相談しようと思いました。

僕が「この問題をテーマにしたいと思います」と伝えると、「川義事件ね、これは安全配慮義務の事例なの」と言われました。

「安全配慮義務？・？・？・」

僕にはチンプンカンプンな言葉でした。

そんな僕に対して林先生は丁寧にアドバイスをしていただき、自分の発表は何事も無く無事終わりました。

この時は大学院に進学し安全配慮義務で修士論文を書くなんて思ってもみませんでしたが、この時の安全配慮義務との出会いが僕の労働法の第一歩でした。

## 五　大学院への進学

四年生になり、当時、僕は教員を目指していましたが勉強をあまりしておらず採用試験には落ちてしまいました。僕は私立学校を応募するか浪人して来年採用試験を受けるか考えていましたが、ふと「大学院ってどういう所だろう」と思い林先生に相談しました。

先生は「大学院は厳しい所だけど岩川君が頑張るのならいいわよ」と言われ、試験を受けることになりました。「先生に恥かかせるわけにはいかない」と思い猛勉強をした結果、無事合格することができました。

こうして僕は林ゼミから大学院の研究室に進学した第一号の生徒となりました。

## 六　大学院生活

大学院入学直後、林先生から「卒業したら先生になるの？　それも良いけどせっかく大学院で労働法を勉強するのなら、労働基準監督官などの公務員も良いんじゃない？」と言われました。いろいろ考えた結果、先生のおっしゃるとおりだと思い、教員から公務員へ方法転換しました。

大学院一年目の夏、林先生に「修士論文どんなこと書く？」と言われました。僕は大学三年生の時に出会った「安全配慮義務」がずっと心の中に残っており、「安全配慮義務」を修士論文のテーマにしました。

## 七　林ゼミＯＢ・ＯＧ会

一九九三年の夏、林先生が、アメリカの大学に一年間留学されることになり、「私がアメリカに行く前にゼミのＯＢ・ＯＧに一度会いたいわね」と言われました。

当時、ゼミ生はおらず、大学院の生徒も僕一人だったため自分がすべて準備することとなりました。当日は多くのＯＢ・ＯＧの方が参加され、同窓会気分で楽しいひと時を過ごすことができました。一年後、林先生は無事帰国されましたが、「去年の集まりは楽しかったわね、これからも定期的に開催しましょう」と言われ、僕も修士論文に追われていましたが一人で準備を進めました。

この時は、まさか現在まで毎年ＯＢ・ＯＧが集まることになるとは思ってもみませんでした。

## 八　結婚式でのご祝辞

三十代になり結婚適齢期をとうに過ぎていた僕は、ＯＢ会で先生にお会いする度に、「良い人いないの？」と言われていました。

その度に良い報告ができず申し訳ないと思い続けていました。

数年後、林先生に結婚の報告をさせていただいた時、満面の笑顔で「良かったわね、おめでとう」と祝福していただきました。

結婚前に婚約者と共に林先生にご挨拶をさせていただき、恐る恐るスピーチをお願いしたのですが、即答で快諾していただきました。

結婚式での先生のお言葉は大変有難いもので、DVDに残っている先生のスピーチは今でも僕の宝物となっています。

結婚後、一度妻と共にOB会に参加させていただきました。先生は大変喜んでいただき、何と壇上で先生自ら妻に花束をいただきました。妻も大変喜んでいました。

また、林先生が宮崎公立大学の学長として宮崎におられる時、妻と二人で宮崎に行き先生と楽しいひときを過ごさせていただきました。

## 九　先生との別れ

二〇一六年十一月上旬、OB会の時、林先生が「宮崎にいるのは来年三月までだからもう一度夫婦で宮崎にいらっしゃい」と言っていただき、妻と日程調整していました。

そんな中、十一月二十一日、仕事中の自分の携帯に後着信が……折り返し電話すると林先生の訃報を伝えるものでした。僕の第一声は「え、ウソ。何かの間違いじゃ」でした。

学長退任後の来年四月からの活動に向けていろいろ準備をされていたのに、最後に宮崎でお会いする約束をしていたのに、林先生との思い出が走馬灯のように蘇りました。

宮崎と福岡で開催された「お別れの会」に参加させていただきましたが、先生が、この世にいないと思うと言葉にならない悲しみがこみ上げてきました。

## 十　林先生へ

林先生、僕の大学から現在までの人生において先生なしでは語れません。

もっと、いろいろお話しさせていただきたかった。もっと、先生から怒られたかった。もっと、先生にいろんな報告をさせていただきたかった。

もう、その思いは叶いません。

僕はこの世界でもう少し生きなければなりません。どうか、見守っていただけると嬉しいです。

いつか、僕も先生の元に行く時がくれば、また、労働法を教えてください。不甲斐ない自分を叱ってください。

林先生にお会いすることができて本当に幸せでした。できの悪い生徒でしたが長い間公私にわたりご指導いただき本当にありがとうございます。

# 「人を待たせることは……」の教えを胸に

宮崎　大士（96台）

大学三年から始まるゼミの面接試験、それが先生との出会いでした。面接で今までやってきたことは何かとの質問に、私が大学でそれまでに経験したことを長々と話していたら、「もういいわよ」とバッサリ切られてしまい、ああ落ちたなと落胆したのですが、なぜか合格していました。

この出会いにより、卒業後は大学院でお世話になり、その後の就職も先生のお力添えをいただいたご恩は、感謝の言葉だけでは表すことができません。

時に厳しく指導していただいた言葉の中にも感謝があります。大学院の時に、私のせいで集まった方々を待たせてしまったことがあり、その際に、「人を待たせることは、人の未来を奪うことになる」と教わりました。この言葉は、社会人になってから本当の意味が分かりました。一時間待たされた人は、この一時間だからできたことがあり、その先の人生に大きな影響を及ぼす時間だったかもしれない、それくらい時間は大切なものだと思っています。

先生から学んだことはこれまでの私の支えになっています。これからも、感謝の気持ちを忘れず、時間を大切に生きていこうと思います。

# 林先生を偲んで

井口　嘉健（97台）

思えば、先生は当時、二十歳そこそこの未熟な若者だった私たちに対しても一人の大人として対等に、真剣に向き合ってくださっていたのだと思います。

時には厳しい言葉もありましたが、いや、学生時代はそのほとんどが厳しく辛辣な言葉でしたが「まだ学生だから」という甘えを許さない先生の姿勢はうれしくもありました。

卒業してからも、毎年「今年は先生にどんな報告ができるだろうか」と思いながら、ＯＢＯＧ会に参加しておりました。

ＯＢＯＧ会では、先生はいつも、多くの卒業生たちにお声を掛けながら各テーブルを駆け回っていらっしゃったので、ゆっくりとお話しできるような機会はほとんどなかったのですが、それでも、先生から一言「がんばってる?」などと声を掛けてもらっただけで、気持ちが引き締まっていたのを思い出します。

卒業してから何年経っても、先生にはずっとお世話になりっぱなしでした。

これからも、先生が作ってくれた御縁を大切にしていきます。

# 林　弘子先生との思い出

坂本　公子（97台）

私と林弘子先生のご縁は、今から二十年ほど前の労働法ゼミに遡ります。

ぜひ林先生からご指導賜りたいと考えておりましたが、一方、大変人気が高いゼミでしたので、無事その許しをいただけた時は非常に嬉しかったのを覚えております。

ゼミでの一番の思い出は、三回生の時に行った判例発表会です。深く考えずに全く身近でない「労働争議」をテーマに選んでしまった私は、説明のやり直しを命じられること五回。林ゼミの長い歴史の中においても、きっと最多記録でしょう。夏休み明けすぐに始まった発表会でしたのに、発表の度にダメ出しをされ、学園祭休みも過ぎ去り、秋が深まった頃にようやく終わりました。二か月間、悩みに悩んで何度もゼミ棟へ足を運び、先生からご指導賜る日々を過ごしましたが、自分のあまりの不甲斐なさに人知れず涙を流したこともありました。

しかしながら、この経験はその後の私の人生において重要な分岐点となりました。何事もすぐに諦めがちだった私でしたが「最後まで粘り強く頑張ることができる」という自分自身でも気づかなかった新たな一面を引き出していただき、社会に出てからの自信につながりました。併せて「完璧を目指して準備を怠らないこと」の大切さも学びました。このことは、現在仕事をする上でも常に心がけております。

今振り返ると、林先生に直接ご指導いただいた二か月間は大変贅沢な時間であり、また林先生と私そして同期の皆と過ごした三回生・四回生の日々は宝物のように大切な思い出となっております。勉学においては非常に厳しい先生でしたが、私が特待生に選ばれた時は、すぐにお電話をくださり、私以上に喜んでくださいました。また、就職活動においても熱心にご指導くださり、内定のご報告をした際も、満面の笑みで「良かったわね」とおっしゃってくださいました。常に私たちに寄り添い、真の意味で学生思いであった先生のことを思うと、感謝の念に堪えません。

毎年のOB会で元気なお姿を拝見させていただいておりましたので、突然の訃報に大変驚きました。そして悲しみにくれながら参列させていただいたお別れ会で、生前先生に何もお返しすることができなかったことを非常に悔やみました。現在私は、社内のダイバーシティ&インクルージョンPTに自ら手を挙げ、活動をしております。大変遅くなりましたが、この活動が林先生への恩返しと考えて頑張っております。今後も先生から賜りました知識・人脈を大切にし、自分を磨いていく所存です。

林弘子先生のお導きに深く感謝申し上げるとともに、ご冥福を心よりお祈り申し上げます。

## 教えは家族の中に生きつづけています

才賀　敦・真美（99台）

林先生の生前のご厚情に、夫婦で深く感謝しております。われわれは学年が異なるため在学中はお互い

林（手前）の紹介で知り合い結婚した才賀夫妻

の存在を知りませんでしたが、林先生の紹介により出会いその後結婚しました。同じ恩師のもと厳しくも温かいご指導を頂いた共通の学生時代があるお陰で、我が家は性差による役割分担はなくお互いを尊重できる夫婦になりつつあると思います。

そして林先生からの尊い教えはわれわれ家族の中に生き続けております。「準備を怠るな」「質問を三つ以上考えなさい」などゼミで先生から毎週のように言われていたことを、親になった今、息子たちに自然と伝えています。どこか力強く、とてもユーモア溢れる家庭が築けていることに林先生には感謝の気持ちでいっぱいです。

恩師・林弘子先生のご冥福を心からお祈り申し上げます。

## 「ごめんなさい」ばかりですがご縁に感謝しています

山田　敏正（00台）

私が林先生の門下に入ったのは二〇〇二年四月、学部三年の労働法ゼミからでした。その後、大学院に進学し修士を卒業するまで毎日ご指導いただきました。本当にありがとうございました。先生の特異なキャラクターを初めて目の当たりにした時の衝撃はいまでも忘れることはできません。この本を手に取っていらっしゃる多くの方がそうであったように、私も一瞬にして先生のファンになりました。

今回、先生との思い出を振り返り、褒められたこと、怒られたこと、あらためていろいろな出来事を思い出しました。例えば、先生のお家の庭の手入れを任された際、手入れ＝日本庭園と考え、すべての庭木を和風にビシッと仕立てて……。こっぴどく怒られました。ごめんなさい。先生は洋風のふわっとした庭木をイメージされていたんですよね。あの時はこっぴどく怒られました。

林ゼミ十周年記念の絵皿探しに伊万里焼の窯元を訪れた際、我々の提示した金額では到底作成いただけないことがわかりましたが、さすがに手ぶらで帰るわけにもいかず困っていたところ、幸運なことに窯元から烏骨鶏の貴重な卵をお土産としていただきました。意気揚々と烏骨鶏の卵を先生にお渡ししたら、「私は卵を持って帰ってきなさいなんて言ってないわよ。伊万里焼のお皿はどうしたの！」とこれまたこっぴどく怒られました。先生との思い出を語りだすと話はつきません。

先生からは労働法のことはもちろん、コーヒーのこと、食べ物のこと、ワインのこと、美術や芸術のこと、ユーモアのこと、海外のこと、健康のこと、マナーのことなど、いろいろなことを学びました。先生が私に言ってくれたことは、いまだに私にとって金言として心の中に残っています。そして仕事にもプライベートにもいかされています。でもね、先生ごめんなさい。City Boy にはなれていません。会議やセミナーで質問を三つ考えていません。日々、脳を鍛えていません（笑）。けど、今、とっても幸せです。

林先生、本当にありがとうございました。先生とご縁をいただけたことに心から感謝しています。いつまでも悩める林ゼミのOB・OGを優しく見守ってください。

## Everything Must Go

鹿島　敬宏（01台）

ちょうど十年くらい前、哀愁あふれる「Everything Must Go」という曲名（英国ウェールズのバンドMANIC STREET PREACHERSの代表曲）を自分のメールアドレスの一部に引用して使用した際、林先生にメールアドレスを変更した旨のメールを送ると、すぐに先生からすごい勢いで電話がかかって来たのを思い出します。

当時、母が亡くなった直後で、前を向いていたいと自分自身に言い聞かせる意味でもそういったアドレスを使用していましたが、林先生は私が精神的に参ってしまっていると察されて、電話をして来られたとのことでした。自分の気持ちをお伝えすると、やっと安心されたようで、「何がEverything Must Goよ！もっと元気出しなさい!!　あなたらしくないじゃない!!」とおっしゃられて電話を終えました。

今振り返っても、本当に四方八方様々な皆さんに対し、気遣いされる先生だったなあとおもいます。「来る者拒まず、去る者追わず」とよくおっしゃっていましたし、もちろん時に厳しい面もありましたが、林先生を頼って相談やお願いに来られる人に対して、見返りも求めず、無私の精神で、そこまでされなくてもと、周囲が心配するくらい尽くされる先生だったとおもいます。

林先生とは、二〇〇一年の福岡大学法学部一年生を対象とした英語ゼミに合格させていただいたのが最初のご縁です（その時のゼミ生や先輩、大学院生とのご縁は今でも続いております）。大学の掲示板でゼミ生募集の林先生の勧誘案内文を拝見し、胸躍らせて申込をさせていただいたのが今でも懐かしいです（そのご縁で、成績不良でしたが、二年・三年時の労働法ゼミにも何とか入らせていただきました）。先生がよく私の思い出話でおっしゃっていたエピソードをご紹介いたします。英語ゼミである日のこと、「海外からゲルフ先生がいらっしゃいます。一緒に博多から長崎に向かいます。ＪＲの旅費や長崎での食事代も先生がすべて負担しますから、先生と行きたいゼミ生は誰かいますか？」と林先生がおっしゃいました。私は、勢いで「はい‼」と手をあげましたが、周囲を見渡すと、手をあげたのは私一人でした。林先生はのちに、「十八名もゼミ生がいるのに、結果、あなた一人じゃない（怒）‼（中略）まあ、先生もみんな手を上げたら破産しちゃうとかおもっていたけど（笑）。いい⁉　チャンスの女神には後ろ髪がないのよ！　どういう意味かわかる？」とおっしゃっていました。私は「すみません、全くわかりません」とお答えすると、先生は「みんな誰しも、いつでも手が届くものにはなかなか手を伸ばそうとはしないものよ。でもね、（長髪の）チャンスの女神が微笑んでやって来て、自分の横を通り過ぎようとする瞬間に、その長い髪を摑もうとするわよ？　髪が長いから、手を伸ばせばいつでも摑めるとおもっていた髪（＝チャンス）なんだけど、時間を置いて、やっぱり摑もうと後ろ髪に手を伸ばそうとすると、なんとチャンスの女神には後ろ髪がないのよ！　後頭部が、つるっ禿なわけ（笑）。それで後ろ髪を摑もうにも摑めないわけ。だからさー、チャンスはその時その時に摑まないといけないのよ。チャンスの女神には後ろ髪がない！　よく覚えときなさい‼」という楽しいお話を今なお強烈に覚えております。そして、それ以来、自ずとそういった行動を取るように心がけております。

それから公立大学初の女性学長として宮崎公立大学の学長に就任される前に、（これはある意味、先生にとっての「チャンスの女神」がやって来た瞬間だったのではないでしょうか）お電話で「私がまずステップアップしていかないと、みんなもステップアップできないじゃない！」と強い志でおっしゃっていたのが記憶に焼き付いています。先生ご自身が、前例がないことや困難に挑戦される姿勢をロールモデルとして見せることで、先生と関わる皆さんに、人生における何かしらの「気づき」を教えたかったのではないでしょうか。

最後になりますが、林先生には遥か及ばない稚拙な文をお許しください。そして私は、母が亡くなった時と同じように、「Everything Must Go」を、黄昏時に時折聴きながら、林先生を思い出します。お亡くなりになる少し前の電話では、「学長の仕事が終わったら、次はハワイに行ってのんびり暮らすわ」とおっしゃっていました。「Everything Must Go」だ、前を向いてといいながらも、あの時そうなればよかったのにと、反実仮想で何度もおもってしまいます。林弘子先生には感謝しかありません。人生を変えていただいたと実感している林ゼミのＯＢＯＧの皆さんは少なくないとおもいます。そして、林弘子先生は、この本にあるたくさんの先生の言葉や想い出と共に、これからも皆さん一人一人の心の中で生きていくのだとおもいます。

## 「三つの質問を考えるクセ」が身についてきました

豊田　克彦（02台）

私は、大学一年生の時から林ゼミにお世話になり、三年生では幹事をさせていただきました。振り返ると、林先生にはお世話になりっ放しの四年間でした。個人的な家族のこと、奨学金、ゼミ生のこと、ＯＢＯＧ会、就職など、様々な場面で助けていただきました。時には非常に未熟だった私に、叱咤激励をいただき、導いてくれました。林ゼミに入ってなかったら、今頃どんなデタラメな人生を送っているんだろうかと思います。

卒業後、十三年と半年を経過しましたが、今でも林先生のこの言葉（ご指導）をよく思い出します。

『人の話を聞くときは、常に三つの質問を考えるクセをつけなさい』

専攻が労働法なのに、こんな単純な言葉で申し訳ないですが、林先生からいただいた金言だと思っています。

当初は、林先生のお話を聞きながら何とか三つの質問を絞り出してメモし、名前を呼ばれるのをヒヤヒヤしながら待っていました。これが習慣の始まりでした。今ではまさにクセとなって身についています。人の話を聞いて質問する、非常に単純なことですが、話し手の内容や気持ちをより深く理解できます。林先生のご指導のおかげで、いわゆるコミュニケーション能力を養うことができました。現在私は会社の営業マンとして働いており、この言葉（ご指導）に感謝しています。

これからも林先生のご期待に応え、恩返しできるよう、邁進していきたいと思います。ありがとうございました。

## 林　弘子先生を偲ぶ

山岡　巖（大学院）

先生との出会いは、遡ること三十年ほど前、私が福岡大学の監事である公認会計士の事務所職員として勤務していたときでした。林先生が育児休業法についての書籍を出版されるにあたり、所得税の取り扱いについて事務所の関与先医院である女医先生に相談され、担当の私を紹介されたのがきっかけでした。最初、天神の事務所でお会いし、それからは一～二か月の間先生とＦＡＸのやり取りが何十回と続きました。先生が質問。私が調べて回答。又質問。調べて解らないところは、多方面の意見を聞く。その繰り返し。国税局に尋ねてもまだ何らの取り扱いもない状態。先生の知識収集の貪欲さに圧倒されるばかりでした。

『育児休業法のすべて』の書籍が出版され、巻頭に感謝の言葉を頂き、高々二頁足らずの原稿にあれだけの時間と心血を注がれる先生の姿勢に深い感銘を受けました。

それからしばらくして、林先生から福岡大学大学院の社会人コース受験を勧められました。一旦お断りしましたが、筑波大学院卒の親友の「大学院はいいよ！」の一言と所長の年齢を考えた末、二年間の働きながらの学研を決断しました。

林先生は、私の人生の恩人の中でも特別な人です。先生は私と同じ福岡県飯塚市のご出身で、私を弟のように接してくださいました。先生から突然の電話があれば、私は他の全てに優先して先生の質問に答える。これが私の生活を充実させ、常に先生に見守られている緊張感がありました。

三年前の十一月十二日、確か土曜日だったと思いますが、林ゼミＯＢＯＧ会終了後、空港へのタクシーの中から先生の元気な声で、「運転手さんから残業代の追加支給を受けたけど、申告はどうすればよいか聞かれたの」。その後一、二度メールのやり取りの後、十一月二十一日㈪十八時過ぎに最終回答のメールをしましたが、先生からの返事はありませんでした。

ただ、最後まで元気に世界中を飛び回り、常に周りに気を配り、皆さんから尊敬され羅針盤となるような人生を送ってこられたことだけは確かです。

私は、林先生のお陰で大学院生活を満喫し、有川先生や坂口先生、高木先生、ネパール人留学生タパさんや中国人留学生のハンキさん、徳永さんをはじめ多くの方々と親しく交流させていただきました。そして、私からの税理士登録の報告をこの上なく喜んでくれた所長はその年に旅立たれました。

林先生との出会いは、始めに書いたように私が担当していた内科の女医さんですが、彼女は看護婦から猛勉強の末、九大薬学部さらに医学部と進まれた苦労人で、林先生の人格と実力を見抜かれ、福岡大学教授への橋渡しをされました。林先生はその恩を忘れず、私や多くの後輩たちの面倒をみられ、その人たちの人生までも変えてこられました。

林先生をはじめ多くの方々の出会いによって今の自分があり、それはご先祖様の徳以外のなにものでもありません。これまでに得た人脈や経験・知識を心通う若者に継承出来るよう精進します。林弘子先生、ありがとうございました。これからも、見守っていてくださいね。

## 林教授からのmessage

香月　恭弘（大学院）

福岡大学大学院　法学研究科　民刑事法専攻　二〇〇〇年修了の香月恭弘と申します。私は大学院修了後、税理士となりその後、中国（江西省）の大学の教員になりました。帰国後、セミナー講師として、「人生一〇〇年一〇〇歳健康セミナー」と銘打ち講演活動を行っています。セミナーの内容は自分自身のうつ病克服体験記と、うつ病の時に仮性の健忘症になった経験から認知症予防のための生活習慣の改善方法を演題にしております。

さて、大学院では介護保険法を中心に社会保障法を研究しておりました。指導教官は片岡教授です。従って、林ゼミナールのＯＢＯＧ会にはゲストとして参加させていただいておりました。ただ、二十数年にわたり連続してOBOG会に参加させていただいていたため、OBOGの方の中には、意外に感じられる方も多くおられるかも知れません。

先生との出会いは、大学院での労働法特講一の受講に始まります。先生の御講義は、時に優しく、時に慈愛に満ちた厳しさは皆様もよくご存じのことと思います。私もその魅力に魅せられ、履修の有無にかかわらず二年連続して受講させていただきました。また、労働法と社会保障法は専門領域が重なる部分もあり研究室も隣同士だったことも幸いし公私にわたり、ご指導を賜りました。

先生との思い出として、私がうつ病を患った時のことについて、ご紹介したいと思います。うつ病経験者の方は、ご理解が出来るかも知れませんが一般的に閉鎖的になりがちです。私も、御多分に漏れず他者との関係を断ち、篠栗にて山籠もりをしておりました。

その様な折、先生から激励のご連絡を頂きました。

先生「香月ちゃん、税理士辞めて今どうしてるの?」との先生の声。

私　「はい、篠栗でお遍路とパン粉作っています」

先生「あなたが作ったパン粉美味しそうね。じゃあさ～、今度大学院の授業があるから持ってきていただけるかしら?」

私　躊躇しながらも「し、承知いたしました」

未だ、自閉的うつ病でしたが大恩ある恩師のお言葉に逆らうことは到底出来ません。以後、毎回のように出席させていただき、このことがきっかけとなり私のうつ病も飛躍的に改善しました。

ある時先生から、「全国には、うつ病で悩んでいる人がたくさんいるから、香月ちゃん、あなた自分でうつ病を克服したのだから、その体験談を講演したら」とのお言葉を頂きました。私も、この病気になったのも自分にそのような使命があったのかも知れないと感じ、現在この時のお言葉を胸に講演活動をさせていただいております。

先生は、このことだけではなく、事あるごとに本気で心配してくださり本気で叱咤激励してくださいました。今でも、その御言葉の一つ一つが私の人生の決断に大きな示唆を与えてくださいます。その意味では、先生は今も近くで私たちを見守っていてくださるのかも知れません。私にとって、「永遠のmessage」です。

ＯＢＯＧ会については今後、定期的な催しは未定と聞いております。しかし、いつしか皆が挙って寄り合う時には、きっと天国から高級ワインを片手に、

「だってさー、私はみんなの心の中に生きているのだから永遠の命でしょ」

「そう思わない、香月ちゃん」

との先生のお声が聞こえてくるのではないかと思います。

# 林　弘子先生を偲ぶ

徳永　明日香（大学院・ＯＢＯＧ会事務局）

私が学部の三回生になる時、林先生はフルブライトで留学され、私の学年は林ゼミが開講されませんでした。そのため、林先生と私の接点は、四回生の時に林先生の労働法の講義を受講しただけでした。大学院では労働法を専攻することを決めていたため、受験する前に面識もないのに受験するのも失礼かな、と急に思い立ち、アポイントもなしに、勢いに任せて林先生の研究室の扉を叩きました。後で聞けば、たまたまその時に研究室にいらっしゃっただけだったそうですが、「今日会えるなんて、あなた運がいいわね」と言われたのが第一声でした。

それから運よく入学試験に合格し、研究室に入ることができました。一年ほど経ってから林先生より、「実は、最初はあなたと上手くやれないと思ったこともあったのよ。でも案外良かったわね」と言われ、「え〜っ！　そんなふうに思われていたんだ（笑）」と驚きましたが、院生として先生の満足のいく生徒ではなかったでしょうけど、まあ、何となく信頼していただけたのかな、と思ったことが印象に残っています。

林先生は、学生だからこの程度で良い、といった甘いことはありませんでした。先生を訪ねてくる学生以外の方に対しても、いつも平等な態度で、そしていつも全力でした。そのため、その徹底ぶりに周りも随分と振り回されました。でも林先生はあんなにお忙しいのにも拘わらず、様々な方に細やかな気遣いをされていて、繋がりを大切にされていることは大変勉強になりました。ご多忙の中、たくさんの本に囲まれ（埋もれ）つつ、バラを育てたり、絵を描いたり、音楽を聴かれたり、ワインを楽しまれ、お料理されたり……本当にスーパーウーマンでした。後にも先にもこのような方にはお会いしないと思います。

林先生は、最初から女性問題を研究されていたと思っていたのですが、実はそうではなく、アメリカに留学された時は、労働災害の安全配慮義務について研究されていたと聞きました。そこからの出発点だったからこそ、福岡セクハラ事件において、鑑定書を書かれた際に、安全配慮義務、使用者責任といったことが労働契約上の債務となり、セクシャルハラスメントにも当てはまるといった法律構成を導き出されたことは、労働法制の歴史に残る功績だと思っています。

今、日本の労働法の世界では、雇用管理上の区分による格差をめぐる争いが盛んとなっておりますが、林先生が二十年以上前から疑問視されておられたことがやっと問題になっているということで、先見の明に本当に驚かされます。これらは簡単に生み出されたものではなく、密かに四苦八苦、七転八倒された結果でしょうが、そういったそぶりを見せず完璧にこなすようにされていました。

「チャンスの女神には前髪しかない。だからチャンスが来たら摑まなければいけない」と何度も仰っておられました。この女神を想像すると、およそ女神とは言い難いような姿のように思うのですが、林先生風の（?）女神が来たときは逃さないようにしっかり前髪を摑もうと思っています。

今でも日々、いろいろなことを林先生に聞いてみたい気持ちになります。先生がいらっしゃらないことをまだ受け入れられない自分がおりますが、私たちはずっと林先生の教えを思い、皆の中に先生は生き続けておられます。たくさんのことをお教えいただき本当にありがとうございました。感謝の気持ちでいっぱいです。そして、これからも見守っていてください。

chapter
# 7
# 宮崎公立大学学長の時代

## 林　弘子学長と英国国立スターリング大学

関　妙子（スターリング大学名誉博士
ＮＰＯ日本スコットランド交流協会名誉会長）

二〇一九年も、英国スコットランドに位置する、スターリング大学の四週間にわたる夏期英語研修に宮崎公立大学から九名が参加しました。無事研修を終えて帰国したとの報告を九月初めにスターリング大学の担当者から受けたところです。林先生が蒔かれた種がすくすく育っていることを、先生に直接ご報告することができればと、この時期には先生のことを懐かしく思い出します。

林先生に初めてお目にかかったのは、先生の学長就任直後の二〇一三年六月一日に開催された宮崎公立大学開学二十周年記念式典でした。その式典の場で宮崎公立大学とスターリング大学の学術交流協定の調印式を行いたいとの林学長のご意向で、スターリング大学のジェリー・マコーマック学長、ケリー・ブライソン渉外部長と共に、私も式典にお招きいただきました。

林先生は、ご自身の留学経験から、開かれた教育・研究のための環境づくりには国内外の大学・研究機関との交流が重要であるとのお考えをお持ちでした。学生に海外への留学の道を開くことの大切さを考え、学長就任直後から、スターリング大学との提携の実現に真剣に取り組まれ、二十周年記念式典をその実現の場にすることを考えておられました。スターリング大学は国立大学ということもあり、同じくパブリックである宮崎公立大学との提携には大変積極的でした。

ここで、宮崎公立大学とスターリング大学との関係がどのように始まったかをご説明させていただきます。スコットランドは、世界で初めて義務教育を開始（一六九七年）した地域であり、それを誇りとしています。私はスターリング大学で教育学の修士・博士号を取得した際に、そのような歴史の上に築かれた教育に直接触れ、大変感銘を受けました。そこで、帰国後、母校の早稲田大学で教鞭を取りながらスターリング大学に学生を送り始めました。

さらにＮＰＯ日本スコットランド交流協会を二〇一二年に創立し、協会員の方々にもスターリング大学の英語コースへの参加の道を開いたところ、九州支部長の前原正人氏が参加されました。前原氏が、その教育環境や丁寧な指導などに感激し、知り合いの宮崎公立大の教授にコースを紹介したことにより、二〇一二年から、前原氏を中心として、宮崎公立大学の学生をスターリングに送り出すプロジェクトが始まりました。一年後、二〇一三年に学長に就任された林先生にも、前原氏がスターリング大学のコースを紹介され、それが、冒頭でご紹介した大学間での正式な提携・協定へと発展したわけです。前原氏は、その後も、引き続き、さまざまな形で協力をしておられます。

二〇一三年の協定成立後、二〇一四年三月には、マコーマック学長の強い希望で、スターリング大学に

マコーマック、林、前原、関の各氏

スターリング大学と宮崎公立大の調印式

林先生をお招きしました。私もスターリング大学でお迎えしました。大変短い滞在ではありましたが、林先生は大学を視察されただけでなく、見事な英語で、女性の社会進出及び社会における役割について、日本での現状にも言及しながら講演されました。聴衆はスターリング大学の関係者で、多くの女性が含まれていたため、先生の熱意あふれる講演に、熱心に聞き入っていました。

　マコーマック学長は、大変異例なことですが、ご自身の運転で、林学長をエディンバラ、グラスゴーに案内されました。林先生がマコーマック学長に渡されたお土産は「クマに乗ってマサカリを担いだ金太郎さん」の人形でした。林先生は、マコーマック学長に、「これは私の働く姿を象徴している」と説明され、その場の皆が笑いに包まれました。現在も、その人形は学長室に飾られています。

　林学長がスターリングを訪ねられた時の写真の中に、林先生、前原氏、マコーマック学長と私が収まっている一枚があります。現在の提携の原点を築いたメンバーが一堂に揃っているこの写真は、私にとって非常に感慨深い一枚です。この滞在中に、林先生をキャンパス内の私の家に夕食にお誘いし楽しい時をご一緒したことは、私にとって忘れ難い思い出となっています。

このように、宮崎公立大学とスターリング大学の協定は、林先生の明晰な頭脳と自らのご経験に基づいた的確な判断と、先生の陣頭指揮により実現されました。スターリング大学の語学研修コース（夏期四週間コースと春期七週間コース）に参加する宮崎公立大学の学生の数は年々増え、この二、三年は毎年十五人前後を数えています。林先生が植えた種は、今しっかり育っています。そして、今後も、学部の交換留学など、さらに大きく枝葉をつけて発展する可能性を感じています。林先生には、この今の姿を、そして今後の発展を、暖かく見守っていただけると信じています。

## 先駆者としての林　弘子先生

漆原　朗子（公立大学法人北九州市立大学教授）

私が林弘子先生の知己を得、お世話になりましたきっかけは、北九州市立大学人権・ハラスメント研修講師の依頼でした。

一九九九年の改正男女雇用機会均等法施行に伴い、雇用者のセクシュアル・ハラスメント防止義務が明文化、各大学もその対応のため規程整備を行いました。私は後述するように、一九九四年四月公立大学法人北九州市立大学着任当初からハラスメント等について発言していたことから、当時の所属学部長（もちろん男性）から半分嫌味で「漆原先生はこの手のことに意識が高いから」と委員に指名され、他の先生方と共に規程等を整備しました。

その後、公立大学法人化時の教員組合書記長（兼過半数労働者代表）、新たな教養教育組織の長を経て、二〇一三〜二〇一六年度副学長を務めた際、最初に考えたことは人権・ハラスメント研修の内容の充実でした。本学も含め、多くの大学では、研修を企業のハラスメント研修を行う業者や講師に依頼しており、本学でも総務課職員が講師を選定しておりましたが、次の二点で問題がありました。

北九州市立大学人権・ハラスメント研修で大勢の聴衆を前に

まず、企業と異なり、大学・学校にはその構成員に被雇用者である教職員のみならず、学生／生徒／児童が含まれます。しかし、企業向け研修ではその点が全く考慮されていませんでした。次に、大学教職員は少なくとも「同僚や部下を性別で区別／差別する」とか、ましてや「女性のヌード画像を待ち受け画面にする」とかいったことはしない（と思っている）者が大多数で、研修でそのような事例を出されても「俺／私はそんなことはしない」と反発し、却って等閑になってしまう傾向がありました。

私は、講師には大学を熟知なさっていて、企業等にはない大学特有の課題について具体的事例を用いてお話しくださる先生が適任であると考え、真っ先に思い浮かんだのはいうまでもなく林先生でした。

そこで、林先生に講師をお願いいたしましたところ、ご快諾いただき、学長としての激務の中、二〇一五年二月二〇日㈬に本学の二キャンパスで「大学におけるハラスメント――その実態と対策をめぐる問題――」と題する研修を実施していただきました。先生独特の熱のこもったやや早口での研修は、弁護士および学長としての知見とご経験に裏付けされた大変説得力のあるもので、予定の九〇分では到底収まらない濃い内容でした。教職員も大変集中して拝聴いたしました。

北九州市立大学人権・ハラスメント研修で熱をこめる林

研修中の昼食時、本学が採択された「グローバル人材育成推進事業」を私が責任者として統括しなければならないことをお話しすると、二〇一五年六月開催の宮崎公立大学とハワイ大学の協定締結式とシンポジウムへのお招きを受けました。お話の中で、私が子どもの頃より仕舞（宝生流）を続けていることや、福岡での能の大先輩の弁護士・湯川久子先生に言及しますと、当然ながら林先生もご親交があり、締結式でも湯川先生の師で私もお世話になっております佐野登師の舞囃子も披露され、ご縁を感じました。締結式・シンポジウムでは、林先生の素晴らしいご経歴、業績に加え、人脈の幅広さ、英語でも変わらない熱弁に感銘を受けました。そして、その時のご紹介を契機に、本学もハワイ大学カピオラニ・コミュニティ・カレッジとの交流を締結することができました。

林先生のことは一九九三年九月に初めて福岡に参りました頃より存じ上げておりました。私は東京で生まれ育って二十七年、博士課程二年修了時に奨学金を得てマサチューセッツ州ケンブリッジに五年留学、言語学でPh.D.を取得、当然東京に戻って研究職を探すつもりでおりましたのに、ボストンで知り合い、結婚した夫（やはり東京出身）が福岡大学に着任、しかも折悪しく（笑）妊娠、ボストンで子どもが生まれたため、福岡に来ざるを得なくなってしまいました。

今から四半世紀前は大学教員に占める女性の割合もさらに低く、しかも「ご主人は専任教員やけん、ましてお子さんもおるけん、奥さんは非常勤でよかろうもん」という風潮が今以上に強いようでした。そのため、乳飲み児を抱えた私は、敢えて誤解を恐れずに申せば「せっかく（一九九〇年以降の大学院重点化前は文系では少なかった）博士号を取得したのに、このまま専業主婦になって一生を終えるんだわ」という漠然とした悲しみに暮れておりました。そんな土壌の、かつ縁もゆかりもない九州で、加えて「九大でも東大でも京大でもその他の帝大でも国公立大でもない東京の伴天連大学（上智（笑））出身の、イギリス国籍でアメリカ帰りのしかもおなご」が公募で北九州大学（当時）に就職できたのは奇跡でした。

着任後、社会はもちろんのこと、大学という場ですら、女性に対する直接的・間接的差別が厳然として存在していることにあらためて気づかされました。なにしろ東京から（笑ってしまう表現ではありますが）「現代のアテネ」とも称されるケンブリッジ／ボストンに行き、あらゆる面で自由な雰囲気を満喫し、日本の学問はもとより社会がいかに閉塞的かを肌で感じていたのに、いきなり九州です。それまでは意識したこともなかった壁と葛藤の中で、当時徐々に増えてきていた女性学・フェミニズム・ジェンダー論の本を渉猟したのもこの頃でした。

ただ、そんな中で一筋の希望の光は、日本初のセクシュアル・ハラスメント訴訟とその勝訴でした。その裁判こそ、私が留学中の一九八九年の「福岡セクシュアル・ハラスメント訴訟」で、その勝訴の大きな要因が林弘子教授が作成した意見書であったということでした。

着任後二十年を経て、「本学女性初」(笑)の副学長を拝命した時にまず考えたことが冒頭で述べた研修内容の向上であり、林先生をご推挙して以降も、時として総務課職員に意見を求められ、二〇一七年度には法女性学の第一人者の戒能民江先生にもご登壇いただきました。微力ではございますが、林先生が切り拓かれた道に続ければと思う毎日でございます。

## 豪快なオルガナイザー・林 弘子
### ——ハワイ大学交流締結記念パーティのこと——

木本　喜美子(一橋大学名誉教授)

林弘子先生の研究者・教育者としての大きな社会的貢献については、皆さまがたっぷりお書きになることと存じます。私としましてはここでは、周囲をアッと驚かせることをやってのける豪快なオルガナイザーという、故人のもう一つの愛すべき魅力について書かせていただきたいと思います。

私は林先生から、時に連絡をいただき、おしゃべりしてお食事をするというお付き合いの機会をいただきました。二〇一五年の春のデートは、東京での先生の会議の終了を待って、お泊まりのホテルまで道々おしゃべりをし、そしてお食事というコースでした。ホテルでのチェックイン時に、たくさんのファクス紙がフロントから手渡されました。林先生はニコニコしながら、見せてくれました。そこには、お料理名とお酒の種類とその分量とがぎっしり書き込まれており、実はこれが、二〇一五年六月のハワイ大学との交流締結記念パーティで供されるメニュー一覧だったのです。

このパーティのために公式に組まれていた予算は、当日行われる予定の「マグロの解体ショー」のマグロ代ですべて消えることになっていました。林先生のパーティ構想は、この予算ではまったく足りませんから、無から有を生む手腕が発揮されることになったのです。大学が創設以来持っていたけれど、しまいこまれていたお能の舞台を引っぱり出してしつらえ、東京から素晴らしい能楽師さんたちを呼び寄せること。ご自分がお好きな「百花繚乱」という言葉を、女性書家が聴衆の眼前で描き上げて会場に高く掲げるパフォーマンス。多彩なパーティ料理の数々。県内の七つの焼酎酒造元が、会場に酒蔵を出すこと。

五月のデートの折には、林先生はそのための苦労話などは一切なさらず、次のように話されました。「行きつけのワインバーで飲んでいて、隣にいた方々（飲み仲間さんたちのようです）に、『今度大学で、こんなことに取り組もうと思っているんですよ』と話しただけで、寄付が集まったのよ。面白いし意義のあることになら、お金を出したいって人がけっこういるものなのねえ……」と。聞いていた私は、ただただ驚き入ります。物見高い社会学者のひとりとしては、東京から出向いて参与観察せねばならない現場だ！　との思いに駆られたのです。この時すでに私は、林先生の「手」のうちにたぐり寄せられていたのでした。私のみならず多くの人々をそのように惹きつけ、スゴイ！、オモシロそう!!、参加してみたい!!!　との思いに誘ったこと。これが林先生の、まさしくオルガナイザーの手腕なのです。

もちろんこのパーティをやり遂げる上での力関係については、しっかり踏まえられたうえでの「企て」でした。その前年に開催した市民講座で、熱心な林学長ファンができ、その方たちと一緒にやれると確信できた、とのことでした。パーティ当日、お膳配りなどに生き生きと活躍されていた白衣の人々が、その方たちでした。大学の管理側はその計画を知るや、「そんな素人に食品に触らせて、食中毒でも出したら学長の責任問題になる！」と詰め寄ったとのことですが、当日のパーティ料理を仕切った業者さんに、彼女たちをその日のみのパート雇用にしてもらい、食品衛生講習を事前に施してもらうことで乗りきる予定とのことでした。大胆な構想力と決断力、そして豪快にもやりきってしまう行動力。えーーー、一体あの予算でどうやって⁇、と、とりわけ大学関係者がびっくり仰天するようなことが、次々に繰り広げられていったのでした。「お見事！」「豪快！」と言うほかはありません。

「だって面白いじゃない？　みんな楽しんでくれたんじゃなーい⁉」と、林先生は天国でニコニコ微笑んでおられるような気がいたします。そして大学関係者それぞれのお立場に応じた複雑な表情とともに、このパーティ当日のさまざまなシーンを思い出すたびに、腹の底から笑いがこみ上げてくるのをおさえることができません。

林先生は、二〇一四年の冬、私が代表幹事を務めていた日本労働社会学会に入会してくださいました。また主要な論文のコピーを一つのファイルに綴じたものを届けてくださいました。「学長は一期で終えて研究に戻る」との決意のお便りとともに。「その時は、議論につきあってほしい」とも。それこそは、私としても大いに望むところでした。林先生にお聞きしてみたい学術上の論点がいくつもありましたから。こうして任期満了の日を待ちわびていた私としては、林先生との議論の機会が永遠に喪われたことを、たいへん口惜しく残念に思うばかりです。そしてまた、豪快な生き方を、もっともっと見せていただきたかったと思っています。心よりご冥福をお祈り申し上げます。

## 浮雲のような人

渡邊　綱纜（宮崎産業経営大学客員教授）

林弘子さんとつぶやいただけで、私は涙がにじむような思いである。亡くなって三年が過ぎたが、いつまでも忘れることができない。あんな立派な人は、どこを探してもいない。私は、今もそう思っている。弘子さんが急死されたことは、興梠マリアさんから知らせを受けた。マリアさんが第一の発見者で、何を言ったか覚えていない。私がどう答えたかも覚えていない。絶句して、しばらく声が出なかった。それだけだ。

お通夜にかけつけて、棺の中に眠る弘子さんの顔を見つめて、私は何と美しい人だろうと思った。気高い、やさしい顔だった。

どこにも不安の面影は無かった。すやすやと眠る天女のようだった。今もそれは鮮明である。

公立大学の役員会に出るのが、楽しみだった。それは、林弘子さんにお会いできることにもあった。会議の始まる前に、学長室で数分間お話をするだけだが、いつも爽やかな気分で部屋を出た。どこに魅力があったのか、不思議である。弘子さんは、そんな人だ。

役員会が終わって、タクシーを待つ間、林学長は、かならず玄関で見送ってくれた。私は話すこともなく、ただ、じっと車を待っていた。車に乗ってふり返ると、学長がにこやかに手を振っているのが見えた。じーんとなった。それが役員会のたびなので、申し訳なく思い、「どうぞ、お忙しいのでお見送りはお止めください」と言ったのだが、亡くなる数日前まで続いた。

私と弘子さんの深いきずなは、そんなことで結ばれていったのではないか——と、今しみじみ思う。

仕事をバリバリする人だった。誰が何と言おうが、少しも気にしない。そして、口だけではない。自分で汗を流す、走り廻る。だから、どんな行事でも大成功だった。何よりも人が集まる。参加した人達が、大きな感動を土産に帰って行く。魔術師みたいな、演出家でもあった。

思想が左だと言われたことがあった。そう思ったことは一度もない。万人に手をさしのべる人である。

南国宮崎の青い大空を流れる、ふわふわした浮雲のような人だった。

「浮雲はいつも似つかわしい姿で現れる」というのは、宮崎が生んだ南方文学の作家、中村地平の言葉だが、弘子さんがそうだった。その場に似つかわしい姿で現れる。

宮崎産業経営大学で、私が「夕日に魅せられた川端康成と日向路」と題して講演した時、会場に入ってびっくりした。一番前の席に弘子さんが座っているのだ。大きな花束が目の前に置いてあった。何だろうと思っていたら、講演が終わると演壇にサッと上がってきて「ご苦労さま」と一言、私に捧げてくださった。

よその大学の学長という顔ではなかった。

思いやりにあふれた一人のお友達の顔だった。うれしかった。

その弘子さんも、もうこの世にはいない。さびしい限りである。しかし、私の心の中には、弘子さんはまだ生きている。

「私の分まで長生きして」と、呼びかけられているような気がする。勝手にそう思って、長生きをしようと私は思う。

そして、私も弘子さんのように、大空をふわふわと流れる浮雲のようになりたい。

# 十一月に想う

興梠　マリア（宮崎公立大学市民大学元講師）

## 一、

ハロウィーンが終わると十一月の最初の日十一月一日は、全世界のカトリック系の学校はお休みになる。日本では諸聖人の日（All Saints's Day）と言われている。全ての聖人と殉教者を記念する日で、次の日の十一月二日から死者の月が始まるのだ。お墓まいりをしたり、亡くなった人を想って過ごす日々なのだ。

林弘子さん十一月に亡くなった。この一年忘れる日なんてないほど偲んですごした。想いは涙をともなったり、笑いをともなったり、まるでそばにいるように語り合ってきた。彼女の突然の帰天の日が近づくにつけ哀しみがあふれる。

想いを俳句にしてみた……五七五でかたりつくせぬ想いがある。短歌にしてみた。それでもこの喪失は伝えられない……詩に綴ってみた。心は少しづつ落ち着いてくる。

人は二度死ぬ……と教えられた。ひとつは肉体の死。もう一つは忘れてしまうこと……林弘子先生を偲ぶ会を計画している。忘れないということが死んでも生きるということだと思う。

魂の友　SOULMATE である弘子さんを偲んでこの月を過ごすつもりだ。

二、

人の世のはじまりは笑み終焉の時あるを知る君抱きしめて
衣脱ぎ目覚めぬ眠りにつきたまふ湯ぶねに横たふ穏やかな君
死してなほ生きる貴女が恋しくて語りかけたりこの夕べまた
縁ありて姉妹のごとく過ごししかまた逢ふ日まで祈り歌わん
君の名はオフェリアならむ惜別のワイングラスに薔薇映えて
桜にはキャンベルアリー合うといふ花びら浮かせ君を偲ばん
宮崎のワインを愛でし弘子逝く惜別の杯ロゼを召しませ

三、

師は逝けり一輪の薔薇を携えて
逝く人の冷たき胸や薔薇紅き
亡き人は無き人ならず薔薇香る

紅き薔薇目覚めぬ人を守りをり

君の名はオフェリアならむ星月夜
忘れない薔薇とワインとサキソフォン

## 四、水中花――林 弘子先生に

天よ　こんなことがあっていいのでしょうか

全身の震えが止まらない
いま　みつめているのは白いバスタブ
鏡のような水面に貴女は横たわっている
いま　みつめているのはきっと命の深淵

鏡の世界に私は両手を入れた
手は水面を切り裂き
雪よりも白い貴女をこの胸にかきいだいた

涙の雨はヴェールとなって　貴女が見えない
したたる雫は霧になって全ての景色を覆った
そして
美しい屍だけが
静かに私の腕の中で私と共にいる

日は巡り
星のまたたく夜を経て
金剛石の冷たさを全身に纏い
いま　永遠の眠りについているあなた

赤い薔薇が大好きだったあなたを天に帰す日
La vie en rose（薔薇色の人生）という歌が流れた
たがいにかけがえのない人であること
あなたはそうくちずさんでいた

天の神さま
いま　ここに静かに眠っている人は
もう帰ってこないのでしょうか
魂の国でまたあえるのでしょうか
薔薇の数珠を握りしめ何度も繰り返し問う

翳りひとつない瓶に水を満たし
一本の赤い薔薇を沈めた
千々に砕かれた私の心は
煌く泡になって
あなたによりそっている

歯をくいしばり
私はこの世の別れの哀しみを封印する
水中花のあなたと私　生と死のはざま
大切な人のポートレートを抱きしめ
私はあなたを忘れない

# 弔辞

興梠　英樹（宮崎の友人）

ハーィ　ヒデキ
どちらが酒が強いか試してみましょう
金丸前理事長ご夫婦とご一緒に今は亡き学長が
初めて私の家においでになったときの話です

学長と私は飲みに呑んで呑んで
私は学長から「酒仙人」と名前を付けられました
貴女はそれがよほど気に入ったと見えて
暫くは笑いがとまりませんでした

そんなことからはじまって
わたしたちは同じ年齢でしたから
学問の分野はちがっていても互いにしんから

気を許すことのできるかずすくない仲間でした

日本で女性が学長を務める大学は
わずかに三校ときいたこともあります
すごいことです
女性と男性が平等であるかを見るために
カルチャーセンターで講義をしている私の授業を見に来て
貴女が「ヒデキ」と私に呼びかけ受講生の反応をみて
大人たちが目を丸くしていたことも忘れられません

女性と男性が平等であらねばならぬという学長の認識が
いかに進んでいるかをみせつけられたのです
それでいて
学長はいつもにこやかにふるまっておられました
ただし　学生や教授であっても
問題を興したりマナーができていない人々には
厳しい指導をしておられたと聞いています

本当に細かいところまで目配りのすばらしいかたでした
さらに学長が相手を議論で説きふせるあざやかさは
素晴らしいの一言につきました
私の妻のマリアは
公立大学に勤めていたわけではありませんが
まるで公立大学に勤めているかのように学長のもとで
いろいろな仕事をてつだっておりました
すべては学長の人徳を慕ってのことでした
妻のみならず　そうした人々があふれるように
学長のもとに集まっていたのです

あぁ　いまあなたは永遠に眠る

こんなにもはやく　他界に旅立つなど
おもいもよらぬことでした
今日からわたしたちは
あなたの顔をみることも

あなたのあのほがらかな声をきくこともできません
そんなさびしさを
そんなあなたを
ともに生きる悦びをすべて喪うのです
そんなつらい毎日をすごさねばならないのです
それを耐える毎日をおくることになるのです

いつか　また　他界であいましょう
再会の日が必ずあることを信じて

限りとて
わかる道の
悲しきに
生かまほしきは
命なりけり

# 凛とした立姿への想い

金丸　健二（宮崎公立大学元理事長）

うごめき、もがき、のたうつ様が当然とみられる世界で、端然と歩かれるその姿にはいつも畏敬の念を抱いておりました。

公立大にお招きしたのが、早く逝かれるきっかけを作ったのかもしれません。福大を退かれる時機を見計りながら、大学の抱える問題の解決にお力を賜りたいとした公立大の思惑とウィンウィンの関係を構築できたと当時は思っていたものでした。でもそれは他に方策を持たない設置者の勝手な手法に乗っていただいたと感謝しています。元行政職の立場の者としてはこういう言い回ししかできないことをお許しいただききたいと思います。

わたくしが最初にお目通りにお伺いしたのは、福大で講演をされたときでありました。法学部の教授、女性の教授という幅広い活動を通して獲得してこられた社会観、世界観をお持ちの方の活躍の場を、公立大、単科大の学長の枠に閉じ込めて良いものか、迷いもしたものです。しかし縋らざるをえない事由は、発生していた問題を行政側（設置者）だけでは解決できない事情があったからにほかなりませんでした。

もちろん学長の選考は、選考委員会で諮られるものですが、推薦する教授たちの意図することと、設置者の安寧を望む方針との駆け引きの中で、複数の立候補者の中で、それぞれを揶揄する様々な情報が空を舞ったのも事実でありました。林学長に落ち着かざるを得ない大学の事情が勝ったということでした。抱えていた問題は、どこの大学でも起こり始めていたことではありましたが、教諭、学生、職員等すべてが関わり、それぞれ自分たちが正しいと主張しあう中での混乱でありました。裁判までもっていかないと解決の道が探せない寂しい方々でした。だからこそ、法律が専門で弁護士であり女性活動家であった先生が必要であったのです。

先生の経歴は今さら語る必要はありませんが、ご自身の経歴を大学の国際化に活用され、就任早々イギリスのスターリング大学、つづいて米国のハワイ大学と学術交流協力提携に成功され、学生たちの国際的な活動勉学の場の広がりをつくられました。積極的な姿勢は、大学間だけでなく、全国の女性活動家たちの中にあって女性の地位向上のために多大な力を発揮されていました。何が、そのエネルギーとなっていたのか、都農のワインを気に入られましたが、アメリカでの生活が習慣づけたワインだったのかもしれません。

存命であられれば、どのように活躍をされたのか惜しまれる早逝でした。福岡と宮崎を行き来され、世界を視野に入れた活動と、たくさんの友人に囲まれながらワインを片手に談笑されているお姿がいまも目に見えるようです。

おそらく思いは不結実のままであったでしょう。しかし残された者たちの中でその思いは結実されつつあるのではないでしょうか。

合掌

# 故林　弘子前学長と宮崎公立大学

有馬　晋作（宮崎公立大学学長）

故林弘子先生に本学学長に就任いただいた理由のひとつには、本学がセクハラ問題で揺れ、そのイメージを払拭するためというのもありました。つまり、外部から来ていただいた本学初の女性学長でした。もともと林学長は労働法をご専門にされ、一九九〇年代の日本で初めてのセクハラ裁判で原告側の専門家として尽力された方でした。全国の大学法学部の教員の中では、人権派として特に著名な先生でした。それと、若い時、フルブライト研究員としてイェール大学で研究活動もされた経験があって、国際派でもありました。

開学以来、教養あるグローバル人材の育成を目標に英語に力を入れている本学としては、冒頭で述べたように、本学のイメージを一気に一新するために、また本学の国際的な特色に合う打ってつけの学長でした。さらに法律家でしたので、女性の優しさと法律家としての厳しさを持った方でした。

林学長在任中には、さまざまな貢献を本学にしていただきました。ハラスメントに関しては対策も進み、イメージは刷新できたと思います。また国際面では、林先生のネットワークでハワイ大学のカピオラニ・カレッジとの学術交流協定を結ぶことができ、また本学でハワイ大学の先生による集中講義も実現しました。本学にとって大変ありがたいことでした。特に、南国ムードでの観光に取り組んでいた宮崎市にとっては、ハワイとの連携は、インパクトのある事業となりました。今でも本学は、学生のハワイ派遣を通じて、宮崎県人会との交流を行っています。それと在任中には、イギリスのスコットランドにあるスターリング大学とも学術交流協定を結び、現在、コンスタントに二名ほど毎年、一年間、留学生を送り込んでいます。このときも林学長はスターリング大学で記念講演をされ、国際派の力を大いに発揮していただきました。

さらに林学長は、市民との交流にも力を入れられました。学長自ら市民講座を開催され、アメリカなどもテーマに興味ある内容で、多数の市民の方々に受講していただきました。この講座は、外部から林学長自ら交渉して著名な講師を招き講演していただき、宮崎の地ではめったに聞けない講座内容となりました。このような中で、宮崎の女性の方に、林ファンがだいぶ生まれたと聞いております。

一方で、林学長は、熊本学園大学、福岡大学と私立大学の経験が豊富で、公立の本学の改革を進めたいという気持ちが強かったようです。たとえば、私立大学では普通の保護者説明会が本学で実施されていないことに驚き、早速、スタートさせたほか、寄付による資金確保に力を入れられ、古本献金という新しい手法も取り入れました。保護者説明会は、すっかり定着し、本学では十一月初めの大学祭と同じ日に実施しており、毎年、多くの保護者が参加しています。また、就職対策にも力を入れられました。現在も、就職者実数を卒業生者数で割った就職率九四パーセントは、全国公立大の人文学系学部の中で全国第一位です。

ただ、林学長は、新たに何かをスタートするとき、本学のスピードの遅さに驚いていらっしゃった気がします。やはり私学に比べると、公立は、なにかと遅いかもしれませんが、事務局の人たちは、以前に比べて早いスピードで林学長の考えに追いつこうと努力していたことは確かです。今でも、お許しくださいと言いたい気持ちになります。

林学長のおかげもあって、宮崎公立大は、過去のイメージを刷新し、落ちついた中で、国際性をますます上げるとともに、私立大的な、学生・保護者目線での大学運営も身に着けることができたと思っております。

任期終了四カ月前で、突然、お亡くなりになったことは大変残念でございます。おそらく、本学の学長の責務を終えられたら、自分の研究を一層発展なさるご計画があったと思います。心の中にあった今後の計画を実現できず、申し訳ありませんという気持ちでいっぱいです。学長職を受け継ぎました私としては、林学長の功績を汚すことなく、本学発展に努力しなければと身の引き締まる思いです。いずれにしましても、前・林学長の本学に残した功績は言葉で表せないほど大きいと感謝しております。

（二〇一九年十一月二十四日）

# chapter 8 より良い国際社会を求めて

## Excerpt from "A Change Agent for U.S.-Japan Relations-Labor Law Specialist Hiroko Hayashi"

(Fukuoka Law Faculty Journal, No. 57/4, Fukuoka University, 2013.)
(Use of this excerpt was authorized by Fukuoka University Research Dibision on 4/26/19)

[Through this article, I would like to introduce Professor Hiroko Hayashi, one such change agent at the grassroots level of U.S.-Japan relations. One definition of change agent is a "catalyst for change." I first met Professor Hayashi, a labor law specialist, 25 years ago at Fukuoka University, when I joined the university's law faculty in 1985. At that time, she was the first female full professor to join the faculty. She is now the first professor in the faculty as well to be a working lawyer. Presently, there are five women professors in the law faculty including myself and another professor from China....

Although in March of 2013, Professor Hayashi will be retiring from Fukuoka University after 28 years of service, she will become the President of Miyazaki Municipal University in April of 2013. Remarkably, Professor Hayashi is the first woman in Japan to hold the post of public university president. Her students, who have built on her imparted knowledge, are now working in government, business or legal professions.

It is clear from her career thus far, how Professor Hayashi has become a pioneer in labor law areas, such as, workers' compensation, gender discrimination, sexual harassment and equal pay for equal work or work of equal value. However, her road as a change agent has not been easy due to sex

1 This was originally listed incorrectly as 1985. I actually joined in 1988.

discrimination. In spite of obstacles, her efforts through not only her academic research/study; educational exchanges but also grassroots activities have contributed to the promotion of achievement beyond gender, women's equality as well as the protection of women's rights on many levels. While Professor Hayashi's academic contributions and activities have made an impact in her field not just locally and nationally but also internationally, I would like to specifically focus on how she has been an important change agents in U.S.-Japan relations.

Professor Hayashi's path towards the United States began with her studies for a LL.M at Tulane University 1969-70. There she was able to take advantage of special studies related to worker's compensation, labor as well as maritime law respectively. This was five-six years after, Professor Hayashi emphasizes, the U.S. passed the 1963 Equal Pay Act under President Kennedy and then the very important 1964 Civil Rights Act under President Johnson. Under the 1964 Civil Rights Act, moreover, Title VII importantly prohibited employment discrimination. Also in 1972, the Equal Rights Amendment passed U.S. Congress but later failed to garner sufficient state ratifications by 1982.

After Professor Hayashi's first visit to the U.S. in 1968, she met Professor Alice Hanson Cook (1903-1998), a member of the faculty of the Industrial and Labor Relations School at Cornell University in 1969 who became like a second mother to her until Alice H. Cook's death. Professor Alice Hanson Cook too was a tremendous change agent in the field of labor relations. In her profile at Cornell University, it states she was a "wife, mother....professor, university ombudsman, world acclaimed researcher and to the very end activist." Cook, who also became a Fulbright Professor at Keio University, wrote the *Introduction to Japanese Trade Unionism* among other publications. Professor Hayashi wanted to follow in her footsteps.

Professor Hayashi, who is bilingual, is also grateful to Missionary and Professor Elizabeth Huddle (English Literature), a Kyushu Jogakuiin Jr, College (now Kyushu Lutheran College), for teaching her English and to Fukiko

2 Lois Gray and others, "Who was Alice Cook? Alice Cook House Cornell University, http://alicecookhouse.cornell.edu/who-was-alice-cook.cfm

Yasunaga, the top "tanka poet" in Japan for teaching her highly sophisticated Japanese. Professor Hayashi's ability to speak and write in English has also facilitated her work as a change agent between the U.S. and Japan.

Subsequently, Professor Hayashi's ties to the United States have grown increasingly over the years through her repeated studies of comparative labor law and practices at different U.S. universities' law schools, networking with other labor specialists there as well as becoming a visiting professor at the University of Hawaii on labor.]

Since the publication of this article, many important developments have taken place in the U.S. concerning women. Former Senator Clinton became the first female nominee for U.S. President in 2016 and won the popular vote in the subsequent Presidential election. Finally, the largest number of women ever are now serving in the U.S. Congress. However, although they comprise almost 51% of the population, "women" only "make up 25% of the Senate and 23 percent of the House, although they comprise almost 51% of the population."

Surely, if Professor Hayashi, as a change agent for U.S.-Japan relations, were here to reflect on these events, some of her advice from our interviews back in 2012 and 2013 would still stand. I asked her ["Concerning women and labor issues in the U.S., what do you see as key issues for them?" She answered, "As you know, the movement to pass the Equal Rights Amendment failed. Moreover, the U.S. still has not ratified the ILO 100-Equal Remuneration Convention, 1951 and ILO 111 - Discrimination (Employment and Occupation) Convention nor the Convention on the Elimination of all Forms of Discrimination Against Women ( C E D A W ). Although the U.S. established the Equal Pay Act in 1963, however, it has not established legislation for "equal pay for work of equal value" outside of the public sector."[5]

Although Professor Hayashi is no longer with us, it is important that the

3 Stephanie A. Weston, "A Change Agent for U.S.-Japan Relations-Labor Law Specialist Hiroko Hayashi," *Fukuoka Law Faculty Journal*, 57/4, Fukuoka University, 2013, 449-452.

4 Claire Hansen, "116th Congress by Party, Race, Gender, and Religion," U.S. News, https://www.usnews.com/news/politics/slideshows/116th-congress-by-party-race-gender and-religion

5 Same as footnote 3, 463-464.

next Japanese generation continue to build on her legacy to create a better global society not only for women but one that goes beyond gender. I also hope that young people will be inspired by Professor Hayashi's activities to become change agents not only for U.S.-Japan relations but also for change in Japanese society, opening doors to a better tomorrow for women in workplaces worldwide.

Stephanie A. Weston
Professor International Relations
Faculty of Law,
Fukuoka University

## 日米関係のチェンジエージェントであり労働法のスペシャリスト- 林弘子教授

**（福岡大学法学論叢，57/4，福岡大学，2013 掲載）**
**（令和元年4月26日に福岡大学研究推進部が抜粋の使用を承認）**

「本論を通じて私は、日米間の草の根レベルでのチェンジエージェントとして林弘子教授を紹介したい。チェンジエージェントの定義のひとつは、「変化を促す人」である。25年前、私が福岡大学法学部に入った1985年[1]、労働法のスペシャリストとして、私は初めて林教授に会った。当時彼女は学部で初めての、女性正規教授であった。現在彼女は、弁護士として勤務する最初の教授である。そして現在は私と中国からの教授を含む５人の女性教授がいる....

林教授は、28年間務めた福岡大学を2013年３月に退職されるが、同年４月には宮崎公立大学の学長になられる。注目すべきこととして林教授は、日本の公立大学で初めて学長となる女性である。彼女が知識を伝授した学生たちは今、政府機関や企業や法律専門家として活躍している。

労働者災害補償、ジェンダー差別、性的ハラスメント、同一労働（又は同一価値労働）同一賃金などの林教授のキャリアから、労働法の分野で、ここまでどのようにして彼女がパイオニアになったかということは明らかである。しかし、彼女のチェンジエージェントとしての道のりは、性的差別からそんなにたやすいものでは無かった。たとえ妨害があったとしても、学究的研究や学問的調査そして教育的交流だけでなく草の根活動を通じた彼女の努力は、多くのレ

1　これは当初誤って1985年と記載された。実際は、私は1988年に採用された。

ベルで女性の平等や女性の権利の保護などのジェンダーの枠を超えた業績保護に貢献した。林教授の学問的貢献や活動は、地域や日本国内にとどまらず国際的にも彼女の分野に影響を与えているが、私は、いかに彼女が日米関係の重要なチェンジエージェントであるかということに明確に焦点を当てたい。

林教授の米国への道は、1969年から1970年にチュレーン大学法科大学院に研究に行ったことに始まる。そこで彼女は、労働者災害補償関連および労働法と海事法をそれぞれ特別に研究する機会を有効に活用した。その研究は、1963年にケネディ大統領政権下で同一賃金法が通過し、ジョンソン大統領政権下で非常に重要な公民権法が通過した5、6年後であったと、林教授は強調された。さらに重要なことに、1964年の公民権法第7章は、雇用の差別を禁止した。また1972年には男女平等修正条項が米国議会を通過したが、しかし後に1982年までに必要とされる国の批准獲得に失敗した。

1968年、林教授の最初の米国訪問を経て、彼女は、コーネル大学のインダストリアル&レイバー・リレーション・スクールの教授陣の一人であるアリス・ハンソン・クック教授（1903-98）に出会った。アリス・ハンソン・クック教授は亡くなるまで、彼女にとって第2の母のような存在であったという。アリス・ハンソン・クック教授もまた、労働関連の分野における偉大なチェンジエージェントであった。コーネル大学での彼女の紹介には、「彼女は、妻であり、母であり、……教授であり、大学オンブズマンであり、世界的に高い評価を受けた研究者であり、そしてまさしく最後の活動家であった。」[2]と記されていた。クック教授はまた慶応大学のフルブライト教授となって、他の出版物の中で日本の労働組合主義入門を書いた。林教授は、彼女の足跡を追っているようだ。

バイリンガルである林教授は、九州女学院中学校（現九州ルーテル学院）の伝道師であり教授であるエリザベス・ハドル先生（英文学）から英語を学んだことに感謝し、また、日本で最上級の「短歌」を通して高く洗練された日本語を教えてくれた安永蕗子先生に感謝している。林教授の英語で話したり書いたりする能力もまた、日米間のチェンジエージェントとして彼女の仕事を円滑にしている。

その後の林教授と米国との関係は、何年にもわたる比較労働法の研究や、様々な米国のロースクールでの実践や、そこでの多くの労働に関するスペシャリストたちとのネットワークの構築や、ハワイ大学で労働法の客員教授となっ

---

2 ステファニー A. ウエストン、「日米関係のチェンジエージェントであり労働法のスペャリスト－林弘子教授、」『福岡大学法学論叢、』57/4、福岡大学、2013、449 - 452.

たことなどを通して次第に拡大した。」[3]

本稿の出版の後に、アメリカでは多くの重要な進展があった。クリントン前上院議員が2016年アメリカ大統領の初の女性大統領候補となり、その後の大統領選挙における一般投票で勝利した。そしてこれまでで最も多い数の女性が、現在アメリカ議会で勤務している。女性は人口の約51%を占めてはいるが、しかし「女性」は「上院で25%であり下院では23%」[4]である。

もし日米関係のチェンジエージェントとして林教授がこれらのことを考えるためここにいらしたら、2012および2013年に私たちのインタビューから得た彼女のアドバイスの一部は、間違いなく今も有効性を残しているだろう。私は彼女に「アメリカにおける女性と労働問題に関して、最も重要なポイントは何だと考えますか?」と尋ねた。彼女は「ご存知のように男女平等憲法修正条項の運動は失敗しました。さらにアメリカは1951年のILO100号『同一価値についての男女労働者に対する同一報酬に関する条約』をいまだに批准せず、さらにILO111号『雇用及び職業についての差別待遇に関する条約』あるいは『女性に対するあらゆる形態の差別の撤廃に関する条約（CEDAW）』を批准していません。アメリカは『同一賃金法1963年』を定めたが、しかしそれは公的部門を除いた『同一価値労働同一賃金』法案を定めるものではありませんでした。」[5]と答えた。

林教授はもう私たちと共にはいらっしゃらないが、女性のためだけではなくジェンダーの枠を超えてより良い国際社会を求めた彼女のレガシーを日本の次の世代が引き続き築き続けることが重要である。私は、世界中の職場における女性たちのより良い明日のためにドアを開け、日米関係のみならず日本社会の変革のためチェンジエージェントであった林教授の活動に若者たちが触発されることを希望する。

福岡大学法学部教授
国際関係論

ステファニー　A. ウエストン

3　ロイス グレイ他、「アリス・クックはどんな人？コーネル大学アリス・クックハウス、」http://alicecookhouse.cornell.edu/who-was-alice-cook.cfm

4　クレア ハンセン、「第116回党大会 人種・ジェンダー・宗教、」『U.S.ニューズ、』https://www/usnews.com/news/politics/slideshows/116th-congress-by-party-race-gender-and-religion

5　ステファニー　A. ウエストン、「日米関係のチェンジエージェントであり労働法のスペシャリスト－林弘子教授、」『福岡大学法学論叢、』57/4、福岡大学、2013, 463-464.

# *Commemorative Message for Professor Hiroko Hayashi*

I first met Professor Hayashi in 1982 when she was a Visiting Scholar at the University of California Hastings College of the Law in San Francisco. I was a reference librarian and worked with our Visiting Scholars concerning library resources. At the time, computer-assisted legal research was in its early days and I would use online resources to help Professor Hayashi identify books and articles relevant to her research. I always enjoyed our library interactions. Professor Hayashi had such positive energy. She was forthright, kind, and had a great sense of humor. I remember being astonished that in addition to her legal work, she had translated into Japanese Golda Meir's autobiography, My Life. She had many interests and talents that I learned of over the years since then, such as sketching and gardening. Before she left Hastings, Professor Hayashi encouraged me to visit Japan and I told her I would visit some day. In 1986 and in 2003, I enjoyed seeing Professor Hayashi again in San Francisco when she stopped by on her way to legal conferences.

We stayed in touch through holiday greetings, occasional letters, and then email. I always looked forward to receiving her Unicef Christmas cards with beautiful Japanese scenes, and her annual note with an update on her career and travels. It was wonderful to learn of her progressive work as

サンフランシスコ（法学会出席の途中）朝日新聞の女性記者と

ゴーダ・メイアについて書いたエッセイが
新聞掲載され、その新聞を持つ林先生

Me with a newspaper.
My essay about Golda Meir
appeared with her big
colour photo. a stone house
on the left is a photo of
the kibbutz house where
she spent couple of years
with her husband after
moving to Palestine from
the U.S.

そのときの先生のメモ書き

an attorney and law professor in the areas of labor law, women's rights and gender equality.

I retired from Hastings in 2013. That same year in her Christmas card, I learned from Professor Hayashi that she had retired from Fukuoka University on March 31 after 28 years of service and on the very next day, April 1, had become president of Miyazaki Municipal University. Again, I was astonished and very happy for her. Her card included information about Miyazaki Municipal University and its 20th anniversary celebration that year. I think Professor Hayashi must have thought that I would never make it to Japan. She got in touch with me in early 2015 to invite me to attend June 2015 activities at MMU planned in celebration of the international exchange agreement between the University of Hawaii and Miyazaki Municipal University and the attendant Symposium on Life, Politics and Culture in the U.S.A. and Japan. I readily accepted.

I enrolled in a Beginning Japanese course before my trip to Japan. I'm afraid that I did not get beyond learning to write Hiragana characters. I need not have worried. Upon arriving at Miyazaki Airport, I was overjoyed and so surprised to see Professor Hayashi presiding over a chorus of people welcoming me. She introduced me to her friend Esaki Yasuko who took me under her wing that weekend and was an excellent translator. The enriching and entertaining weekend events included a Japanese tea ceremony and a Noh/Kyogen performance, not to mention an amazing dinner banquet.

Professor Hayashi was very generous. Despite her busy schedule, she took me on a sight-seeing trip on my fifth and last day in Miyazaki. It was a beautiful day that included a visit to a mountain-top winery as well as a visit to the Saitobar Archeological Museum. That night we enjoyed a delicious meal at an Italian restaurant and the next morning, she accompanied me to my airport gate. The day remains fresh and treasured in my memory.

My trip to beautiful Miyazaki is unforgettable. Learning about Japan, meeting Professor Hayashi's friends and colleagues during lovely meals, and spending time with her there are highlights of my life. I am deeply grateful for the privilege of her friendship over the years.

Linda Weir
Associate Law Librarian (ret.)
UC Hastings College of the Law

# "Hiroko: Scholar, Teacher, Warrior, Friend"

To describe Professor Hayashi as a "legend in her own time" would be inadequate to memorialize her and her important contributions.

Professor Hayashi was many things—a scholar, activist, administrator, teacher, and friend. She also arranged magnificent parties either at her residence or at fine restaurants, always hustling about attending to the comfort of her guests, and, of course, always dressed in chic outfits (as I understand, tailor-made to her specifications). Above and beyond, she was generous with her time and care for her students and associates, including arranging several special trips to Hawaii for her students with classes held at the University of Hawaii East-West Center. She never failed to contact me for needed assistance which always led to interesting and enjoyable work together.

In her professional travel, she made numerous trips to the mainland U.S. and to Hawaii where she presented lectures before the Hawaii Industrial Relations Research Association and visited the offices of the U.S. Equal Employment Opportunity Commission, the Hawaii State Department of Labor and Industrial Relations. She often visited with the UH Richardson Law School to lecture on various topics, including sexual harassment. Her wide circle of friends resulted in numerous visits to the Hawaii Supreme Court to confer with Hawaii Supreme Court Justice Sabrina McKenna.

On a personal level, the outstanding feature about Professor Hayashi that I shared with her students was that we were all her dorei ("slave" in Japanese) who did her bidding without hesitation in carrying out duties as chauffeur, making hotel arrangements, and attending to her personal needs. A case in point involves Professor Hayashi's love of coffee and her enthusiastic welcome for Lion Coffee from Hawaii. One coffee story comes to mind when we both attended the funeral of Alice Cook, Professor Emerita, Cornell University, N.Y. State School of Industrial Relations, in Ithaca, New York. It was the morning when I was saying good by to Professor Hayashi while preparing to leave for the airport to return to Honolulu, following the funeral of Alice, when she uttered the uppermost greeting in her mind and said, "But, Joyce, who is going to make my coffee in the morning?"

Following the passing of Alice in 1997, Professor Hayashi continued her visits to the University of Hawaii at Manoa, to include work in the area of equal employment opportunity with Mie Watanabe of the UH Office of Equal Employment Opportunity, resulting in a series of meetings in Fukuoka arranged by Professor Hayashi, featuring Ms. Watanabe, who discussed development in the U.S. experience with EEO. I was invited by Professor Hayashi to accompany Mie on her visit. The weeklong visit was concluded with a huge party at Professor Hayashi's palatial home.

Other favors extended me by Professor Hayashi include arranging a visit to Fukuoka for my husband and myself in the excellent care of Ms. Yasuko Esaki and her husband Fumiya and Professor Yoko Sakaoka of Fukuoka University.

In June of 2015, Professor Hayashi designed and developed a huge celebration at Miyazaki Municipal University to commemorate the successful signing of an agreement for academic exchange with the University of Hawaii at Manoa and University of Hawaii Kapi'olani Community College. Unfortunately, I could not attend due to the care required in the care of my husband who had at that point in time developed Alzheimer's disease. The two day program included a Noh Play and Kyogen, a Japanese tea ceremony, a banquet, an international education session and an international symposium. I assisted Professor Hayashi in obtaining speakers from Hawaii, including Joan Husted, former Executive Director of the Hawaii State Teachers Association (NEA), and University of Hawaii at Manoa Vice Chancellor Reed Dasenbrock. From all reports, the event was a huge success, all due to Professor Hayashi's superlative creative management efforts.

Finally, Professor Hayashi and I shared a sisterhood based on our special association with Alice Cook whom Professor Hayashi met in 1968 in Fukuoka when Alice was on her first trip to Fukuoka. It was not until after 1977 when Professor Hayashi came to Honolulu to visit Alice at the UHM Industrial Relations Center where I was serving as Director that I met Professor Hayashi and came to enjoy the exceptional opportunity of working with her and to be the recipient of her friendship and kind generosity.

At this time, I can still hear her voice when she repeatedly told me over the years that we have the responsibility to continue the work Alice had begun because of the special opportunity we enjoyed in working with Alice. I believe the same would be said of Professor Hayashi's contributions and the obligation of all of us who had the wondrous opportunity to know her and work with her to honor and continue her work.

Joyce Najita
Director (retired)
Industrial Relations Center
University of Hawaii at Manoa.

Fall 2005

**What is wrong with the recent constitutional debate in Japan?** September 22, 2005. Dr. **Masaru Kohno** (Professor at Waseda University's Graduate School of Political Science and Economics). Dr. Kohno spoke on the conflict between constitutionalism and democracy, and how this is being altered by the merging of the two concepts in Japan. He indicated how this change is complicating the debate over constitutional revision and reform in Japan today.

Dr. Masaru Kohno

**Japanese Troops go Overseas: The Evolution of Post-Cold War Security Policy.** October 28, 2005. Dr. **Yoichirō Sato** from the Asia-Pacific Center for Security Studies gave a lecture which traced the evolution of the overseas troop dispatch policy and the debates surrounding these decisions. He also answered questions about the rise of nationalism and the chances for revising the constitution regarding the self-defense troops.

Dr. Yoichiro Sato

**"Breaking the Glass Ceiling: Voices of Japan's Working Women"** October 10, 2005 at the Richardson School of Law. Visiting Professor **Hiroko Hayashi** led the discussion on gender discrimination in Japan focusing on cases that she has tried. Joining her were Ms. **Eiko Shirafuji**, Ms. **Kuniko Ishida**, plaintiffs who brought gender discrimination suits against Sumitomo companies and Ms. **Shizuko Koedo**, a representative of the Working Women's International Network in Japan. The four panelists spoke of the discriminatory aspect of the two-track system used in many large Japanese companies and the use of Japanese civil law, as well as international law, to challenge gender discrimination.

From left to right, Hiroko Hayashi, Eiko Shirafuji, Kuniko Ishiada and Shizuko Koedo, speaking on their experiences with gender discrimination cases.

Visiting Professor Hiroko Hayashi participated in the CJS Seminar Series "Breaking the Glass Ceiling Voices of Working Women" at the Richardson S. School of Law at University of Hawai'i at Manoa (UH Manoa) on October 10, 2005. Use of the photo from J Current Quarterly Newsletter of the Center for Japanese Studies (Fall 2005, vol. 8, No. 4, p. 2) was authorized by the Center for Japanese Studies, UH Manoa (June 30, 2020).

# TRIBUTE TO PROFESSOR HIROKO HAYASHI

I heard of Dr. Hayashi from Joyce Najita, the Director of Hawaii's Industrial Relations Center at the University of Hawaii. She spoke of her highly, so I was anxious to meet her. I finally met Dr. Hayashi when she brought students to the University of Hawaii to take courses in labor/management. As the Executive Director of the Hawaii State Teachers Association, I was invited to speak to the class on organizing teachers. Unfortunately, my Japanese is very limited and the students' English, though better than my Japanese, was lacking. Dr. Hayashi was very kind and translated some of the more difficult concepts, much to my relief.

The next summer I was again invited to speak to her class at UH. This time I translated my key points in my presentation using Google Translate. I had no idea as to the quality of the translation, but I made copies for the students. Dr. Hayashi described my translation as "passable," but she thanked me for taking the time to do it. From that moment on, I became one of her fans.

When I was invited to make a presentation at the Municipal University of Miyasaki, I eagerly accepted and went to work on the talk I was to give. Because I was such admirer of President Hayashi, I wanted the talk to be top notch. I didn't have to be concerned about a translation of my presentation because each of speakers at the symposium, there were four of us, had a translator.

My presentation went well. But the question and answer period were another story. Fortunately, Dr. Hayashi came to my rescue. One audience member asked me a very complex question about US economics, a subject I know very little about and as I stood, trying find answer, she intervened and told the gentlemen that the question was outside the scope of the presentation. I handled the next questions with easy. I was then asked a question about "comparable worth." That term threw the translators in a frenzy trying to find the appropriate Japanese translation to comparable worth. They struggled for fifteen minutes before Dr. Hayashi told them to forget the translation and told me to answer the question. Unfortunately, I gave the wrong definition which was highly embarrassing because I was a member of the Hawaii's Governor's Task Force on Comparable Worth. Dr. Hayashi gently corrected my answer and moved the discussion to another topic.

She also provided for our off time and arranged for sightseeing trips with an insider's view of Miyasaki. We went to a mango orchard and to a local buffet. Professor Hayashi arranged for a Noh play in the University theater. Everyone was so nice to us and did whatever was necessary to make us comfortable. I believe that was due in large part to their desire to please the president. The last night of our stay, one of the donors to the university took over a tea house and treated us to a terrific dinner.

Given my personal experience with Dr. Hayashi, it was not difficult to understand why she was so admired and viewed as such woman of great wisdom. It was my honor and pleasure to know her.

Joan Lee Husted
Respectfully,

# Hiroko Hayashi,
# A fond remembrance and celebration of life

I am honored to write my memories of my friendship with Hiroko Hayashi which spanned numerous decades. I cannot recall exactly how we met but I know that we did some work together with the Working Women's Network based in the Kansai area early on, in the 80s I believe. I first came to Japan in the late 1980s and came often to lecture, do research, and meet with friends and family. I am sure that Hayashi and I met first on one of those early trips. We shared an interest in women and work and sexual harassment issues. These both were areas in which Hayashi sensei specialized so our connection was seemingly inevitable. Her seminal work with Alice Cook on Working Women in Japan was a touchstone for all interested in the subject, and its emphasis on discrimination in the workplace a must read for all interested scholars. I visited her twice in Fukuoka, and with my husband, we visited her home on one of those occasions. We also travelled a bit together - a visit to Nagasaki included two memorable sights. The first was the A Bomb dome and other related sites including the monument to the atomic bomb and peace memorial and park; the second was the former

Dutch area, Dejima. We enjoyed the sights and good food. The first visit was to attend an international political science convention held in Fukuoka, the second to lecture at Fukuoka law school at Hayashi sensei's invitation. I shall return to the latter visit below. All occasions spent with her were marked by her extraordinary energy and knowledge, making her the ideal person with whom to travel to a part of Japan I had not visited before.

When I visited Fukuoka University Law School in 2011 to give a lecture on Obama's policies toward women, an interesting time was had by all. I recall well Hayashi sensei introducing me by saying that though I had tried, I had never learned to speak Japanese. Therefore, I would speak in English and she would translate for the students and faculty gathered for the lecture. For some reason this announcement occasioned much laughter from Hayashi sensei and myself - we laughed for some time. The audience was bemused - they did not quite get the joke - and many said after that they had never seen the normally serious Professor Hayashi given to such merriment. The event went very well with the excellent translation by Professor Hayashi. I spent a couple of days in Fukuoka and as always our time together was marked by serious discussion on issues related to women and work and continued into gender based sexual discrimination, as well as lots of fun and eating and sightseeing.

I also recall time spent together in Osaka during hearings on the Sumitomo Electric Industry case. I recall being surprised that plaintiffs and defendants as well as supporters all ate lunch together; something that would never occur in the highly litigious United States. Hayashi and I shared a particular interest in issues related to equal opportunity laws for women in comparative perspective as well as direct and indirect discrimination against women, among numerous others. I might mention Hayashi sensei leaves us a prodigious number of articles and books, by which she will always be remembered. The topics range from Golda Meir and other international venues including England and Italy and New Zealand as well at the United States, to labor protection in Japan. Her numerous international publications testify to a worldwide reputation and presence. She translated Meir's My Life and Shulamith Firestone's The Dialectic of Sex, from English to Japanese, so these important works could reach an audience in Japan as well as the west. Hayashi was quoted on sex discrimination issues in numerous international publications including the New York Times. Hayashi was an invited faculty member at numerous international academic institutions as well, from the University of Hawaii to Yale, Tulane, Duke, Cornell, Columbia and New York universities, as well as giving lectures. She was the first woman appointed to a law faculty in Japan and combined a career as a practicing lawyer with her academic roles. And, in Japan, her 2012 appointment as president of Miyazaki Municipal University, marked the first time a woman had been appointed head of a public university in Japan and the second female head of any university there. Certainly important milestones for women in Japan! Hayashi sensei also combined activism with academia

-she submitted amicus curiae in cases dealing with sexual discrimination in Japan as well as other issues.

It is difficult to believe that this vital, vigorous woman has left us. But her legacy of writing and scholarship will always be with her numerous students and colleagues, the legal community, members of the women's movement and her many friends in Japan and elsewhere. She will be sorely missed but always remembered for her contributions and life force.

Joyce Gelb,
Professor Emerita,
CUNY, NY
July 2020

## *Commemorative Message*

Recalling my memories of MMU President Hiroko Hayashi, I find tears welling up in my eyes. The shock of her death and sorrow return.

Many of you knew President Hayashi far longer and better than me. I humbly offer these few words. President Hayashi drove her staff hard and expected the sky from them—but as hard as she drove them, she drove herself harder and expected more from herself. She appreciated those who strived to live up to her expectations. I remember riding in a taxi with her and her executive manager in Miyazaki. She explained to me how he (the executive manager) had extended his term at MMU in order to continue his work with her until the end of her term as President and how much she valued him. She said this in English; it wasn't entirely clear to me if he understood how much she appreciated him but I found her praise exceptional and moving.

Gay Satsuma,
Associate Director,
Center for Japanese Studies,
University of Hawaii at Manoa
August 9, 2019

# 第3部

## 林　弘子の随想・随筆

# 婦人参政30年

助教授　林　弘子（社会保障法担当）

わが国で婦人参政権が実現したのは、一九四五年の終戦直後の第89回帝国議会で衆議院議員選挙法の改正がなされたときで、このとき初めて男性と同様女性にも二十歳以上には選挙権、二十五歳以上には被選挙権が与えられたのである。しかし、イギリスでは一九一八年にアメリカでは一九二〇年に、婦選運動者の長い激しい闘争の結果、婦人が参政権を獲得していたのに比べると実に四分の一世紀以上遅れていた。わが国の婦人参政権が実現された直接のきっかけになったのは一九四五年十月十一日にマッカーサーから幣原総理に出された日本民主化のための五項目の指令の第一項に「日本婦人に参政権を与え、婦人を解放すべし」とあったことは否定できないが、わが国でも戦前から故平塚らいてうや市川房枝さんが中心となった「新婦人協会」（昭和九年三月設立）を先がけとして婦人選挙権獲得のための地道な運動が行われてきたのである。市川房枝さんの『私の婦人運動』（秋元書房・昭和47年）には、わが国の婦選が実現した翌年の一九四六年に開かれたある婦人大会で一アメリカ婦人が「日本婦人は、ある朝、目をさましたら、マクラもとのお盆の上に婦人参政権がのっていた……」とあいさつしたのに対し、参加者の中から婦選の獲得は、長年の日本婦人の参政権要求の結果なのだという抗議がでたという話が紹介されている。しかし、また同じ本の中に終戦直後に新聞やラジオで婦人参政権が与えられると報じられたのに対し、ある主婦は配給物かと思って配給所に「いつもらえますか」と聞きにいったとか、また「一票」もらえると聞いて「一俵」と思い、炭一俵かさつまいも一俵の特配があるかと喜んだ主婦があったというエピソードがのっている。この二つのエピソードは、婦人参政権獲得運動の性格をよく物語っている。ペティ・フリーダンの『女性の神秘』に端を発するといわれる婦人解放運動が台頭するまでは、婦人運動といえば参政権運動を指すくらい参政権獲得運動は女性解放史のなかで大きな位置を占めていた。だが、この運動は主に中流以上の知識層出身の婦人が中心勢力となっていて勤労者階級の婦人たちは余り重要な役割を果すことができなかったという点で各国に共通の性格をもっている。「一票」と聞いて配給所に出かけた婦人は多分「参政権」についいては聞いたこともなかったのであろう。

ところで、婦人参政権を認めることが現実政治にどのような影響力を持つかについては当初政府はイギリスの例などから、婦人の投票は大体保守的なもので余り政治に影響はしないだろうと予測していた。わが国で婦人が選挙に登場したのは一九四六年の総選挙からだが、その傾向は保守的という予測を十分裏づけていた。

しかし、一九六〇年代に入ってから婦人の投票行動には注目すべき変化が生じてきている。高度成長経済がもたらしたインフレや公害がわれわれの生活をおびやかし始めた頃から、婦人の投票は保守的というよりはむしろ革新化の傾向を強く帯びるようになってきたのである。また一九四六年から一九六七年の選挙までは男性の投票率は常に婦人の投票率を上まわっていたが、一九六八年から婦人の投票率は逆に男性より高くなっており、婦人の政治的関心の高まりを裏づけている。

婦人投票の革新化は婦人の投票政党によって具体的に示されている。一九七二年衆院選挙・公明選挙連盟調査によると自民党に投票したのは女性が三九・七パーセントであるのに対し、男性四四・九パーセン

市川房枝さん（左）と打ち合わせをする林
（昭和59年頃）

ト、野党四党では男・女とも三五・八パーセントで同じである。内訳を見ると女性の投票率は社会党二二パーセント、公明党四・二パーセント、民社党三・三パーセント、共産党六・三パーセントとなっている。都市になればなるほど女性の自民党投票は減少し、男性の自民党投票との格差が大きくなっている。特に九大都市では、女性の自民党投票率は二六・三パーセントであるのに対し、野党四党は五〇・四パーセントという強い革新性を示している。この現象を九大法学部の杣正夫教授は「婦人の非政治性がそのまま政治性を生む場合」（婦人は男性ほど政治的ではないにもかかわらず、その強い道義的清潔感が反自民党投票となり結果的には、革新投票の増加という政治的反応をもたらすという意味）とされ、わが国の婦人票率の革新性は西欧型民主制国の選挙の事例の例外として注目されている（杣正夫「日本における婦人の投票」、『法政研究』四一巻三号）。さらに杣教授が日本の現存体制が安泰なのは、選挙の結果に大きい影響力をもつ男性の体制批判が全体として弱いことにあるとされ、婦人は男性より体制批判の点では強く、今後婦人が政治に関心を持つにつれて体制批判の強い勢力になるであろうと期待しておられるのには全く同感である。

先の地方統一選挙には「国際婦人年」にふさわしく史上最高の婦人候補者が立候補したにもかかわらず

当選率は極めて低かった。また国会議員も衆議院七名、参議院十八名で定数に対して三・四パーセント弱であり、いやな言葉だが政治は依然として男の世界にとどまっている。ところでその世界で活躍している市川房枝さんが七月四日熊本労働講座で「婦人と政治」について公演されるという。彼女の自伝によると昭和五年に婦選獲得の地方演説を実施したとき、熊本は保守的なところだからそのつもりで〝保守的外貌〟をととのえて来てくれと注意されたので、演説者の女性三人は汽車の中で和服にきかえ、断髪の人はつけまげをしてとりすました顔で熊本駅におりたと書いてある。その熊本でわが国の婦人参政権運動の生きた記念碑ともいうべき市川さんがどういう話をされるのか、いまから楽しみである。

（1975・6・23）

（「熊本学園通信」第96号　昭和50年7月10日）

# 大学の研究室の机の上にのっていた猫は春生れの蝶とりの名人だった

林　弘子（熊本商科大学助教授）

アメリカが独立二百年祭でわきたっていた一九七六年のこと、私は東部のイエール大学のロー・スクール（法律学校）で研究生活をおくっていた。僧院のような古めかしい建物のなかにある研究室の壁には、ネコ好きの妹が飼いはじめたという長毛のバイカラーの子ネコと、犬好きの友人のお母さんが飼いはじめた日本犬の子犬の写真がなかよく並んでいた。

音楽を聞きながら深夜まで仕事をして外に出ると、イエールのあるコネチカットでは晩春になっても街路樹には透明な氷の華が咲き、道路の水たまりにはうすく氷がはっていた。英語では、それをキャッツ・アイスと呼ぶ。キャッツ・アイスとはなかなかいい表現だと感心した。そのキャッツ・アイスをよけて通りながら、いずれ私も自分のネコに出会う日があるとは夢にも思わず疲れた身体で異国の街を歩いていた。私を飼い主とする運命にあったチンチラペルシャのオスネコが日本で生まれたのは思いかえすとちょうどこのころだった。

九月のはじめに研究室をたたんで、ヨーロッパを数か国まわったけれど、まだネコに関心がなかったせいかネコの記憶はまるでない。ただ、スイスの小さな博物館で見たネコのミイラのことは妙に鮮明におぼえている。ガラスの陳列台の中に一匹だけ、ネコのミイラが置いてあった。たしかにミイラなのだが、ピンと立った小さな両耳といい、短く太い鼻といい、生前のネコの表情が小さな身体全身にまかれた布を通してそのまま残っていた。古代エジプトでは、ネコは神聖な動物として崇拝され、保護されていて、死ぬとミイラにされ手厚く葬られたネコもたくさんいたと聞いてはいたが、実物を見たのはこれがはじめてだった。

九月の末に日本に戻り、まだボンヤリしていた頃、ある朝早く大学の同僚から電話があり、ペルシャネコのもらい手をさがしている人がいるけれど、もらわないかと訊いてきた。一人暮しで、ネコを飼うことの大変さなど全く考えもしないで即座にもらうことにしてしまったのは、多分にあのミイラの影響があったのだと思う。

いよいよネコを引きとりにいく日、近くのペット・ショップに必需品であるバスケットとトイレと砂を買いに出かけてペット産業のすごさに驚いた。値引きしてくれたバスケットが一万円、トイレ二千円、砂一袋九〇〇円も請求されたが、こういう必需品のほかにペット用のオモチャ、キャンディ、チョコレートまで、ありとあらゆるものが所狭しと並んでいるのである。思いがけぬ散財をして、その足で大学までネコを取りに行った。

私に飼われることになったネコは、同僚の研究室のソファのうえにいかにも神経質そうに座っていた。六か月も住んでいた広々とした一家屋を出て、カビくさい大学の研究室につれてこられたのだからネコだって驚いたにちがいない。

マスカラのついた青い目、小さくととのったピンクの耳、太くて短い鼻すじ、赤レンガ色のぬれた鼻先、ずんぐりした太い脚とふさふさした太いシッポ、全体に輝きをおびたシルバー・グレーの長い毛、まるで

タマを抱く林

生きたぬいぐるみといった感じだった。同僚のセックス・チェックではメスネコということだったが、家につれて帰って念のために調べてみたらオスネコだった。食器二個、クシ一本、ヘヤー・オイル一びん、それしか食べないという黒ネコのマークのついたカンヅメ三個、かかりつけの医者の名刺一枚が、わがネコの全財産だった。

わが家を訪れる人は、その容姿からしてどんなすてきな名前のネコかと期待するらしいのだが、「タマです」と教えると、必ずといってみんながっかりすると同時に、飼主の想像力のなさをあわれむような顔付をする。外国産のバタ臭いネコなのに、前の飼主がつけていた名が、散文的にも「タマ」だったので、私の好みとネコのアイデンティティをはかりにかけて、後者を優先させることにして、改名なぞせずそれ以来ずっと「タマ」で通している。

## コーヒーカップに毛が二、三本

タマを飼いはじめたころは、まだネコの額ほどの庭のついた小さな借家住いで、大学教師のつねとして本の谷間に身を小さくして暮していた。そのうえに、アメリカからは、船便で本の山がどんどん届いて文字通り足の踏み場もない状態だった。やっとタテ五〇センチ、ヨコ四〇センチという大きな黄色いトイレを置く空間を見つけて、古新聞を二枚敷いて、防臭加工のしてある砂を入れるとタマは、さっそく入って実にゲンシュクな顔をして用を足した。

通称、ムツゴローの畑正憲氏によれば「何か人生の一大事を決行せんとしているかのように宙をにらみ、腰を落とし、しずしずと放尿する。もし放尿前の動物の顔を写真に撮って展覧会を開いたら、人は動物こそ哲学者だと圧倒されるに違いない。動物はマジメに、全力で排泄作用を行なう」のだそうである。これはネコだけでなく、馬、犬等に共通した現象で、畑氏の説によれば、生殖器に毛のない動物は、放尿する際、体を汚さぬように慎重に身構えるのだそうである。こういうことがネコはキレイ好きといわれるゆえんであろう。だから、トイレの汚いのをとてもいやがり、忙しさにかまけてトイレの掃除を怠っていると必ず廊下の隅などで用を足されてしまう。庭で遊んでいてもトイレにだけは大急ぎで帰ってくるので、ときにはネコという気がしないこともある。

長毛のネコを見なれて、短毛のネコを見るとちょっと変な気になる。たとえていえば、外出着と普段着の差である。しかし、あの長い毛をネコの写真集なみの毛並にたもつのはナカナカ骨である。油断していると毛だまがすぐ出来て、ボロゾーキンみたいになる。しかも、ぬけ毛が至るところにおちる。コーヒーの中に毛が一、二本浮んでいても耐えられる神経でないと長毛のネコは飼えない。金属のブラシ、掃除器、ガムテープは、三種の神器で必需品である。

ときどき、「種を貸してください」と申込みがあるが、もらってすぐ去勢した。発情期のたびに相手をさがしてやれるほどのヒマ人でもないし、かといって近所のネコに子どもを生ませても迷惑をかけると思ったからである。現に私のところに手伝いに来てくれている学生さんの家など十八匹も飼っている。成ネコになるとオスは自然と家を出るそうだが、残ったメスネコが次々に子を生むので数がたえず増えているそうである。

　去勢したせいかどうか、タマは内気で平和なネコで、表情はあまり豊かではない。特技は、春に生まれたネコらしく、アゲハチョウを捕えるのがとてもうまい。好きなことは、私が深夜勉強している側で過すことと、庭の石の上でめい想にふけることくらいである。

　いま評判のトーマス・ヘルトナーの『猫のヤーコプ』によれば、子ネコのヤーコプはもらわれた最初の日から飼主とウマがあい、人間を逆にネコの仲間にしてやったと言っている。ネコにしろ何にしろ、動物を飼う場合は、品種とか血統とかオスかメスかなどということより、ウマがあうかどうかが一番大事なことである。そして、出来たら、ほんとうに子ネコの頃から飼うことが、飼主にもネコにも幸福なことだと思う。

　タマが私のところにもらわれてきたときはすでに生後六か月もたち、ネコにもそれなりの個性ができていて、なつくまでというよりお互に妥協するまでにかなり時間がかかった。おまけに、職業柄、海外に出かけたり、国内出張で留守にすることが多く、落着く間もないくらいにいろんなところに預けられ、誰を新しい主人にすればよいのかわからなくてとまどったのではないかとも思う。いまは、私を飼主と定めて私との同居生活（?）にヤーコプよろしく満足しているようにみえる。しかし、飼主の原稿のはかどらぬのには、あきれているらしく、ときどき机の上にあがってきては苦吟している原稿用紙の上にどさりと座って動かない。まるで「そんなに書けないものはやめて、遊ぼうよ！」と言ってるみたいである。タマが私よりも気に入っているのは、昨年の暮、引起してきた大きな木のあるこの広い家である。ネコは家につくと聞いていたので少し心配していたが、新しい家に来て一〇分もたたぬうちに、まるで十年も住んでいたような顔で暮しはじめた。

## 西条八十「猫の洋行」

ネコには、われわれが考えているよりもずっと適応能力があるのだと思う。その証拠には、私が青春の一時期を過したニューオリンズには、アメリカに帰化した日本ネコがいた。当時私は法律を勉強している学生だった。その街には、Fというアメリカ人の文化人類学者夫妻がいた。彼らは、日本の九州大学に客員教授として来日していたこともあって、家の中には日本の民芸品もたくさんあった。そして、九州からニューオリンズまで彼らと船旅をしてきた九州産の日本ネコが一匹彼らと暮していた。

このネコはたちまち英語をマスターし、カルチャー・ショックにも動ぜず、よく太り、その毛は、バター色に光って心なしか西洋ネコ化していた。いまも、いかにも南部らしくバナナの木の茂る庭に、悠然と寝そべっていた孤高の日本ネコの姿を思い出すことがある。彼の女主人は、それから二年後に肺ガンで亡くなり、F氏はフランス女性と再婚したと風のたよりに聞いた。

静かな夜には、聖チャールズ通りを走るニューオリンズの名物の電車の音が聞こえる家にいたあの日本ネコは、あれからどんな運命をたどったのかとふと考えることもある。

*

西条八十の詩に「猫の洋行」というのがあるのを知ったのは最近のことである。

かわいい猫をあげました、
フランスの牧師さんにあげました。
牧師さんはお国へかへります、
港でお船にのりました。
（中略）
かわいい猫は、
明日から、
洋食たべて、
パンたべて。
ニャーと啼かずに
ミューと啼く
フランスの猫になるでしょう。

（「猫の手帖」より）

お気に入りの人形をかかえ眠るタマ

# 林　弘子さん　講演メモから（一九九六年一月「変えよう均等法in福岡」集会）

## 導入　寸劇について

第一場　お茶くみをみて

「お茶くみ」が法廷に持ち込まれた例として、総合職内での女性差別として初めての裁判、名古屋商工中金（横田さん）を紹介。

男性全員総合職、女性全員一般職だったのを（日本平均では女性勤労者の九七パーセントが一般職）異議を唱えた六十人が総合職になったが、査定で昇進昇格させない差別を受け（横田さんは八級）結果、一般職より賃金が安い。人事担当者が言う昇進できない十三の理由のうちの一つが「お茶くみをしない（実際はしている）」「頼みにくい」。もう一つは、一般職の女性と軋轢があるというもの。女性社員の踏み絵（評価）は、コースに関係なくお茶くみとコピー。コースを解消すればよいわけではない。

第二場　女子学生就職難をみて（本題、身分制度へ続く）

均等法の努力義務を罰則付禁止規定にしても、就職難は解決しないし職場の平等を得られない。コース別制度は、男女の差別と言うよりすべての労働者を身分差別を固定化するもの。コース別管理が認められている限り、正社員の雇用は少なくコース別賃金格差は広がる。例えば、アメリカ（日本の十－十五年先）ではその身分差別が固定されているので、男女差別を禁止規定にしても使用者側はあまり痛みがない。日本もそういう意味で通る可能性がある。

第三場　調停委員会への申請をみて（本題、調停委員会へ続く）

調停の結果資料をみても、ほとんど却下されている。しかも、調停については非公開なので、婦人少年室からは件数すら出てこない。この資料は担当弁護士（宮地みちこさんなど）のネットワークで作成。その秘密主義も問題。情報公開が必要。

## 調停委員

この十年で、機会均等調停委員会による紛争解決の限界が明らかになった。前述資料によると、申請一〇三件中六十三件は室長が門前払い。三十九件は企業の同意得られず不可。調停の行われた一件は住友金属で、申請後、調停にかかるとの結論が出るのに六ヶ月、判断が出るのに一年かかった。しかも、七人の女性達の訴えとはほど遠い内容で、不受理、裁判所に提訴した。彼女たちや弁護士は、室長や委員（公益三人、うち女性一人）に失望。「こんな法律や調停委員では、企業はやりたい放題」と非難している。だから、裁判も企業だけでなく、婦人少年室長も国家賠償法に基づき訴えている。

「企業の同意がないと調停できない」ことだけが調停の実効性をなくしている問題点ではない。ただ、婦人少年不受理も室長の判断と言うより労働省にお伺いを立てて、労働省判断（男性が実権）に従うのみ。調停の内容も多分に労働省の意向である。

また、調停委員会の権限強化を訴えても、強制力のない機関のため無理である。国家行政組織法に基づく機関であり、名称は委員会となっているが、構成員は公益のみで法律上は審議会であり、権限のない機関である。本当の委員会は、労働委員会しかない。三者構成（使用／労働／公益）になっており独自の命令権がある。よって、強化と言うより、まず三者構成による委員会にする（をつくる）ことが必要だ。婦人少年室も、当初（山川菊江さんの時代）は労働者のためにあった。現在は全く硬直している。何のための誰のための機関か考え直す必要がある。

## 身分制度——日本の企業は何をねらっているのか

昨年五月、日経連が出した「新時代の日本的経営——挑戦すべき方向とその具体策」によると、労働者を下記に分けることを提案している。実際にはすでに実行している。

①長期蓄積能力活用型　フルタイム（終身雇用、月給、昇給あり）国民の二〇パーセント
②高度専門能力活用型　契約社員（有期雇用契約、年俸、業績給、昇給なし）
③雇用柔軟型　パート・派遣（有期雇用契約、時間給、昇給なし）

総合職と一般職も①の中である。労働省のガイドラインで、総合職男女・一般職女子・パート女子も可となっている。性別で分けていないが、現実は一般職や③は女性。各コース内での差別しか証明できないから、二〇パーセントの①のなかの男性がいる総合職の少ない女性のためにしか均等法は機能しないのではないか。

例：スチュワーデス　新雇用形態客室乗務員（パートタイムではない・一年契約のフルタイム）。契約形態が違うだけで全く同じ仕事をして賃金が半分。この差の理由は「身分が違うから」しかない。コース変更が不可であり、まさしく身分制度の復活である。

しかも、これからは男性もこの身分制にはいる。同様の賃金破壊はすでに男性の中間管理職にもはじまっている。フリーターから抜け出せない、男性新卒パートが増えている。このように、性差別をこえた身分制度化が進んでおり、これからは国民の二〇パーセントのみ①の形態で所得が増えるが、八〇パーセントは所得が減り貧富の差が広がるだろう。アメリカも自国の経済保護政策をやめ、規制緩和（七〇年半ば）・自由競争原理を進めた結果、国民の二〇パーセントに富が集まっている。日本もその方向にまっしぐらに進んでいる。そういう前提の中で差別を考えなくてはいけない。性差別で闘うには現実はもっと深刻である。

この身分制度は労働省の概念では身分でない。よって、身分による差別禁止にひっかからない。しかし、実際はまさしく身分なので、裁判で立証していきたい。

長野のマルコ産業（パート賃金差別）は身分を訴えている。〔今年三月、八割を切る場合は違法との判決が出たが、裁判所に身分という概念があったかどうか不明　注・三好〕

## 裁　判

第一次雇用差別訴訟ブームは一九六〇年代。当時、行政に絶望した女性達は、時間・費用・精神的負荷にもかかわらず裁判で闘った。例えば、名古屋放送の男女別定年退職制の三十五歳差、日産の五歳差（十五年かかり最高裁で出た）も違法とされた。これを判例法という。結果、均等法の十一条（結婚／妊娠／出産退職制・男女別定年の禁止規定）を得た。判例法が条文化されたものである。

これら判例法の拠り所は、憲法14条（国や地方自治体から性によって差別されない）と、民法一条の二（個人の尊厳と両性の平等に従って法律を解釈する）があり、民間も含めた形での性差別を禁止した法律はないが、公の秩序として認められており、民法九〇条（公序良俗——公の秩序・善良の風俗に違反する行為は無効）違反とする。

現在は第二次雇用差別訴訟ブームである〔賃金差別と昇進昇格、セクシュアル・ハラスメントが多い〕。均等法と婦人少年室とその調停ではダメで、労働者は救済されないことが十年で認識され、裁判での救済しかないと判断した結果である。理論を打ち立て、勝ち、判例法を確立させ新しい秩序を作ろうという動きである。身分制度を保証しているコース別管理は、労働省は通達で合法と言っているが、一般職と総合職の差別は（合理的理由のないコース別管理は）無効だと最高裁が言えば、判例法での違法が確立される。裁判で勝ち取っていくのは、有効だ。

裁判中の例としては、住友金属がある。調停案を労働者側が拒否し、昨年八月六日大阪地裁に提訴。原告は調停七名のうちの四名。住友生命・住友電工・住友化学でも調停が却下（室長が対象外と判断したか企業が出てこない）され昨年提訴、裁判中。ほか多数の裁判が起きている。

住友金属（北川さんら）は、昇格格差や賃金格差（給与表で証明／ポストは女性群と男性群で上下に分かれ、賃金は同期男性の半分）（調停はその件に触れず）があるのも、コースが違うから正当という使用者を相手にこれは不当な差別だと裁判で証明しようとしている。その手段として職務評価がある。

コンサルタントが行った商社（三菱 or 三井）の職務評価では一般職（女性、年収三千万）の職務評価があまりに高く、逆転の可能性があるので、総合職の評価は中止となったほどだ。この職務評価の方法は通常日本企業が、男女差別禁止に厳しい海外支店のために行っており、本社（日本）ではしない。

裁判も心情に訴える時代は終わり、科学的に証明すべきだ。これからは、この職務評価を裁判資料として提出したい。ただ、そのための情報を相手の企業から得るのは難しいのが課題。
また、実は同一労働同一賃金は日本のどの法律にも明文化されていない。コース別管理は違法とすると同時に、同一労働同一賃金、同一価値労働同一賃金を明記させる必要がある。

## 均等法見直し

来年の通常国会で見直し案が出る。

一九九七年までの、第二次女子労働者福祉対策基本方針の五つのポイントは

1. 均等法を見直す。　婦少審で審議中
2. 保護規定の緩和ないし廃止　〃
3. 育児休業取得者の経済的援助　雇用保険より二五パーセント
4. 介護休業制度の無給法制化　昨年法制化　九九年施行
5. ＩＬＯ一五六号条約の批准　昨年批准

## 婦少審での審議

1. 性差別禁止法にする（男女ともに）

重要だが問題あり。

労働福祉増進の法律の改定でできた均等法で、平等実現のための法律でない。

土台が間違っているのに、女子に対する差別の禁止ではなく男女ともに性による差別はとしたと

ころでどれだけ実効性があるか疑問だ。改正ではなく、新たな性差別禁止法を作る運動が大切ではないか。

2. 女子のみ募集禁止

答申では禁止の方向。

十年前も労働省は禁止で検討していたが、リクルート汚職事件で変わった。

3. 保護規定の廃止

たぶんなされる。

十年前、平等には保護撤廃が前提という使用者の理論に保護規定が見直されたが、平等は何一つ手に入らず保護規定緩和だけがどんどん進んだ。

4. 男女雇用均等に関わる女子労働者調査結果をたたき台にしている。

調査対象は大手企業の女子労働者のみ。フルタイム用の均等法になる姿勢がうかがわれる。

見直すべき点は、中島さんの講演内容と同様の項目。

以上

（一九九六年一月二十一日）

# 非正規労働者五二パーセントの衝撃――岡谷鋼機裁判によせて――

林　弘子（福岡大学法学部教授）

欧米諸国においては性差別を禁止し、平等を促進するための法律が、改革の主なツールであったのに対し、日本の場合、変革のためのツールは、女性労働者による裁判闘争であった。主に民法九〇条を法的根拠とする裁判が先行して、立法と行政が判例法理を後追いするというパターンが今日も続いている。六〇年代から八〇年代の男女雇用差別裁判の争点は、結婚退職制→妊娠・出産退職制→若年定年制→差別定年制と女性労働者を男性労働者よりも早く退職させる制度だったが、一九八五年制定の均等法で退職・解雇差別が禁止されると、争点は男女コース別雇用管理制度に移った。男女コース別雇用管理制度は均等法施行後にクローズアップされたが、初期の結婚退職制、妊娠・出産退職制と同じ根から派生した旧い制度である。

裁判による変革は時間がかかり、労働者の犠牲は大きい。岡谷鋼機事件も提訴から二〇〇六年三月の和解まで一〇年以上かかった。二人の原告のうち藤澤眞砂子さんは退職後の提訴であったが、在職中であった光岡美代子さんは、和解成立後に、事務職から念願の総合職へ転換された。それまで八回申請しても、認められなかったというから地裁で敗訴はしたが、裁判は無駄ではなかった。しかし、現在、岡谷鋼機では、女性の採用は三年の契約社員に限定されている。男女コース別雇用管理は、さらに大きな正規・非正規コース別雇用管理に形を変えて生き延びたのである。

二〇〇七年四月施行の改正均等法でもコース別雇用管理を合法化する問題の雇用管理区分は残り、期待された間接差別禁止も極めて限定されたものに終わった。男女コース別雇用管理に関する裁判も残すところ兼松事件だけになったが、雇用差別裁判の争点は、すでに非正規雇用をめぐる事件に移っている。均等法が施行されて二〇年、いまや女性労働者の約五二パーセントは非正規労働者である。均等法とは一体何だったのか、さらに、均等法と労働者派遣法が同じ年に制定されたことの意味を改めて問い直さなければならないときが来ている。

（「あごら」三〇八号　二〇〇六年十一月号）

# 第4部

***Japan-U.S. Academic Exchange Agreements Symposium***
（日米学術交流協定締結記念シンポジウム）

# Life, Politics and Culture in the U.S.A. and JAPAN

（アメリカと日本における生活、政治、文化）

Editor : Hiroko Hayashi
（林　弘子 編集）

---

日時　2015年６月14日(日) 10:00 ~ 16:00
会場　宮崎公立大学　103大講義室

**基調講演**
「リーマンブラザーズの財政破たんとハワイの労働者への影響」
スピーカー　ジョウン・L・ハステッド（ハワイ州教員連盟元エグゼクティブ・ディレクター）

**シンポジウム**
シンポジスト　ステファニー・A・ウエストン（福岡大学法学部教授）
「米国政治における女性のパワー」
ゲイ・ミチコ・サツマ（ハワイ大学ジャパニーズ・スタディズ・センター アソシエイト・ディレクター）
「苦々しさを呑み込んで：アメリカの二世女性の声」

コメンテーター・コーディネーター　林　弘子（宮崎公立大学学長）

# The Lehman Brothers Financial Collapse and Its Impact on Hawai'i's Workers

Joan Lee Husted
Retired HSTA Executive Director

The following paper is based on the presentation I made at the International Symposium–Life, Politics and Culture in the U.S. and Japan–organized by then University President Hiroko Hayashi at Miyazaki Municipal University on June 14, 2015 to celebrate the International Academic Exchange Agreements with University of Hawai'i at Manoa, IRC and University of Hawai'i Kapi'olani Community College. Before discussing [The Lehman Brothers Financial Collapse and Its Impact on Workers], I will introduce myself and Hawai'i. It will help to put my paper in context.

I am not an academic rather I am a practitioner. I have been a labor negotiator for more than 40 years negotiating 19 statewide teachers' collective bargaining agreements. I have lived in Hawai'i for 50 years though born in the state of Michigan. Hawai'i was an independent nation. Under the crown, Hawai'i was the most literate nation in the world with the second oldest public school system in the United States. In the late 1880s, Hawaii was invaded by the United States and Queen Liliuokalani was deposed. After that, Hawai'i became a republic, then a territory and finally the 50th state of the United States in 1959.

Hawai'i is the most isolated population center in the world. The state sits more than 2,400 miles away from the mainland United States, 3,850 miles from Japan, 4,900 miles from China and 5,280 miles from the Philippines.[1] This isolation is both a curse and a blessing. It is a blessing, be-

1 Department of Business, Economic Development and Tourism, Research and Economic Analysis Division, *State of Hawaii Data Book: A Statistical Abstract.* (Honolulu: State of Hawai'i, 2014).

cause we do not easily pick up bad habits from contiguous land masses and our curse because we do not pick up their good habits either.

According the 2010 United States census, the racial and ethnic make-up of the state is:

38.6 % Asian
24.7 % White
10% Native Hawai'ian/Pacific Islanders
1.6% Black
.3% American Indian/Alaska Native
23.6% Mixed Races [2]

Hawai'i is a diverse state with no industrial base. Our top revenue producers are tourism, military, government and agriculture. Because of this limited base, the economic downturn hit Hawai'i's workers like the hurricanes that periodically hit the islands.

With this background in mind, the two names most connected to this financial collapse of the American and indeed the world's economy are Lehman Brothers and Goldman Sachs. They collapsed for two different reasons. Goldman Sachs dealt in derivatives; in other-words they bet on what would or would not happen in the economic market. [3] In this paper, I am going to concentrate on the Lehman Brother's collapse. Lehman Brothers borrowed against assets it did not have to fund subprime mortgages. Subprime mortgages are those lent to borrowers who have usually little hope of paying them back. Lehman Brothers frequently lent to people who had weak or poor credit. It is uncertain whether this occurred because lower interest rates encouraged Lehman to make riskier investments or because they would pay higher returns. "In the beginning of 2008, Lehman was faced with unprecedented losses due to

2 US Census Bureau, *2010 Census: Hawai'i Profile* (Washington D.C.: Department of Commerce, 2010), 1, https://www2.census.gov/geo/pdfs/reference/guidestloc/15_Hawaii.pdf
3 Wikipedia, "Bankruptcy of Lehman Brothers," January 19, 2016, https:/en.wikipedia.org/wiki/ Bankruptcy_of_Lehman_Brothers

the subprime mortgage crisis. Lehman held on to an unusual number of these mortgages." It is not known if it was because they could not sell them or decided to hold them for some unknown reason. There are some in the financial world that believe that Lehman Brothers lost track of the risks. [4]

With losses of more than $8 billion, Lehman Brothers began selling off parts of the corporation to raise funds, finally filing for bankruptcy protection on September 15, 2008. The bankruptcy filing sent shock waves through the financial markets. The US Stock Market fell 500 points in one day alone. A number of other financial institutions were tied to Lehman Brothers, JP Morgan, Barclays, the Federal Reserve Bank of New York, Nomura Holdings, Mellon Bank of New York, and the Primary Reserve Fund to name a few were impacted in one way or another. [5]

As stated in one Newsweek article,

> *"In the United States, the sudden bankruptcy of America's fourth-largest investment bank was the cathartic culmination of a process that had been building since subprime lenders began to go bust in 2007. Before Lehman was allowed to fail, we had witnessed the shocking demise of well-known firms such as Bear Stearns and of much larger institutions-Fannie Mae, Freddie Mac..., and AIG. Throughout the summer of 2008, Treasury Secretary Henry Paulson and the Federal Reserve had been dealing with systemic failure. Yes, Lehman's demise kicked the level of hysteria up several notches and required unprecedented intervention, particularly in commercial paper market. But, it wasn't a solitary event. The same day Lehman failed, Bank of America and Merrill Lynch—a larger firm than Lehman—merged. The same week, Goldman Sachs and Morgan Stanley converted to*

---

4 Wikipedia, "Bankruptcy of Lehman Brothers," January 19, 2016, https://en.wikipedia.org/wiki/Bankruptcy_of_Lehman_Brothers

5 Ibid.

*banking holding companies so they could access new sources of credit...".* [6]

'The most often used words to describe these financial institutions is that they are "too big to fail." This assumption is based on the fact that the six biggest banks controlled 42% of all loans in the United States and 67% of all debt. These six banks had $278 trillion in debt which was 28 times greater than their total assets.' [7] Even if the largest banks were too big to fail, 1,400 smaller banks did fail with serious consequences to its customers. One of the many lessons to be learned from the Lehman Brothers' collapse is that stocks recover but people do not. "In 2010, a court appointed examiners declared that Lehman was guilty of using cosmetic accounting to disguise the weaknesses of their finances." [8]

Moreover, as stated in "The Great Recession of 2008-2009,"

*"When 2009 dawned, no one knew whether the global financial crisis that had burst into full bloom the previous autumn would develop into a second Great Depression. Twelve months later, what many called the Great Recession showed signs of coming to an end, and the worst appeared to have been averted. On the whole, private economists applauded the U.S government's response to the crisis at hand, but some of the remedies enacted there and in other countries seemed poised to haunt the world economy in years to come.*

...

*Most of the major industrial democracies adopted domestic government programs designed to awaken their slumbering economies; the U.S. package, at $787 billion, was the biggest. The world economic outlook brightened as the year proceeded, however, and most countries began to growing again in mid-2009 after recessions that were, for most, the deepest since*

6 Newsweek Staff, "How Lehman Shook the Global Economy," *Newsweek*, September 13, 2009.

7 Michael Snyder, "The Six Too Big to Fail Banks in the U.S. have 278 Trillion Dollars of Exposures to Derivatives," *Global Research*, April 14, 2015.

8 https:/en.wikipedia.org/wiki/Lehman.Brothers

*the Great Depression. In a rare exception, China escaped the slump: if anything, the global recession burnished China's apparent ambition to challenge U.S. dominance in the global economy.*[9]

Other economic pundits pointed out due to the Great Recession, damage to the Japanese economy occurred. There was fall of 6% in GDP in 2009. Of the 30 members of the Organization for Economic Co-operation and Development, Japan ranked 26th with only Turkey, Mexico, Ireland and Slovenia. The percentage of people holding non-regular jobs in Japan was 38.7%.[10] According to Japanese Professor of Human Resources Takashi Moriya, the Lehman effect is still impacting on Japan and its impact on part-time workers is significant.[11] When the confidence in the American dollar fell, it also had a negative impact on Japanese exports.[12]

Despite the large stimulus package, it was heavily criticized in some segments of the Japanese political system. As the *Wall Street Journal* reported,

*"Taro Aso, the prime minister at the time and now finance minister, compiled a record stimulus package worth over Y15 trillion, but its emphasis on infrastructure projects led to calls for eliminating wasteful public spending. For Japanese financial institutions, which had kept a relatively low profile after its own banking crisis in the late 1990s, the 2008 financial crisis provided an opportunity to shine. In the wake of the Lehman failure, Mitsubishi UFJ Financial Group, Inc., Japan's biggest bank decided to spend $9*

---

9 Joel Havemann, "The Great Recession of 2008-2009": Year in Review" in the *Britannica Book of the Year* (Chicago: The Encyclopedia Britannica), http://www.britannica.com/topic/Great-Recession-of-2008-2009-The-1661642/The-US-Response

10 Statistics Bureau, *Statistical Handbook of Japan* (Tokyo: Ministry of Internal Affairs and Communications, 2013), 134, https://www.stat.go.jp/english/data/handbook/pdf/2013all.pdf

11 Takashi Moriya, "Changes and Problems in HRM and Labor in Japanese Companies after the Collapse of the American Finance House-Lehman Brothers Holdings Inc.," *The Ritsumeikan Business Review* 52, no. 2-3 (2013): 315-328.

12 Takashi Nakamichi and Atsuko Fukase,"Five Years On, Japan Eyes Recover From Crisis," *The Wall Street Journal, September* 14, 2013.

*billion to buy a 20% stake in Morgan Stanley, which was in desperate need of cash at that time."* [13]

So what was the impact of all of this financial wheeling and dealing on Hawai'i? Tourism is at the heart of Hawai'i's economy. It makes up approximately one third of the economy and from January to June, 2009 it dropped 15%. [14] It was tourism that suffered the most including all of the support tourist activities. A quick review of the hotel industry real estate market highlights the trauma of the collapse of both Lehman Brothers and Goldman Sachs on the local market.

As "Hawai'i Hotels in Foreclosure: Hawai'i Hotel Business are Overdue in Billions of Dollars in Debt" reported,

*"Yet, for one group, the recovery could not come fast enough. Those are the owners of resorts and hotels who've been unable to pay their mortgages and are having to beat back foreclosure efforts. Banks and others have been at their doorsteps, while some owners have simply surrendered to financial realities and handed their keys to the lenders."* [15]

In the years that made up the Great Recession, borrowers were deeding property back to the lenders. Hawai'i was no different. A partial list of hotels deeded back to their lenders included the 858-acre Turtle Bay Resorts on Oahu and the 540 room Fairmont Orchid on Hawai'i Island. In addition, other hotels, such as the Ritz Carlton and the Four Seasons on Kauai went through restructuring. The sales figures for some of Hawai' i's properties were stunning. The Aston Kauai defaulted on its loan. It was purchased for $68.8 million and then finally sold for $38.8 million.

---

13 Ibid.

14 Leroy O. Laney, *Assessing Tourism's Contribution to the Hawai'i Economy-First Hawai'ian Bank Economic Forecast, Special Report* (Hawai'i: Hawai'ian Bank, 2009), 1,
https:// www.fhb.com/en/assets/File/Marketing/FHB_Tourism_Study_09325.pdf

15 Greg Wiles, "Hawai'i Hotels in Foreclosure: Hawaii Hotel Owners Are Overdue on Billions of Dollars in Debt," *Hawai'i Business*, February 3, 2011,
http://www.hawaiibusiness.com/hawaiihotels- in-foreclosure/

The Makena Beach and Golf Resorts, which had $417.5 million in loans, was sold for $95 million.

Real Capital Analytics identified $2.09 billion of troubled hotel loans in Hawai'i or $174 million per property, the highest in the nation. Many of the hotels were purchased during the Japanese downturn in the 1990s. [16] In addition, Ben Thypin, a Real Capital senior market analyst says, *"Hawai'i's status is a function of value and size of the hotels here, not because of the number of properties involved. Nevada, for example, has 59 hotels where financial woes have checked in, while California has 239. Nevertheless, Hawai'i's hotels are on the list and are part of the $32.3 billion of distressed-hotel debt nationally."* [17]

Dr. Paul Brewbaker, an economist at the University of Hawai'i in a public presentation, stated the Hawai'i's real per capita person income deceleration was more acute than on mainland U.S. In addition, federal civilian jobs declined and new housing continued to drop. [18]

Within the state itself, the underwater mortgages reared their ugly heads. An underwater mortgage is one that is more than the value of the property mortgaged. Some Hawai'i economists feel that some of this can be contributed to the Japanese bubble of the 1990s as much as to the subprime debacle. During the 1990s, the Japanese interest in purchasing property in Hawai'i drove up the price of homes and condominiums. Although local residents made amazing profits, they also incurred substantial mortgages on their new real estate purchases.

Hawai'i's major banks even with international ties, however, were very resistant to offer subprime mortgages. The Bank of Hawai'i, for example, did not hold any subprime mortgages. And many Islanders were reluc-

16 Ibid.

17 Ibid

18 Paul H. Brewbaker, Ph.D., "A few aspects of Hawai'i's Recovery from the Great Recession," August 21, 2009, UHERO, https://www.uhero.hawaii.edu/assets/Hawaii50ForecastBrewbaker.pdf.

tant to apply for mortgages they knew they could not pay off. Certainly some of that reluctance is tied to our strong Asian ethnic background. However, the subprime mortgage debacle in other states did impact Hawaii primarily in the tourism sector.[19]

There was also a foreclosure crisis in the state. Because of the loss of jobs, foreclosures were on the rise. Cases clogged the courts. In response, the state legislature passed an extensive law that moved foreclosures into mediation. With the use of the law, foreclosures moved faster.[20]

The collapse of the world economy caused so many businesses to fold or at minimum, severely cut many of their activities. In 2009, the dominos falling because of the economic implosion devastated tourism and was breathtaking in its scope.

- Aloha Airlines, one of Hawai'i's premier airlines went out of business and 2,700 employees lost their jobs.
- ATA, the Japanese charter airlines filed for bankruptcy and ended its Hawai'i flights.
- The cruise ship industry reduced the number of cruise ships in the islands to one.[21]

Things only went from bad to worse as the financial freeze took hold. The tourist industry as well as other sectors (the exception was the military) hunkered down and tried to weather the severe downturn. The impact on Hawai'i's workers was deep, painful and almost unparalleled in Hawaii's history. The number one business sector in Hawaii is tourism and it took a terrible body blow. Thousands of hotel workers found themselves laid off or their work hours severely curtailed. The impact

---

19 https:/en.wikipedia.org/wiki/Bank_of_Hawaii

20 "Hawai'i's Extensive Foreclosure Law Clogging the Courts, Housing Market," *The Huffington Post*, July 5, 2001, 1.

21 Leroy O. Laney, *Assessing Tourism's Contribution to the Hawai'i Economy-First Hawai'ian Bank Economic Forecast, Special Report* (Hawai'i: Hawai'ian Bank, 2009), 1, https://www.fhb.com/en/assets/File/Marketing/FHB_Tourism_Study_09325.pdf

of the severe depression was on earnings and travel by both individuals and businesses. Contributions to charities dropped sharply. Aloha United Way fundraising in 2009 dropped to $9 million from a high of two years earlier of $17 million. Companies such as AIG would not participate in charity golf tournaments to avoid any public criticism that they were fiddling while Rome burned. [22]

The negative activity on the mainland and in the global markets had a definite impact on both unionized and non-union employees. Although the impact was not as devastating as it was in other parts of the globe, it was serious.

The state's unemployment rate jumped to 7.4%. Although it was below the national average, it was the state's highest in 31 years. The unemployment rate was driven by a 41,600 loss of jobs. [23] Not only was the major loss of jobs in direct services to tourists but also in those jobs that support tourism, i.e. retail stores, restaurants, taxis, etc. To demonstrate the impact of tourism, it is estimated by some economists both locally and nationally that tourism composes approximately 25% of the state gross product. [24]

Real estate and construction were almost as badly damaged. Home purchases dropped by 46.5% in 2009 and condo sales dropped by 50.6%. [25] In 2009, construction came to a standstill with the Hawaii Carpenters Union reporting that more than 70% of their members were not working. [26]

---

22 Aloha United Way, *Annual Report to the Community* (Honolulu: Aloha United Way, 2011).

23 John E. Connaughton and Ronald A. Madsen, "The U.S. State and Regional Economic Impact of the 2008-2009 Recession," *The Journal of Regional Analysis and Policy* 42, no. 3 (2012): 177-187.

24 Leroy O. Laney, *Assessing Tourism's Contribution to the Hawai'i Economy-First Hawai'ian Bank Economic Forecast, Special Report* (Hawai'i: Hawai'ian Bank, 2009), 1, https://www.fhb.com/en/assets/File/Marketing/FHB_Tourism_Study_09325.pdf

25 Paul H. Brewbaker, Ph.d, "Hawai'i's Economic Challenges in 2014," Hawai'i Economic Association.

26 "Carpenters Demographics," *Carpenters' Newsletter*, September 2009.

The state's tax revenues dropped by 10%, leaving Hawai'i's first Republican Governor Linda Lingle with an $800 million budget deficit. Governor Lingle's solution was to layoff over 1,000 public employees plus furloughing many others who retained their jobs. In 2009, government workers were confronted with a demand for 5% pay-cuts each year for two years. When the teachers, for example, refused the across the board cuts in pay, the cut was achieved by reducing the students' school year by 17 days each year for two years and sending the teachers home without pay. The backlash against the teachers for accepting the furloughs was staggering and led to a legislative mandate to maintain a minimum instructional time to avoid any future furloughs. Unfortunately, that mandate violated the teachers' collective bargaining agreement.

In 2010, a progressive Democratic governor was elected and Hawai'i' s workers were relieved. The implications of the election soon stunned Hawai'i's workers as the new governor-Neil Abercrombie-called for major sacrifices including taxing pensions to help offset the loss of tax income. In addition, during contract negotiations, he imposed a last best final offer on the public school teachers—a tactic never used previously. **A last best and final offer** is the employers' final proposal imposed unilaterally. Infuriated teachers vowed to defeat Governor Abercrombie when he ran for reelection. Indeed, the governor paid a high price and lost his reelection by the largest margin, more than 35% points, ever for any sitting governor in the United States. [27]

In both the public and private sectors, the number of union members continued to drop. Prior to the Lehman Brothers collapse in 2006, 24.7 % of Hawai'i's employees were unionized, the second highest in the United States. [28] In 2015, the figure fell to 20.4%, [29] as more companies found a

---

27 Ian Lovett, "Hawai'ian Governor Loses Primary by Wide Margin; Senate Race is Undecided, " *New York Times*, August 11, 2014.

28 U.S. Bureau of Labor Statistics, *News* (Washington D.C.: United States Department of Labor),January 25, 2007, 2, union2_01252007.pdf

growing number of employees willing to take non-union jobs which paid less and had fewer benefits.

Pay-cuts, public and private sector job losses, however, were only part of the impact. A median price home was approximately $539,000 in 2009, [30] due to the lack of inventory and high prices with affordable housing almost non-existence. In 2015, the average price of a home in Hawai'i rose, in part due to the lack of inventory, to $659,000- $800,000. The Hawai'i Appleseed Center for Law and Economic Justice reports that affordable housing costs 30% or less of a household income. In 2013, extremely low income in Hawai'i based on the Area Median Income (AMI) was $16, 200; very low income (50% of AMI was $27,000.) and low income or 80% of AMI was $43,250 per person. [31]

The Appleseed Center projected that a Hawai'i worker would need an annual income of $65,000 to afford a two bedroom apartment at fair market price. Compare the average salaries of some of Hawai'i's workers:

- Teacher: $54,890
- Construction worker: $49,820
- Police Officer: $57,000
- Housekeeper: $31,740
- Retail Salesperson: $25,610 [32]

---

29 U.S. Bureau of Labor Statistics, *Union Members in Hawaii-2018* (Washington, D.C.: United States Department of Labor), March 20, 2019, 1, https://www.bls.gov/regions/west/news-release/unionmembership_hawaii.htm

30 Leroy O. Laney, *Assessing Tourism's Contribution to the Hawai'i Economy-First Hawai'ian Bank Economic Forecast, Special Report* (Hawai'i: *Hawai'ian Bank,* 2009), 8, https://www.fhb.com/en/assets/File/Marketing/FHB_Tourism_Study_09325.pdf

31 *Hawai'i's Affordable Housing Crisis* (Honolulu: Hawai'i Appleseed Center for Law and Economic Justice, 2014), 4-6, http://www.hiappleseed.org/sites/default/files/14%200707%20Housing%20Crisis%20Report%20(web)%20(FINAL).pdf

32 *Hawai'i's Affordable Housing Crisis* (Honolulu: Hawai'i Appleseed Center for Law and Economic Justice, 2014), 8, http://www.hiappleseed.org/sites/default/files/14%200707%20Housing%20Crisis%20Report%20(web)%20(FINAL).pdf.Ibid.

The numbers speak for themselves. A homeless problem for low income workers grew to a disgraceful level because the working poor are unable to find affordable housing. Homeless pockets are growing in Hawai'i affecting every part of Oahu. They mushroomed especially in Waikiki and the central city. Homelessness has become a state of disgrace.

Believe it or not, there is some good news. The building sector is booming with the construction of mass transit, innumerably high rises and new subdivisions on Oahu. Tourism is rebounding though not as brisk as many would like. Nevertheless, 2015 may prove to be a record year for tourism. However, there are economists such as Leroy Laney of First Hawai'ian Bank who believe the impact of the financial collapse will continue for a few more years. Growth in Hawai'i will be slow. Certainly, the Lehman effect on Japan will continue to impact Hawai'i's tourism industry. The weakness of the yen against the dollar is affecting the number of Japanese tourists coming to the state. Though paradoxically, fewer Japanese tourists are coming to the Islands but they are spending more.[33] Opening tourism to China and South Korea has proved beneficial. But, the rebound is soft.

Perhaps the biggest negative affecting Hawai'i that arose out of the economic collapse is the length of time it will take for the state to recover. Because of our isolation, high cost of living and our dependence on the value of foreign currency on our primary industry, we are more dependent than other American states on the recovery of the rest of the world.[34] However, federal spending has declined. In fact, all government spending is depressed.

---

33 Leroy O. Laney, *Assessing Tourism's Contribution to the Hawai'i Economy-First Hawai'ian Bank Economic Forecast, Special Report* (Hawai'i: Hawai'ian Bank, 2009), 7, https://www.fhb.com/en/assets/File/Marketing/FHB_Tourism_Study_09325.pdf

34 Ibid., 13.

Though decent housing for most Hawai'i's workers is almost nonexistent, more than 30 high rise towers are scheduled to be constructed on prime land in Honolulu. 5,000 units are being built in the central core of the city. Investors, for example, from China, Canada and the mainland US such as the Hughes Corporations are building units that range up to $100,000,000. The sad note is that virtually none of the new construction is affordable housing unless a studio apartment at $1,000,000 is considered affordable.

The Disney Corporation built a family resort, Aulani, on the leeward side of Oahu. Three more luxury hotels are scheduled for that area of Oahu. Hotels are renovating and more are converting to time shares. Unfortunately, the conversion to time share units does negatively affect the hotel workers because fewer workers are needed. [35]

Hawai'i is not out of the woods yet. But the recovery has begun. The state is enjoying increased number of tourists with new markets opening in South Korea and China to replace the decline in Japanese tourists. Mainland US tourists are also finding their way back to the Islands. [36] All is not well, however. The rich continue to get richer and the middle class continues to decline. For example, it is getting harder to find public school teachers to replace Hawai'i's retiring teachers because of the soaring high price homes, gasoline prices and other commodities. The majority of new teachers are coming into the state from the mainland United States. 51% of public school teachers leave after five years. This turnover costs the state approximately $25,000,000 every five years. Unfortunately, no legislator is willing to raise taxes to attract and keep teachers. [37]

---

35 *UNITE HERE Annual Report 2012* (New York: Unite Here, 2012), 21, http://unitearchivelibrary. cornell.edu

36 Janis L. Magin, "Recession's Impact on Tourism," *Pacific Business News*, September 20, 2012, http://www.bizjournals.com

37 Randy Hitz text to author, September 1, 2010.

So the worker in Hawai'i is still confronted with an uncertain future. Jobs are available in Hawai'i. However, if they are not in the construction industry, they tend to be unskilled, semi-skilled or low tech. Hawai'i cannot produce enough highly skilled workers to attract the higher paying tech industry. Those workers we do produce often relocate to less expensive mainland cities.

The recovery for Hawai'i will continue to be slow. Union jobs are fewer and fewer and all workers are struggling with a cost of living higher than the mainland's U.S. average. So, Hawai'i's workers are not out of the woods yet and may not be for years as we wait for the world's economy to recover.

The six major banks were too big to fail so now the operative question is: are Hawai'i's workers too powerless to succeed?

# リーマンブラザーズの財政破たんと<br>ハワイの労働者への影響

ハワイ州教員連盟
元エグゼクティブ・ディレクター

ジョウン・リー・ハステッド

ここにご紹介した論文は、2015年６月14日に宮崎公立大学において林弘子学長主催により行われたハワイ大学マノア校並びにハワイ大学カピオラニ・コミュニティカレッジとの学術交流協定調印式における国際シンポジウム「日米の生活・政策・文化」に寄せた論文を基にしている。[リーマンブラザーズの財政的破綻とハワイの労働者への影響] を論ずる前に、私とハワイについて紹介する。これは私の本文を理解する上で役に立つと思う。

私はいわゆる理論家ではなく、実践家である。私は40年以上も19の州にわたる教員の労働協約の労働組合を代表して交渉人をしてきた。生まれはミシガン州だが、かれこれ50年近くハワイで暮らしている。ハワイは、かつては独立国家であった。王制をとり、合衆国で２番目に古い公的な教育制度を確立した世界で最も教養と識字能力のある国であった。ところが、1880年代後半、ハワイは合衆国によって侵略され、リリウオカラニ女王は退位させられた。その後共和国となったが合衆国に併合され準州となった。そして1959年に合衆国の50番目の州となった。

ハワイは世界で最も孤立した居留区である。ハワイ州は、アメリカ本土から2,400マイル、日本から3,850マイル、中国から4,900マイル、フィリピンから5280マイルも離れたところに位置している。[1] この孤立は、不幸でもあり、神の恩恵でもある。隣接する国々からの悪い慣習に容易に染まらないという点では恩恵

1　ビジネス・経済開発・観光省．調査経済分析課．『ハワイ州データブック：統計概要』（ホノルル：ハワイ州．2014）．

であるが、良い慣習が入ってこないという点では禍いである。

2010年の合衆国人口調査によるとハワイ州の人種と民族の構成割合は、次のようになっている。

アジア系　38.6%
白人系　24.7%
ハワイ原住民系・太平洋諸島系　10%
黒人系　1.6%
アメリカ先住民系・アラスカ先住民系　3%
混血　23.6% [2]

ハワイは産業基盤がまったくない多様性に富む州である。トップを占める歳入源は、観光、軍隊、政府、農業である。歳入基盤が限られているために、景気の悪化は、周期的に島々を直撃するハリケーンのようにハワイの労働者を直撃する。

この背景を考えながらアメリカそしてまさに世界経済の金融崩壊に最も関連の強かった２つの企業は、リーマンブラザーズとゴールドマン・サックスである。この２つの企業は、それぞれ異なった理由で崩壊した。ゴールドマン・サックスはデリバティブ取引を行った、つまり、彼らは、経済市場に対して博打をうったのである。[3] この論文の中では、リーマンブラザーズの破綻に焦点を当てたい。リーマンブラザーズは保有していなかった資産に対して借り入れをして、サブ·プライム・ローンに融資した。通常サブプライム抵当は、余り返済を期待できない借り手に対する貸し付けを意味する。リーマンブラザーズは、信用度の低い低所得者層に対して頻繁に貸し付けをした。この原因は、低金利がリーマンによりリスクの高い投資をさせたためか、あるいは彼らがより高い運用益を払うようになったためであろうか、定かではない。2008年初頭、リーマンブラザーズは、サブプライム住宅ローン危機のため未曾有の損失に直面し

2　米国人口調査局,『2010年人口調査：ハワイ統計結果』（ワシントンD.C.：米国商務省, 2010）1
https://www2.census.gov/geo/pdfs/reference/guidestloc/15_Hawaii.pdf
3　ウィキペディア,「リーマン・ブラザーズの倒産」, 2016年１月19日、
https://en.wikipedia.org/wiki/Bankruptcy_of_Lehman_Brothers

た。リーマンブラザーズは通常の数の貸付金を保有し続けた。なぜ売却できなかったのか、何かの理由で保有することに決めたのか、それは分からない。金融界の一部では、リーマンブラザーズは危機の認識ができなくなっていたと信じられている。[4]

80億ドル以上の損失を抱えたリーマンブラザーズは、資金を集めるために会社の一部を処分し始めたが、最終的には2008年９月15日破産手続きを申請した、と報じた。破産申請は、金融市場に衝撃を与えた。アメリカの株式市場は、わずか一日で500ポイント下落した。多くの他の金融機関、そのすべを挙げることはできないが、リーマンブラザーズに連鎖した。JPモーガン、バークレー、ニューヨーク連邦準備銀行、野村ホールディングス、ニューヨークメロン銀行、プライマリー・リザーブ・ファンドなどの金融機関はいずれにせよ影響を受けた。[5]

ニューズウィークは、記事の中で次のように論じた。

「合衆国におけるアメリカ第４位の投資銀行の突然の破たんは、2007年にサブプライム貸し手が破たんし始めてから高まった一連の行為が集大成された最高のカタルシスであった。リーマンの破産が認められる前に、我々は、ベア・スターンズや大手のファニー・メイやフレディ・マックや・・AIGなど良く知られた企業の衝撃的な終焉を目の当たりにした。2008年の夏中、ヘンリー・ポールソン財務長官と連邦準備金制度は、構造的破綻と格闘した。事実、リーマンの崩壊は、ヒステリーのレベルを数段引き上げ、特に無担保の短期約束手形の大市場に前代未聞のことを引き起こした。だが、それは、一つだけでは済まなかった。リーマンが破たんしたその同じ日に、リーマン同様の大手のバンク・オブ・アメリカとメリル・リンチが・・・合併した。同じ週に、ゴールドマン・サックスとモルガン・スタンレーは銀行持株会社に移行したため、新たな信用枠を獲得した・・・」[6]

---

4　ヴィキペディア、『リーマン・ブラザーズの倒産』2016年１月19日、https://en.wikipedia.org/wiki/Bankruptcy_of_Lehman_Brothers

5　同上

6　ニューズヴィークスタッフ、『リーマンは如何に世界経済にショックを与えたか, 』『ニューズウィーク』、2009年９月13日.

「これらの金融機関は『大きすぎて倒産することはない』という表現が最も頻繁に使われていた。合衆国のすべてのローンの42パーセントとすべての債務の67％を６つの大手銀行がコントロールしているという事実に基づいている。銀行は、それらの合計資産以上の28倍、278兆ドルの債務を保有していた。」[7]　たとえ倒産した銀行があまりにも大きすぎる大手銀行であっても、1,400の小規模銀行も、その顧客に深刻な結果をもたらす倒産をすることとなった。リーマンリーマンブラザーズの破綻の破綻から学んだことは多いが、株は回復しても、人間は回復しないということは、その一つである。「2010年、裁判所は調査官を任命し、リーマンが彼らの財務状況の脆弱さを隠ぺいするために粉飾決算を行ったことは犯罪であると宣告した。」[8]

さらに『2008－2009年の大不況』について述べたい。

「2009年の初頭には、前年の秋に突然本格的となった世界的な金融危機が、第２の世界大恐慌に発展するかどうかは誰にも分からなかった。12か月後、大不況と呼ばれたものが終焉の兆しを示し、経済の底が回避されたように見えた。全体的にみると、民間の経済学者は、合衆国政府の目前にある危機への対応に米国と他の国々で立法化された救済を除いて拍手を送り、近い将来に世界経済に起こることを静観しているように見えた。

大不況の為に多くの主要な産業民主主義国は、停滞した経済を活性化するために策定された国内の政府プログラムを導入した。合衆国の一括7,870億ドルが最大であった。世界経済の展望は、年々見通しが明るくなってきたほとんどの国々にとって、大恐慌以降最も深刻であった不況を経て、2009年半ばには再び経済は成長に転じた。まれな例外として、中国は不況に陥らなかった。どちらかといえば、世界的不況は、世界経済の中における合衆国の支配に挑戦するという中国の明らかな野望に磨きをかけた。」[9]

---

7　マイケル スナイダー,「倒産するには大きすぎる合衆国の6つの銀行は278兆ドルのデリバティブの経済的リスクにさらされる」グローバルリサーチ, 2015年４月14日.

8　https://en.wikipedia.org/wiki/Lehman.Brothers

9　ジョエル ハーベマン,「2008－2009年の大不況：一年を回顧、」『ブリタニカ・ブックオブザイヤー』記載,（シカゴ：ブリタニカ百科事典）
http://www.britannica.com/topic/Great-Recession-of-2008-2009-The-1661642/The-USResponse

他の経済評論家は、日本経済の明らかな弱点を指摘した。日本経済に対する被害が発生し、2009年のＧＤＰは６％下落した。経済協力開発機構の30のメンバーの中で日本は、26位のトルコ、メキシコ、アイルランド、スロベニアと同格であった。日本における非正規労働の人口は38.7％に達した。[10] 日本における人的資源研究者、守屋貴司教授の話からすると、リーマン・ショックは未だに日本に影響しており、非正規労働者への影響は重大である。[11] 米ドルに対する信頼が崩れた時、日本の輸出にもそのマイナス影響が現れた。[12]

大型の緊急経済対策であったにもかかわらず、日本の政界の一部からは痛烈に批判された。ウォール・ストリート・ジャーナルが報じたように、

「当時の総理大臣で現在は財務大臣である麻生太郎氏は、15兆円以上の緊急経済対策を策定したが、インフラ計画に重点を置いたことは、無駄の多い公共支出の削減を求めることにつながった。

1990年代後半の銀行危機以降相対的に信用が低下していた日本の金融機関にとって、2008年の金融危機は復興の機会をもたらした。リーマンが破たんして、日本で最大の銀行三菱UFJフィナンシャルグループは、当時必死に現金を必要としていたモーガン・スタンレーの20％の債権を買うために90億ドルを投じる決定をした。」[13]

財政的に策を弄したことがハワイに与えた影響は何だったのだろうか？観光はハワイ経済の中心である。それは経済の約３分の１を占めていたが、2009年の１月から６月までに15％下落した。[14] また、全ての観光旅行者の活動を支援する観光業界が最大の被害を受けた。ホテル産業不動産市場の迅速な検討は、

10 内閣統計局,『日本統計便覧』（東京：総務省）2013　134,
https://www.stat.go.jp/english/data/handbook/pdf/2013all.pdf

11 タカシ モリヤ「アメリカの金融会社、リーマン・ブラザーズ・ホールディングス破綻後の日本企業の人的資源管理と労働の変容と問題、」『立命館ビジネスレビュー、』52巻2－3号（2013）：315－328.

12 タカシ ナカミチ, アツコ フカエ ,「五年経過後、日本は危機からの回復を見る」『ウォール・ストリート・ジャーナル、』2013年９月14日.

13 同上

14 リーロイ O. レイニー ,『ハワイ経済への観光産業の影響を査定―ファースト・ハワイアン・バンク景気予測 スペシャルレポート』（ハワイ：ファースト・ハワイアン・バンク 2009）, 1,
https://www.fhb.com/en/assets/File/Marketing/FHB_Tourism_Study_093d25.pdf

地方の市場におけるリーマンブラザーズとゴールドマン・サックス両社の崩壊のトラウマを浮き彫りにした。

「抵当権が設定されたハワイのホテル：ハワイのホテルビジネスは10億ドルを超える負債である」と報告されたように、「未だに、順調な速さで復調しているグループは一つもない。リゾートやホテルの所有者は、ローンを支払うことができず、差し押さえを懸命に食い止めている。銀行やその他の差し押さえも、入口まで来ていたが、所有者の中には、経済的な現実に屈服して、貸し手にすべてを委ねた者もいた。」[15]

大不況が続いた数年間で、借り手は貸し手に財産を引き渡したのである。ハワイも例外ではなかった。借り手が貸し手に財産を引き渡したホテルのリストの一部には、オアフ島の858エーカーのタートル・ベイ・リゾート、540室を持つハワイ島のフェアモント・オーキッドなどが含まれていた。さらに、カウアイ島のリッツ・カールトンやフォーシーズンズなどもリストラを経験した。

ハワイの不動産物件の販売価格は、衝撃的であった。6,880万ドルで購入されたアストン・カウアイ・ホテルは不良債権で債務不履行に陥り、最終的には3,880万ドルで売却された。４億1,750万ドルのローンを抱えたマケナビーチ・ホテルとゴルフリゾートは、9,500万ドルで売却された。

リアル・キャピタルは、ハワイでのホテルローンで20億９千万ドルが返済不能に陥っており、不動産物１件当り１億7,400万ドルに当り、全米で最高額であると分析していた。ホテルの多くは1990年代の日本の不況時に購入されたものである。[16] さらにリアル・キャピタルの上級アナリストのベン・タイピンは、「ハワイの状態は、関係した不動産の数ではなく、ホテルの価値とサイズの機能である。例えば、ネバダでは、経営難が確認されたホテルは59であり、カリフォルニアでは239ある。ハワイのホテルもリストにあり、全国的な経営難のホテ

15 グレッグ ワイルズ，「差し押さえられたハワイのホテル：ハワイのホテルのオーナーたちは何十億ドルもの期限の切れた負債を抱えている」『ハワイ・ビジネス』2011年２月３日、http://www.hawaiibusiness.com/hawaii-hotels-in-foreclosure/

16 同上

ルの負債323億ドルの一部である」と言った。[17]

ハワイ大学の経済学者ポール・ブルーベイカー博士は、公的な発言の場で、ハワイの一人当たりの実質個人所得の減速は、合衆国本土よりさらに深刻であった、と述べた。加えて、連邦の民間雇用は減少し、住宅の新築は減少し続けた。

ハワイ州内自体でも、水面下の含み損が、その醜い鎌首をもたげていた。含み損とは、担保された物件の本当の価値より高く貸付をしたということだ。一部のハワイの経済学者は、含み損のいくつかは1990年代[18]の日本のバブルと同じくらいの大きさのサブプライムの崩壊の原因となる可能性があると考えている。1990年代のハワイにおける日本人の不動産物件購入による投資は、住宅や分譲マンションの価格を吊り上げ、地元住民に驚くべき利益をもたらしたが、彼らは、新しい不動産を購入したためにかなりの住宅ローンを抱えたのである。

ハワイの主要銀行は国際的な連携があったが、しかし、サブプライム住宅ローンの申し出をすることに強く抵抗した。例えば、バンクオブハワイは、いかなるサブプライム住宅ローンも行わなかった。さらに、多くの島民は、完済できないと解っている住宅ローンに申し込みたがらなかった。確かに融資を受け入れることに抵抗があった理由の一部は、われわれのアジア人としての強い民族的背景が関係している。しかし、他の州のサブプライム住宅ローンの崩壊は、主にハワイの観光部門に影響を与えた。[19]

また一方、州には、差し押さえの危機があった。失業が原因で、差し押さえが増加した。訴訟の急増は裁判所を機能不全にした。それに対して議会は、差

17 グレッグ ワイルズ「差し押さえられたハワイのホテル：ハワイのホテルのオーナーたちは何十億ドルもの期限の切れた負債を抱えている、」『ハワイ・ビジネス』2011年２月３日，http://www.hawaiibusiness.com/hawaii-hotels-in-foreclosure/

18 ポール H. ブルーベイカー博士，「ハワイの大不況から復調のきざし、」2009年８月21日，ハワイ大学経済調査機構
https://www.uhero.hawaii.edu/assets/Hawaii50ForecastBrewbaker.pdf

19 https:/en.wikipedia.org/wiki/Bank_of_Hawai'i.

し押さえから調停に移行できるように広範な法律を通過させた。新たな法律によって差し押さえが今までより迅速になった。[20]

世界経済の破たんは、多数の企業を破産させ、多くの企業はその活動を大幅に削減し、どん底にまで追いやった。2009年、経済的内部崩壊によるドミノ落下は、観光産業に打撃を与え、その範囲は想像を超えていた。

・ハワイでトップクラスの航空会社の一つ、アロハ航空が倒産し、2,700人の従業員が職を失った。
・日本チャーター航空、ATAは破産を申請し、ハワイ便を終了した。
・クルーズ船業界は、島のクルーズ船の数を一隻まで減らした。[21]

経済的凍結は深く根を下ろし、物事は単純に「悪い」から「もっと悪い」に変わった。観光産業は他の産業部門（軍隊は例外であった）と同じように、身をひそめ、困難な時期を乗り切ろうとした。ハワイの労働者への影響は深刻で悲痛であり、ハワイの歴史の中でも前例のないものであった。ハワイで第一位の産業部門である観光業は、凄まじい打撃を受けた。ホテルで働く多くの従業員が、解雇されるか、労働時間を大幅に短縮された。深刻な不況の影響は、個人や企業の所得や旅行に現れた。チャリティへの寄付は激減した。2009年に寄付金募金を始めたアロハ・ユナイテッド・ウェイは、２年前の1,700万ドルから900万ドルに激減した。AIGのような企業は、非常時に何もせずに浪費している、という一般的な批判を回避するために、チャリテイゴルフトーナメントに加わらなかった。[22]

合衆国本土や世界的市場における消極的な動きは、組合労働者と非組合労働者双方に決定的な影響を与えた。ハワイが受けた影響は、他に比べて壊滅的で

20「ハワイの広域担保権執行法が裁判や住宅市場を停滞させる、」『ザ・ハフィントン・ポスト』，2001年7月5日，1.

21 リーロイ　O. レイニー，『ハワイ経済への観光産業の影響を査定ーファースト・ハワイアン・バンク景気予測 スペシャルレポート』（ハワイ：ファースト・ハワイアン・バンク 2009），1.
https://www.fhb.com/en/assets/File/Marketing/FHB_Tourism_Study_09325.pdf

22 アロハ・ユナイテッド・ウェイ，『コミュニティ年次報告書』（ホノルル：アロハ・ユナイテッド・ウェイ 2011）.

はなかったが、深刻であった。

ハワイ州の失業率は7.4%に跳ね上がり、全米平均よりは低かったが、過去31年間で最も高くなった。失業者は、41,600人となった。[23] 観光事業に直接従事する業務だけではなく、観光事業を支える、例えば、小売業・レストラン・タクシー業界などでも失業は深刻であった。経済学者は、地域的にも全国的にも州の総生産の約25%を観光事業が占めていると推計しており、観光事業への影響は明らかであった。[24]

不動産や建設業は、大きな打撃を受けた。住宅の購入は2009年には46.5%まで下落し、分譲マンションの販売は50.6%まで落ちこんだ。[25] ハワイ大工組合は、組合員の70%以上が就労していないと公表し、2009年に建設業は停止状態になった。[26]

州の税収は10%落ち込み、ハワイ初の共和党知事リンダ・リングルは800万ドルの赤字予算でスタートしなければならなかった。リングル知事の解決策は、1000人を超える公務員の一時解雇であり、多くの労働者の一時帰休であった。2009年公務員は、毎年２年間、５%の賃金カットを求められた。例えば教師が全面的に給与の削減を拒否した場合、そのカットは、２年間毎年、生徒の学年度の授業数を17日削減することと、教師を無償で家に派遣することで実現された。一時帰休を受け入れた教師への反発は信じ難いほどのものであり、結果として最小限の教育時間を維持するために、今後一時帰休を認めない議会命令が出された。不幸なことに、その命令は教員の労働協約に違反するものであった。

2010年に革新的な民主党の知事が選出され、ハワイの労働者は救済された。しかし、選挙の裏の意味は、すぐに、ハワイの労働者を愕然とさせた。ニール・

---

23 ジョン E. コナフトン & ロナルド A. マドセン.「2008年−2009年の不況が合衆国の州や地方に与えた経済的影響」,『地域別分析・政策ジャーナル』42巻3号,(2012):177−187.

24 リーロイ O. レイニー,『ハワイ経済への観光産業の影響を査定−ファースト・ハワイアン・バンク景気予測 スペシャルレポート』(ハワイ:ファースト・ハワイアン・バンク 2009)、1
https://www.fhb.com/en/assets/File/Marketing/FHB_Tourism_Study_09325.pdf

25 ポール H. ブルーベイカー　博士,「2014年ハワイの経済的課題、」 ハワイ経済団体.

26「大工の人口統計、」『大工のニューズレター,』2009年9月.

アバクロンビー新知事は、税収の損失補填のために、年金の課税を含む大幅な犠牲を求めた。さらに労働協約の交渉中、彼は公立学校の教師たちに、これまで決して使用されたことのない方策、**最後で最良の提案**を押し付けた。最後で最良の最終提案とは、使用者がその最終提案を一方的に強要するというものである。激怒した教師たちは、アバクロンビー知事が次の選挙に出馬する際には、落選させると断言した。実際、知事は高い代償を払い、再選選挙では、合衆国の在職知事としてかつてない35％ポイントの大量差で敗北した。[27]

ハワイでは、公共・民間両部門で、組合員数は減り続けている。リーマンブラザーズの破たん前は、ハワイの労働者の24.7％が労働組合に加入しており、合衆国では２番目の高さであった。[28] 2015年には、給料も低く、付加給付も少ない労働組合のない職場に就労する労働者の数が増えていることを企業が認識しているように、今日、ハワイの組合加入率は、国内で第４位の20.4％[29]に下がった。

しかし、賃金カットと公務員と民間労働者の失業はその影響の一部に過ぎなかった。在庫不足と価格高騰のために、手ごろな価格の住宅がほとんどない状態になり、2009年の住宅の中間価格は、約53万9,000ドルになった。[30] 2015年の住宅の平均価格は、一部は在庫不足で69万9,000ドルから80万ドルに高騰した。ハワイ・アップルシード法と経済正義センターは、手ごろな家賃は、世帯収入の30％以下であると報告している。地域中間所得（エリア・ミデイアム・インカム＝ＡＭＩ）に基づくとハワイの最低所得は、１万6,200ドルであり、非常に低所得（ＡＭＩの50％の２万7,000ドル）、そして低所得あるいはＡＭＩの

27 イーアン ロベット,「ハワイ州知事は予備選挙で大敗；上院の選挙戦は未決着、」『ニューヨークタイムズ、』2014年８月11日.

28 米国労働統計局,『ニューズ』（ワシントンD.C.：米国労働省）2007年１月25日，2, union2_01252007.pdf

29 米国労働統計局、『2018年ハワイの労働組合員』（ワシントンD.C: 米国労働省), 2019年3月20日, 1. https://www.bls.gov/regions/west/news-release/unionmembership_hawaii.htm

30 リーロイ O. レイニー,『ハワイ経済への観光産業の影響を査定−ファースト・ハワイアン・バンク景気予測 スペシャルレポート』（ハワイ：ファースト・ハワイアン・バンク, 2009)、8、https://www.fhb.com/en/assets/File/Marketing/FHB_Tourism_Study_09325.pdf

80％は４万3,250ドルである。[31]

アップルシードセンターは、適正な市場価格でハワイの労働者が２部屋の寝室のあるアパートを買うためには、年収６万５千ドルなければならないと見積もっている。一部のハワイの労働者の平均年収と比較してほしい：

・教師：５万4,890ドル
・建設労働者：４万9,820ドル
・警察官：５万7,000ドル
・家政婦：３万1,740ドル
・小売業者：２万5,610ドル [32]

これらの数字がすべてを物語っている。働いていても貧しい人たちは、手ごろな価格の住宅を手に入れることができないために、低所得労働者のホームレス問題は、恥ずべきレベルにまで達している。ハワイで増加しているホームレス地帯は、オアフの全ての場所に影響を与えている。彼らは特にワイキキや中心都市で急激に膨れ上がった。ホームレスは州の不名誉となっている。

信じるかどうかは別として、良いニュースもいくつかある。建築部門は、オアフでの建築の大量輸送、無数の高層ビル、新分譲地などが原因となって好景気である。観光事業は活発ではないが立ち直ろうとしている。2015年が、観光事業の記録的な年になる可能性もある。しかしながら、ファースト・ハワイアン・バンクのリーロイ・レイニーのように、まだ２～３年は財政破たんの影響は続くだろうと考えている経済学者たちもいる。ハワイの発展は緩やかである。日本が受けたリーマンの影響は確実に、継続的にハワイの観光産業に影響を与えている。ドルに対する円の弱さは、多くの日本人観光客の合衆国への渡

31『ハワイの適正価格住宅の危機』（ホノルル：法的経済的正義のハワイ・アップルシード・センター，2014) 4-6、
http://www.hiappleseed.org/sites/default/files/14%200707%20Housing%20Crisis%20Report%20(web)520(FINAL)pdf

32『ハワイの適正価格住宅の危機』，（ホノルル：法的経済的正義のハワイ・アップルシード・センター，2014)，8.
http://www.hiappleseed.org/sites/default/files/14%200707%20Housing%20Crisis%20Report%20(web)520(FINAL)pdf

航に影響を及ぼしている。逆説的ではあるが、島に来る日本人の観光客は少ないが、彼らが消費する金額は大きいのである。[33] 中国や韓国からの観光事業の開始が、収益を上げたことは明らかである。しかし、回復は緩やかである。

多分、経済的崩壊から受けた最も大きいハワイのネガティブな影響は、州が経済回復するための時間がさらにかかるようになったことである。ハワイは隔離され、物価が高く、第一次産業が外貨に頼っているために、ハワイは他のアメリカの州に比べて、世界の他の地域の回復により多く依存している。[34] しかし、連邦政府歳費は減少した。実際に、全ての政府歳費は抑制された。

大部分のハワイの労働者にとって手ごろな住宅は殆どないが、30階以上の複数の高層タワーが、ホノルルの一等地に建設予定である。5,000ユニットが市の中核に建てられている。例えば、中国、カナダ、そしてヒューズ社のような合衆国本土からの投資家が、１億ドルに及ぶユニットを建てている。悲しいことに手頃と考えられる100万ドルのワンルームアパートを除けば、事実上、新しい建物はどれ一つとして購入可能な価格の住宅ではなかった。

ディズニー社が、オアフの風下側のアウラニに家族向けのリゾートを建設した。その地域にさらに３つの豪華なホテルが建設される予定である。ホテル業界は回復しつつあり、タイムシェア方式に転換するものが増えている。残念なことに、タイムシェアユニットへの転換は、必要な従業員が減少するために、ホテルの労働者にはマイナスの影響を与えたのである。[35]

ハワイは、まだ困難から脱却できていない。しかし、立ち直り始めている。日本人観光客は減少したが、新たに開かれた韓国や中国からの観光客の増加を

---

33 リーロイ O. レイニー,『ハワイ経済への観光産業の影響を査定―ファースト・ハワイアン・バンク景気予測スペシャルレポート』(ハワイ：ファースト・ハワイアン・バンク, 2009)、7.
https://www.fhb.com/en/assets/File/Marketing/FHB_Tourism_Study_09325.pdf

34 同前所収, 13.

35『ユナイト・ヒアー年鑑 2012』(ニューヨーク：ユナイト・ヒア 2012), 21,
http://unitearchivelibrary.cornell.edu

歓迎している。合衆国本土の観光客もまた、ハワイに戻ってきている。[36] しかしすべてが良くなっているということではなく、富裕層はますます豊かになっているが、中間層は下落し続けている。例えば、住宅、ガソリン、そしてその他の生活必需品がうなぎ上りに高騰していることから、ハワイでは退職教師の後任となる公立学校の教師を見つけることはますます困難になっている。新任の教師の大半は合衆国本土から来ている。ハワイの公立学校の教師の51.5％は、５年後には退職する。退職者の補充用のための費用は、５年ごとに州に約2,500万ドルの負担を強いるのである。残念ながら教師を採用し、雇用を継続するために増税しようとする国会議員はいないのである。[37]

従ってハワイの労働者の将来は、いまだ不安定である。建設産業に限定しなければ、非熟練か、半熟練か、低い技術レベルであっても、ハワイで仕事に就くことは可能である。しかしハワイでは、より賃金の高い技術産業で働く高い技能の労働者を創出することはあまりできない。我々が生み出したこうした労働者は、しばしば本土の物価が安い都市へ移住してしまう。

ハワイの復調はいまだに緩やかである。組合の仕事はますます少なくなり、全ての労働者は、合衆国本土の平均より高い生活費に苦しめられている。ハワイの労働者はいまだに困難から脱却できず、世界の経済の再生には何年もかかるであろう。

６つの主要銀行が破産するにはあまりにも大きすぎるのであれば、最も適切な問は：ハワイの労働者は成功するにはあまりにも弱すぎるという事であろうか？

---

36 ジャニス L. マギン,「観光産業への不況の影響」『パシフィック・ビジネス・ニュース、』2012年9月20日. http://www.bizjournals.com

37 ランディ ハイツ, 著者に送信, 2010年9月1日.

## Bibliography
## 引用・参考文献

Aloha United Way. *Annual Report to the Community*. Honolulu: Aloha United Way,2011.
［アロハ・ユナイテッド・ウェイ．『コミュニティ年次報告書』ホノルル：アロハ・ユナイテッド・ウェイ，2011.］

Brewbaker, Paul H., Ph.D. "A few aspects of Hawaii's Recovery from the Great Recession." UHERO, August 21, 2009,
https://www.uhero.hawaii.edu/assets/Hawaii50ForecastBrewbaker.pdf
［ブルーベイカー，ポール・H. 博士「ハワイの大不況から復調のきさし、」ハワイ大学経済調査機構（UHERO），2009年８月21日.］

Brewbaker, Paul H., Ph.D. "Hawaii Economic Challenges in 2014." Hawaii Economic Association, 2014.
［ブルーベイカー，ポール・H. 博士．2014年ハワイの経済的課題.ハワイ経済団体、2014.］

Connaughton, John E. and Ronald A. Madsen. "The U.S. State and Regional Economic Impact of the 2008-2009 Recession." Journal of Regional Analysis and Policy, 42, No. 3 (2012): 177-187.
［ココナフトン，ジョン & E、ロナルド・A.・マドセン.「2008年－2009年の不況が米国の州や地域に与えた経済的影響」『地域別分析と政策ジャーナル、』42巻3号.（2012）：177－187.］

Department of Business, Economic Development and Tourism. Research and Economic Analysis Division, Statistics and Data Support Branch. *2013 State Data Book: A Statistical Abstract*. Honolulu: State of Hawaii, 2014.
［ビジネス・経済開発・観光省、調査経済分析局、統計資料支援課.『2013年州データブック：統計概要』ホノルル：ハワイ州、2014.］
https:/en.wikipedia.org/wiki/Bank_of_Hawaii

Hawai'i's *Affordable Housing Crisis*. Honolulu: Hawaii Appleseed Center for Law and Economic Justice, 2014.
http://www.hiappleseed.org/sites/default/files/14%200707%20Housing%20Crisis%20Report%20(web)520(FINAL)pdf.
［『ハワイの適正価格住宅の危機』．ホノルル：法的経済的正義のハワイ・アップルシード・センター，2014.］

https://en.wikipedia.org/wiki/Lehman.Brothers

"Hawaii's Extensive Foreclosure Law Clogging the Courts, Housing Market." *The Huffington Post*, July 5, 2001.
[「ハワイの広域担保権執行法が裁判や住宅市場を停滞させる、」『ザ・ハフィントン・ポスト、』2001年7月5日.]

Havemann, Joel. "The Great Recession of 2008-2009: Year in Review." In *The Britannica Book of the Year*. Chicago: The Encyclopedia Britannica.
http://www.britannica.com/topic/Great-Recession-of-2008-2009-The-1661642/The-US-Response
[ハーベマン, ジョエル.「2008－2009年の大不況：一年を回顧.」『ブリタニカ・ブックオブザイヤー』シカゴ：ブリタニカ百科事典.]

Laney, Leroy O. *Assessing Tourism's Contribution to the Hawaii Economy-First Hawaiian Bank Economic Forecast, Special Report*. Hawaii: First Hawaiian Bank,2009.
https://www.fhb.com/en/assets/File/Marketing/FHB_Tourism_Study_093d25.pdf
[レイニー, リーロイ・O.『ハワイ経済への観光産業の影響を査定―ファースト・ハワイアン・バンク景気予測 スペシャルレポート』. ハワイ：ファースト・ハワイアン・バンク、2009.]

Lovett, Ian. "Hawaiian Governor Loses Primary by Wide Margin; Senate Race is Undecided." New York Times, August 11.
https://www.nytimes.com/2014/08/11/us/politics/Hawaii-primary.html
[ロベット, イーアン.「ハワイ州知事は予備選挙で大敗；上院の選挙戦は未決着.」『ニューヨークタイムズ、』2014年8月11日.]

Magin, Janis L. "Recession's Impact on Tourism." Pacific Business News (2012).
http://www.bizjournals.com
[マギン, ジャニーズ・L.「観光産業への不況の影響、」『パシフィック・ビジネス・ニュース』(2012).]

Moriya, Takashi. "Changes and Problems in HRM and Labor in Japanese Companies after the Collapse of the American Finance House-Lehman Brothers Holdings Inc." *The Ritsumeikan Business Review*, 52, No. 2-3(2013): 315-328.
[モリヤ, タカシ「アメリカの金融会社リーマン・ブラザーズ・ホールディングス破綻後の日本企業の人的資源管理と労働の変容と問題、」『立命館ビジネスレビュ、』52巻2－3号, (2013)：315－328.]

Nakamichi, Takashi, and Atsuko Fukae 2013. “Five Years on. Japan Eyes Recover From Crisis.” *The Wall Street Journal,* September 14, 2013.
［ナカミチ，タカシ ＆ アツコ・フカエ．2013.「五年経過後、日本は危機からの回復を見る」『ウォール・ストリート・ジャーナル、』2013年９月14日．］

Newsweek Staff “How Lehman Shook the Global Economy.” *Newsweek,* September 13, 2009.
http://www.newsweek.com/how-lehman-shook-global-economy-79633
［ニューズウィーク スタッフ．「リーマンは如何に世界経済にショックを与えたか．」『ニューズウィーク』2009年９月13日．］

Snyder, Michael. “The Six Too Big to Fail Banks in the U.S. have 278 Trillion Dollars of Exposures to Derivatives.” *Global Research,* April 14, 2015.
https://www.globalresearch.ca/-the-six-too-big-to-fail-banks-in-the-us-have-278-trillion-dollars-of –exposure-to-derivatives/5542764
［スナイダー，マイケル．「倒産するには大きすぎる合衆国の６つの銀行は278兆ドルのデリバティブの経済的リスクにさらされる．」『グローバルリサーチ』2015年４月14日．］

Statistics Bureau. *Statistical Handbook of Japan.* Tokyo: Ministry of Internal Affairs and Communications, 2013.
https://www.stat.go.jp/english/data/handbook/pdf/2013all.pdf
［内閣統計局『日本統計便覧』．東京：総務省，2013.］

*UNITE HERE Annual Report* 2012. New York: United Here, 2012.
http://unitearchivelibrary.cornell.edu
［『ユナイト・ヒア年鑑 2012.』ニューヨーク：ユナイト・ヒア　2012.］

U.S. Bureau of Labor Statistics. *News.* Washington, D.C.: United States Department of Labor, 2007. union2_01252007.pdf
［米国労働統計局．『ニュース』．ワシントンD.C.：米国労働省，2007］
union2_01252007.pdf

U.S. Bureau of Labor Statistics. *Union Members in Hawai'i-2018.* Washington, D.C.: United States Department of Labor, 2019.
https://www.bls.gov/regions/west/news-release/unionmembership_hawaii.htm
［米国労働統計局『2018年ハワイの労働組合員』．ワシントンD.C.：米国労働省 2019］

US Census Bureau. *2010 Census: Hawai'i Profile.* Washington D.C.: Department of Commerce, 2010.
https://www2.census.gov/geo/pdfs/reference/guidestloc/15_Hawaii.pdf［米国人口調査局『2010年人口調査：ハワイ統計結果』. ワシントンD.C.：米国商務省、2010.］

Wikipedia. "Bankruptcy of Lehman Brothers."
https://en.wikipedia.org/wiki/Bankruptcy_of_Lehman_Brothers［ウィキペディア.「リーマン・ブラザーズの倒産.」］

Wiles, Gred. "Hawaii Hotels in Foreclosure." *Hawaii Business*, February 3, 2011.
http://www.hawaiibusiness.com/hawaii-hotels-in-foreclosure.［ワイルズ, グレッグ,「差し押さえられたハワイのホテル」『ハワイ・ビジネス、』2011年2月3日.］

# The Power of Women in U.S. Politics

Stephanie A. Weston
Professor International Relations
Faculty of Law
Fukuoka University

## Summary

Concerning U.S. life, politics and culture, the political empowerment of women is increasingly important to ensure the advancement of women in society, protection of human rights and support of equal opportunities for all beyond religion, race and or gender. As two prominent women - Hillary Clinton, former U.S. Senator and Secretary of State and Carly Fiorina, a former Hewlett Packard CEO (later withdrew her candidacy in February, 2016) – were running for U.S. President, it was a great time to examine how U.S. women can or have influenced politics as private citizens, first ladies and or publicly elected officials. Specifically, I analyze my topic through two lenses. The first is through the general political empowerment of U.S. women and the second is through the actions of two powerful change agents - former first ladies -Eleanor Roosevelt and Hillary Clinton respectively.

An abbreviated version of this previously unpublished paper was presented at a commemorative international symposium" Life, Politics and Culture in the U.S. and Japan," organized by Miyazaki Municipal University (MMU) President Hiroko Hayashi to celebrate the International Academic Exchange Agreements with University of Hawai'i at Manoa, IRC and University of Hawai'i Kapi'olani Community College. The international symposium was held on June 14, 2015 at MMU in Miyazaki, Japan.

## Introduction

In the U.S., life, politics and culture have continued to evolve since the founding of our nation. As a baby boomer, it is quite amazing to see how the U.S. has changed in my lifetime so far. In 1954, the year I was born, there was a landmark U.S. Supreme Court case called Brown vs. (Board of Education of) Topeka which struck down state sponsored segregation in public education. And in 2015, an African American president was serving his second term in the White House. Four years before I was born, President Dwight D. Eisenhower was in the White House and women made up 34% [1] of the workforce. Now, women make up 57% of the workforce [2] and the double income couple is the norm. When I was less than ten years old, the civil rights movement in the U.S. focused largely on black vs. white but now the dialogue on civil rights continues to expand and diversify to embrace more fully the human rights of various minorities. Moreover, when I was growing up, the traditional family lifestyle was celebrated, but now various lifestyles are becoming more accepted in mainstream society.

Amidst the above shifts in U.S. society, the political empowerment of women is increasingly important to ensure the advance of women in society, protection of their human rights and support of equal opportunities for all beyond race, religion and or gender. As two prominent women - Hillary Clinton, former U.S. Senator and Secretary of State and Carly Fiorina, a former Hewlett Packard CEO (later withdrew her candidacy in February, 2016) – were running for U.S. President, it was a good time to examine how U.S. women can or have influenced politics as private citizens, first ladies and or publicly elected officials. No matter which of these hats we wear, women importantly represent half of the U.S. population and have the potential to effect change. With this background in

1 Miltra Tossi, "Labor Force Change, 1950-2050," *Monthly Labor Review* (2002): par. 4 , http://www.bls.gov/opub/mlr/2002/05/art2full.pdf

2 U.S. States Department of Labor, *Data & Statistics* (Washington D.C.: DOL, 2015), 1. http://www.dol.gov/wb/stats_data.htm

mind, I would like to specifically talk about [The Power of Women in U.S. Politics] through two lenses. The first is through the general political empowerment of U.S. women and the second is through two powerful change agents -Former First Ladies- Eleanor Roosevelt and Hillary Clinton respectively.

## Political Empowerment of U.S. Women

If we think about the general political empowerment of women, the U.S. is still not ranked number one worldwide in terms of women's power in politics. However, U.S. women have come a long way from the Women's Convention at Seneca Falls, N.Y. in 1848 which formally called for U.S. women's right to vote. Prior to that, the suffrage movement in the U.S. advocated for various social issues including the right to franchise women. As you know the U.S. finally gave all women the right to vote in 1920 through the 19th Amendment to the U.S. constitution.

Since then, there have been many milestones towards the political empowerment of U.S. women. I have learned one way to frame women's participation in politics is to examine three kinds of women's representation – "1) **Formal representation** which requires any barriers to formal decision making to be eliminated; 2) **Descriptive representation** which requires "formal political equality"; namely, legislative and executive presence reflective of women's numbers in the population and 3) **Substantive representation** which requires that politicians speak for and act to support women's issues." [3]

If we think about these three kinds of representation, we can affirm that the U.S. has advanced on all three. Concerning formal representation, however, women still encounter high hurdles to enter politics including the 'jostling of family life and political office; the increasingly high costs of a political campaign; struggling inside a still male dominated world; gender based stereotypes and politics; cultural traditions, politi-

3 Pamela Paxton and Melanie M. Hughes, *Women, Politics, and Power* (London: Sage, 2014), 9-17.

cal parties' recruitment of potential female candidates, self-assessment of qualifications for political office, regional political culture, money, free time, civic skills, informal networks, the impact of social structure, lack of political ambition and mass media treatment among other reasons.'[4]

Concerning descriptive representation, if we look at the Inter-Parliamentary Union ranking of women in executive and legislative branches, the U.S. ranks higher for ministers at 29th but 73rd for its members of Congress.[5] 'Specifically, in 2015, women currently only held 104 or 19.4% of the 535 seats in the 114th U.S. Congress – 20 or 20% of the 100 seats in the Senate and 84 seats or 19.3% of the 435 seats in the fem House of Representatives.'[6] If we compare the number of women in state legislatures as compared to the U.S. Congress, the percentage is higher. For example, 'In 2015, 1,786 or 24.2% of the 7,383 state legislators were women. Women held 436 or 22.1% of the 1,972 state senate seats and 1,350 or 24.9% of the 5,411 state house or assembly seats. Since 1971, the number of women has more than quintupled.'[7]

Returning to the example of our U.S. Congress, we must recognize that there have already been many milestones reached by women politicians. Impressively, Nancy Pelosi became the Madame Speaker of the House of Representatives in 2007, after serving as the first female House of Representatives Democratic Whip and head of her party. Interestingly, Patsy Matsu Takemoto Mink, a Democrat from Hawaii, was the first woman of Asian descent as well as the first woman from Hawaii ever to serve in the U.S. House of Representatives in 1965. Another important milestone occurred when Carol Moseley Braun, another Democrat, became the first African American woman to be elected to the U.S. Sen-

---

4 Pamela Paxton and Melanie M. Hughes, *Women, Politics, and Power* (London: Sage, 2014), 100-182.

5 Inter-Parliamentary Union, *Sluggish Progress on Women in Politics will hamper Development* (Geneva: IPU, 2015), 1,
http:// www.ipu.org/press-e/pressrelease201503101.htm

6 CAWP, "Women in Elective Office 2015," 2015,1,
http://www.cawp.rutgers.edu/fast_facts/levels_of_office/documents/elective.pdf

7 CAWP, "Women in State Legislatures," 2015, 1,
http://www.cawp.rutgers/fast_facts/levels_of_office/documents/stleg.pdf

ate. Moreover, in 2012, New Hampshire became the first state to have a complete female U.S. Congressional delegation in addition to a female governor. Although there have been many more historic advancements at the national and state legislative levels, "women are still underrepresented and represented unequally across the U.S." [8]

While legislative representation is key to descriptive representation, women's presence in the executive branch of government is also important. For example, as of June 2014, "six women had currently served in the Obama administration in cabinet or cabinet-level positions. 47 women have held a total of 53 cabinet level appointments in the history of the U.S." [9] The first woman ever in a U.S. Presidential Cabinet was Francis Perkins appointed in 1933, serving until 1945 as the Labor Secretary in all four of Franklin Delano Roosevelt or FDR's administrations.

Under the administration of President Jimmy Carter, Patricia Roberts, the first African American women to serve in a presidential cabinet, became the Secretary of Housing and Urban Development. Under the Bill Clinton administration, Janet Reno became the first woman to serve as the U.S. Attorney General and Madeleine K. Albright, the first female Secretary of State. Under the George W. Bush administration, Condolezza Rice became the first woman as well as African American to hold the post of National Security Advisor and the second female U.S. Secretary of State. President George W. Bush also appointed women for the first time to the cabinet posts of the Interior, Agriculture and the Environmental Protection Agency.

Under the first Obama administration, the Speaker of the House and the Secretary of State, the 3rd and 4th persons in line for the U.S. Presidency were, without precedent, women. Of course, a woman has yet to become a U.S. Secretary of Defense, Vice President or President. However, in 2008, it was the first time to have one woman–former U.S.

---

8 Sue Thomas and Clyde Wilcox, ed., *Women and Elective Office Past, Present, and Future* (N.Y.: Oxford University Press, 2014), 11.

9 CAWP, "Fact Sheet Women Appointed to Presidential Cabinets," 2014, 1-7, http://www.cawp.rutgers.edu/fast_facts/levels_of_office/documents/prescabinet.pdf

Senator Hillary Clinton – running for the Presidency on the Democratic ticket and another woman – former Alaska Governor Sarah Palin running for Vice President on the Republican ticket. Neither would make it into the White House in 2009 but the door towards a female President or Vice President was further opened.

Beyond the gradual increasing of formal political equality for women in the legislative and executive branches, the number of women as Supreme Court Justices have also increased. Until now, a total of four women have served as associate justices. However, Associate Justice Sandra Day O'Connor has already retired, leaving three remaining female justices out of a total of nine justices including the Chief Justice. Two out of the three remaining Associate Justices were appointed by the Obama Administration and one under the Clinton Administration. Having women well represented in all three branches of national or local government is important for executing laws and policies as well as creating and interpreting laws respectively for the protection of rights as well as provision of equal opportunities for women.

So far, we have spoken about the first and second kinds of representation concerning women. The third kind of women's representation or substantive representation is also important. How politicians speak and act for women's issues such as reproductive health, education, abortion, health care, family values is impacted by many factors. Some of those include'political orientation, religious beliefs, traditional values, gender, marital status and race.' At the same time, the divisiveness of these issues for the empowerment of women in the U.S., for example, can be seen clearly in mass media, relevant literature, appeals of grassroots organizations, platforms of political conventions or social media.

Who should speak for the interest of women? Voters in the U.S., regardless of gender, can elect the officials who they think will promote the best positions for women on these issues. Women certainly used the power of the ballot box to make an impact in the 2008 Presidential

Election. "About 66% of women voted compared with 62% of men." [10] It is surprising to learn as well that unmarried women –"a group that includes single, separated, divorced or widowed women" – were a key group for Obama's win over his Republican opponent John McCain by 70% to 29% percent in 2008. [11] And again in 2012, "55% of women voted for President Obama versus 45% for Governor Mitt Romney." [12] Finally, among women voters for Obama, the Millennial Generation also played a large role.

Any private U.S. citizen can vote for elected officials that advocate for women's issues. Interestingly, although women were given the right to vote, the percentage of women voting did not exceed that of men until 1980. After that, the % of women voting continues to increase. Now in the literature concerning gender and elections, the idea of a gender gap in voting has become an important phenomenon to be addressed by both female and male candidates as was evidenced in the 2008 and 2012 presidential elections. Moreover, "Black, Hispanic and White women have all voted in higher numbers than Black, Hispanic and White men for the last six presidential elections." [13] How to appeal to women's diversified backgrounds and needs is increasingly important to political campaigns.

Any private U.S. citizen could also support a Political Action Committee which backs financially a candidate advocating women's issues. Alternatively, one could donate funds to the party or a candidate most representative of one's concerns. For example, there is the National Organization of Women, a famous PAC which backs candidates who take strong positions on such areas as reproductive rights and justice, eco-

---

10 June Kronholz, "Census Bureau: Here's Who Voted in 2008," *The Wall Street Journal*, July 20, 2009, 1,
http://blogs.wsj.com/washwire/2009/07/20/census-bureau-heres-who-voted-in-2008/

11 Kent Garber, "Behind Obama's Victory: Women Open up a Record Marriage Gap," *U.S. News & World Report*, November 5, 2008, 1,
http://www.usnews.com/news/articles/2008/11/05/behind-obamas-victory-women-open-up-a-record-marriage-gap.

12 Susan J. Carroll and Richard L. Fox, *Gender Elections* (New York: Cambridge University Press, 2014), 81, 87 and 132.

13 Pamela Paxton and Melanie M. Hughes, *Women, Politics, and Power* (London: Sage, 2014), 64.

nomic justice, and constitutional equality. The organization " is committed to the advancement of women's rights in all levels of political office." [14]

Emily's List is another famous PAC which supports pro-choice candidates for office. The Voices of Conservative Women, alternatively, has VOICESPAC, 'which promotes core values like fiscal responsibility, limited government and free market principles and tries to elect more pocketbook, common sense women to elected office in state legislatures and local levels.' [15]

Women can also exercise their power in U.S. politics, for example, by participating in a referendum for change. For example, 47% of the female voters in the 2003 recall gubernatorial election voted incumbent Governor Gray Davis out and Arnold Schwarzenegger in as the new governor.

The empowerment of women in U.S. politics is still a story unfolding with many more milestones to go. Each and every woman in the U.S. has a chance to be a part of that story even without running for office. It is important for women to have an equal voice in U.S. politics, elect women officials to local and national office as well as advocate for women' s issues. They also need to elect officials, regardless of gender, who will advocate for their issues of concern.

## Progressive First Ladies

In the second half of this paper, I will examine how the leadership of two progressive First Ladies - Eleanor Roosevelt and Hillary Clinton - created momentum for change not only for the empowerment of women in politics but also in the larger global community. Eleanor Roosevelt and Hillary Clinton were born respectively on October 11, 1884 and October 26, 1947. Both are powerful change agents who shared a proactive

14 National Organization for Women Political Action Committees, http:nowpac.org/what-ok-do/
15 http://voicesofconservativewoman.org/electionspace/who-we-support/elected/

philosophy which redefined the role of First Lady as a political activist and were/are advocates for families, women and children. Each created history in their own way through political activism not only for the betterment of women domestically but also beyond borders.

## Eleanor Roosevelt

Eleanor Roosevelt was born into an elite New York family. She was educated in the U.S. and Europe. Her uncle was Theodore Roosevelt, the 26th President of the U.S. And her husband - Franklin Delano Roosevelt - was the only candidate elected four times to the White House. Eleanor Roosevelt, a mother and a wife, also later became a powerful presence for her husband's administration. An unelected official, she was someone who sometimes moved beyond her husband's policy directions to bring about change for women, the poor and or minorities in society during not only the Great Depression and World War II but also into the sixties.

Eleanor's role as a change agent was evident even before she became First Lady. For example, she was involved in the League of Women Voters, the National Consumers League, the Women's Trade Union League as well as the Platform Committee of the N.Y. State Democratic Convention. She also participated actively in two business partnerships with other women to operate respectively a school and manufacture furniture.

As First Lady, she subsequently held the first press conferences for women. Eleanor also wrote articles in magazines and newspapers, touching on various social issues related to family, women and social injustice. She encouraged the independence of women and worked to fight prejudice against married working women. She pushed for the appointment of Francis Perkins as the first woman to hold a cabinet post. In addition, she encouraged her husband to make his male oriented New Deal policies more favorable to women. For example, she advocated for a women's division of the then Civil Works Administration to provide

jobs for women.[16] Eleanor also became a board member of the National Association for the Advancement of Colored People Washington D.C. Chapter.

After the death of her husband, Eleanor Roosevelt continued to be a role model for women and influence policies for women both domestically and globally. She later became known as the First Lady of the World, serving in various capacities at the U.N. President Truman, who succeeded her husband, asked Eleanor to be a delegate to the first organizational meeting for the UN General Assembly in London in December of 1945. Subsequently, she became involved in the committee dedicated to humanitarian, education and cultural questions. She also chaired the committee under the same Truman administration for the drafting of the renowned Universal Declaration of Human Rights. Eleanor later served under the Kennedy administration not only as a delegate on the UNGA American delegation but also chaired the Commission on the Status of Women. [17] While at the U.N., Eleanor also continuously worked for women to be involved in important positions in the U.N.

Finally, Eleanor Roosevelt continued to evolve as a leader throughout her life. As a Progressive First Lady and a Lady of the World, she worked for the empowerment of women politically, economically and socially. She like Hillary Clinton had her admirers but also her detractors. Both women, in spite of controversies and contretemps, continued to push for social and political changes.

Hillary Clinton, like Eleanor Roosevelt, recognizably is another powerful change agent for women in U.S. politics. Hillary Clinton, as one of the top women in U.S. politics today, has already made history by becoming the first First Lady to become a U.S. Senator and then U.S. Secretary of State. Moreover, she garnered the most votes ever as a female candidate

---

16 James MacGregor Burns and Susan Dunn, *The Three Roosevelts* (New York: The Atlantic Press, 2001), 266.

17 "The Commission on the Status of Women, a functional commission of the U.N. Economic and Social Council (ECOSOC), is exclusively dedicated to the promotion of gender, equality and the empowerment of women." ,
www.unwomen.org/en/csw

for her party's nomination for U.S. President.

Retrospectively, Hillary Clinton first as a high school student and then as a university student campaigned respectively for Republican presidential candidate Barry Goldwater in the former case but in the latter case for Democratic Presidential candidate Eugene McCarthy.

After graduating from Yale Law School, Clinton became a staff lawyer at the Children Defense Fund. She also worked on presidential campaigns for George McGovern and Jimmy Carter.

Hillary Clinton, as a lawyer, the First Lady of Arkansas, First Lady, U.S. Senator, and then Madame Secretary of State, has focused continuously on the concerns of women, children and families. While a lawyer at the Rose Law Firm in Little Rock, she co-founded the Arkansas Advocates for Children and Families, served on the Board of Children's Defense Fund and was appointed by President Jimmy Carter to the Board of Directors of the Legal Services Corporation.

As First Lady, she was the honorary head of the U.S. delegation to the U.N. 4th Conference on Women in Beijing. During the Conference, she importantly stated "Our goals for this conference are to strengthen families and societies by empowering women to take great control over their own destinies···Women must enjoy the right to participate fully in the social and political lives of their countries if we want freedom and democracy to thrive and endure." [18]

As First Lady as well, she headed her husband's administration's Task Force on National Health Care Reform Plan. Although the Task Force's plan for universal health care never made it to the floor in Congress for various reasons including the complexities of the plan, industry opposition as well as the dominance of the Republican Party in Congress and the emergence of opposing plans, it was an important health care initiative that could have benefitted not only women but the populace in

---

18 UNDP, U.N. Fourth World Conference on Women Secretariat, *First Lady Hillary Rodham Clinton Remark for the United Nations Fourth World Conference on Women* ( New York: UNDP) 3 , 5 , http://www.un.org/esa/gopher-data/conf/fwcw/conf/gov/950905175653.txt

general.

Her fight for women, children and families around the globe continued as Madame Secretary. One of the initiatives under her watch at State was the establishment of the Secretary's Office of Global Women's Issues. This office "seeks to ensure that women's issues are fully integrated in the formulation and conduct of U.S. foreign policy. The Office works to promote stability, peace, and development by empowering women politically, socially, and economically around the world." [19] And since its establishment many initiatives have been undertaken to empower women and girls. In line with this Office's objectives, Secretary Clinton issued the Department of State's first ever Secretarial policy guidance on Promoting Gender Equality to Achieve our U.S. Security and Foreign Policy Objectives. There are many components to this global strategy. However, one of those specifically "requests embassies and bureaus to work to bolster participation and leadership opportunities for women in local and national government processes." [20]One excellent example of this is the Tomodachi Metlife Women's Leadership Program which the U.S. Embassy and Consulates in Japan support.

Hillary Clinton, as Secretary of State, could not have been clearer about the importance of women being involved in politics. In 2009, she stated, "If half of the world's population remains vulnerable to economic, political, legal, and social marginalization, our hope of advancing democracy and prosperity is in serious jeopardy. The United States must be an unequivocal and unwavering voice in support of women's rights in every country, on every continent." [21]

---

19 U.S. Dept. of State, *Office of Global Women's Issues* (Washington D.C.: U.S. Dept. of State), 1, http://www.state.gov/s/gwi

20 U.S. Department of State, *U.S. Department of State Policy Guidance: Promoting Gender Equality to Achieve our National Security and Foreign Policy Objectives, March 2012* (Washington D.C.: U.S. Department of State, 2012),1, http://2009-2017.state.gov/documents/organization/189379.pdf

21 U.S. Department of State, *U.S. Department of State Policy Guidance: Promoting Gender Equality to Achieve our National Security and Foreign Policy Objectives, March 2012* (Washington D.C.: U.S. Department of State, 2012),1, http://2009-2017.state.gov/documents/organization/189379.pdf

Hillary Clinton, just like Eleanor Roosevelt, has gone beyond her time in the White House as First Lady to further impact on U.S. politics and politics of the world. For example, presently at The Bill, Hillary and Chelsea Foundation, she is building on her previous work for women, children and families through such initiatives like No Ceilings: The Full Participation Project. This initiative works towards the empowerment of women and girls worldwide.

Hillary Clinton has already been awarded many times for her efforts to promote women as well as protect their human rights. She continues to make history and writes further chapters in her advancement of women and social causes. The latest chapter is her second run for the U.S. presidency. As the 2016 Presidential race progressed, there was a question of whether Hillary would be the first woman to actually receive a Presidential nomination and then be elected President. In 2015, it was hard to predict the answer. There were still many months to go as well as hurdles to cross before the general presidential election in November of 2016.

One such hurdle was succinctly described by a young Republican contender - Marco Rubio - in his announcement of his run for the presidency. He stated about Mrs. Clinton's candidacy, which she announced on June 13, 2015, "Just yesterday, a leader from yesterday began a campaign for president by promising to take us back to yesterday. Yesterday is over and we're never going back." [22]

Besides overcoming this kind of negative perception, other hurdles she had to meet included distinguishing her policies from the present administration's policies; public fatigue with 8 years of a prior Democratic, public backlash towards big government, the age factor, her competitors, trust issues, the impact of mass media, gender discrimination and right wing detractors. In 2016, there would be other issues which effectively brought to a close Hillary's second unsuccessful bid for the White House.

---

22 Ashley Parker and Alan Rappeport, "Marco Rubio Announces 2016 Presidential Bid," *The New York Times*, April 13, 2015, 1.

Without a doubt, both Eleanor Roosevelt and Hillary Clinton, who were and are respectively proactive on many fronts, can be considered important change agents for women in U.S. politics. Although life, politics and culture in the U.S. continue to change, the impact of these progressive first ladies has laid a foundation for others to follow.

## Conclusion

I think we can conclude the story of women in U.S. politics is still evolving. The potential for women's leadership locally, nationally and globally still needs to be promoted for many reasons such as the continued advancement of women in society; protection of human rights; support of equal opportunities for all beyond race, religion and or gender; promotion of prosperity and democracy and gender equality.

Whether it is the woman at home going to the local polls to vote for the politician who supports women's rights; the woman who gets involved in a political action committee to support the political party of her choice or an important related cause; the woman who gets involved in a grassroots movement to empower women and girls; the woman who runs for office or the woman like a Eleanor Roosevelt or Hillary Clinton who becomes the change agent across many sectors and issues, women in the U.S. can help expand the role of women in U.S. politics at all representation levels whether formal, descriptive and or substantive.

## Epilogue

Since I originally participated in Miyazaki Municipal University (MMU) International Symposium - Life, Politics and Culture in the U.S.- (June 15, 2015), organized by the then MMU President Hiroko Hayashi, Donald J. Trump, entrepreneur, celebrity and real estate developer, announced his run for U.S. President two days afterwards. As the only non-politician in a field of 17 Republican presidential candidates, he later received his party's official nomination for President in 2016, beating out Hillary Clinton, the Democratic nominee for the White House.

The 2016 U.S. Presidential election was Hillary Clinton's second run for U.S. President. As a lawyer, activist First Lady, former Senator and later the Secretary of State during the first term of President Obama's administration, many pundits forecasted that Clinton could win the election. In fact, she did win the popular vote but lost the electoral vote. Clinton also was able to break some glass ceilings in the process, opening the door to the next nominated female candidate for U.S. President.

As I mentioned in my original unpublished paper, Mrs. Clinton, seen as an establishment candidate, had many hurdles to overcome in order to break the White House glass ceiling. Besides the obstacles, I previously outlined - "public fatigue with eight years of a prior Democratic administration, public backlash towards big government, the age factor, her competitors, trust issues, the impact of the mass media, gender discrimination and right wing detractors," negative campaigning, lack of broader base campaigning to Obama's coalition members, insufficient efforts to draw in Bernie Sanders' supporters after his final defeat in the primaries, Trump's charisma and populist appeal, Russian interference in the presidential election and a F.B.I. call to re-examine Clinton's handling of classified mail on a private server within a couple weeks before the general election also added to Clinton's campaign troubles. Clinton's campaign efforts were further eroded by a growing gap with discontented citizens about social change, globalization, income inequality, law and

order and immigration. Some voters who rejected Obama policies, also saw Clinton's policies in many ways as a continuation of Obama's legacy.

Although the 2016 Democratic Convention did promote the idea of Hillary as possibly the first woman to break the long chain of male presidents, the election results showed a split among women voters concerning Trump vs. Clinton. Overall in 2016, '47% of white women voted for Trump and 45% for Clinton.' However, "non-white women voted for Clinton 82% over 16% for Trump." At the same time, "56% of white women without college degrees" voted for Trump. [23]

While Clinton has stated she will not run for U.S. president again, President Trump is running for a second term. Under his first term, still a work in progress, the U.S. is at a critical crossroads over social problems including racial discrimination, law and order and immigration, its democratic institutions and its standing in the international community. Also the administration's management of the coronavirus pandemic in the U.S. and its great impact on the welfare of the people as well as the economy are serious concerns. Beyond these issues, the administration has also faced many legal battles including a two year investigation (2017-2019) by the Department of Justice Special Counsel's Office about Russian interference into the 2016 U.S. Presidential election and interactions with the Trump campaign. Although the Special Counsel Report did not find evidence of Trump's collusion with the Russians it also did not exonerate him from obstruction of justice. Importantly in 2019 as well, the President was impeached by the House of Representatives on two counts – abuse of power and obstruction of Congress. [24] However, on February 5,2020, he was acquitted. These problems could all impact negatively on the President's reelection chances in 2020.

---

23 "Donald Trump Didn't Really Win 52% of White Women in 2016," *Time*, October 18, 2018, 1, https://time.com/5422644?trump-white-women-2016/

24 U.S. of Representatives Judiciary Committee, *Articles of Impeachment* (Washington D.C.: H.R. 2019), 1-9. https://judiciary.house.gov/sites/democrats.judiciary.house.gov/files/documents/Articles%20of%20impeachment.pdf

How women are impacted by these issues and the perceptions concerning Trump's treatment of women will also play a role in this year's elections. Prior to his 2016 Presidential campaign and since, Donald Trump, however, has continued to offend women through his statements and actions. For example, there is Trump's verbal abuse of Fox News commentator Megyn Kelly or the insulting of former Hewlett Packard CEO Carly Fiorina, at first a presidential candidate during 2016. In addition, he has verbally insulted politicians like former Senator Hillary Clinton, Senator Elisabeth Warren and U.S. Representative Maxine Waters and even more recently, four U.S. Congresswomen -U.S. Representatives Alexandria Ocasio-Cortez (D- New York), IIhan Omar (D-Minnesota), Ayanna Pressley (D-Massachusetts) and Rashida Tlaib (D-Michigan). [25] Moreover, Trump's statements on the "Access to Hollywood" tape, created in 2005 and released in October of 2016, is another example of Trump's treatment of women. Finally, '23 women have allegedly accused Trump of sexual misconduct.' [26] Although many women supported Trump in the 2016 presidential election in spite of his past treatment of women, it remains to be seen whether he can sustain this support in the 2020 presidential election.

On another note, in 2018, there were six women in Trump's cabinet - 26% - a lower percentage than Obama's cabinet, which ranged between 30-35%, but higher than that of George W. Bush, whose Cabinet had between 19%-24%. [27] At the same time, Trump has lost some key women from his administration - U.N. Ambassador Nicki Haley; Secretary of

---

25 These latter four female freshman progressive U.S. representatives in the Democratic party are known as the "Squad." 'Trump urged these Congress women to go back to the countries they came from—which in all but one case was America.' Chris Cillizza, "Why Donald Trump is thrilled about this fight with the 'Squad," *The Point*, July 28, 2019, 1,
https://www.cnn.com/2019/07/16/politics/donald-trump-alexandria-ocasio-cortez-squad-ilhanomar/ index.html

26 Eliza Relman, "The 23 women who have accused Trump of Sexual Misconduct," *Business Insider*, June 21, 2019, 1,
https://www.businessinsider.com/women-accused-trump-sexual-misconduct-list-2017-12

27 Z. Byron Wolf, " One fewer woman in Trump's Cabinet," *CNN*, December 7, 2018, 1,
https://www.cnn.com/2018/12/07/politics/trump-cabinet-women/index.html

Homeland Security Kirstjen Nielsen; first White House Director of Strategic Communication and the White House Communications Director Hope Charlotte Hicks and White House Press Sarah Huckabee Sanders, due to political reasons, policy disagreements or other rationale.

How this kind of political landscape under Trump involving women as well as such social movements like Times Up [28] and #MeToo [29] will encourage women's power at national and local polls is an important question. This landscape along with the achievements of past female Presidential and or congressional candidates/office holders have already contributed to the record number of women elected during the first midterm election after Trump entered the White House. " 102 women are members of this Congress, comprising 23.4% of the chambers' voting members. More than a third of those women (35) won seats for the first time." Five new women were elected to the Senate as well. Altogether, there are 25 women in the Senate. [30] In addition, with the Democratic party's return to the majority in the U.S. House of Representatives, U.S. Representative Nancy Pelosi, the first female Speaker of the House, now holds this position a second time.

At the local level of government in the U.S. in 2018, "the number of women in statewide elective executive posts is 74 and the proportion of women in state legislatures is 25.4%." [31] Looking at national and local elective offices, the status of women has improved. At the same time,

---

28 "TIME'S UP is an organization that insists on safe, fair and dignified work for women of all kinds.",
https://www.timesupnow.com/about_times_up

29 "The "#MeToo" movement was founded in 2006 to help survivors of sexual violence, particularly Black women and girls, and other young women of color from low wealth communities, find pathways to healing what started as local grassroots work has expanded to reach a global community of survivors from all walks of life and helped to de-stigmatize the act of surviving by highlighting the breadth and impact of a sexual violence worldwide.",
https://metoomvmt.org/about/

30 Drew DeSilver, "A record number of women will be serving in the new Congress," *Fact Tank*, December 18, 2018, 1,
https://www.pewresearch.org/fact-tank/2018/12/18/record-numberwomen-in-congress/

31 CAWP, "Women in Elective Office 2018," 2019, 1,
https://www.camp.rutgers.edu/women-elective-office-2018

this representation is still not reflective of 'women's share of the overall population or 51%.' [32] Moreover, the U.S. holds the 75th ranking world-wide for women in a Lower House of a parliamentary body. [33]

These current trends have helped to generate a very large field of Democratic Party candidates for President in 2020. Out of 26 Democratic candidates for President (*As of December 2019, this number dropped to 15 even with dropouts and new additions.), six were women – Representative Tulsi Gabbard (D-HI); Senator Kirsten Gillibrand (D-NY) (dropped out as of August 2019); Senator Kamala Harris (D-CA)(dropped out as of December 2019); Senator Amy Klobuchar (D-MN), Senator Elizabeth Warren (D-MA) and Author, Lecturer and Activist Marianne Williamson! By the spring of 2020, all six women as well as other candidates had already left the race.

On a positive note, former Vice President Joe Biden, now the official 2020 Democratic nominee for President, as promised selected a woman as his Vice Presidential running mate. His historic choice is Senator Kamala Harris – an African American with Jamaican and East Indian roots. This turn of events as well as the surge in numbers of women as legislators, policymakers and presidential candidates is encouraging.

How women will maximize these opportunities not only for women but also for all of society remains a major challenge. 2018 was considered to be the Year of the Woman in the U.S. due to local and national electoral results as well as the influence of the social movements like #MeToo and Times Up. Against this backdrop, the power of women in U.S. politics is at an important juncture. There is no guarantee that a female candidate for U.S. Vice President or U.S. President will make it into the White House in 2021 or 2025 respectively. However, women,

---

32 Claire Hansen, "116th Congress by Party, Race, Gender and Religion," *U.S. News & World Report*, January 3, 2019, 1,
https://www.usnews.com/news/politics/slideshows/116th-congressby-party-race-gender-and religion

33 Emma Newburger, "Despite gains, the US ranks 75th globally in Women's representation in government," *CNBC*, March 5, 2019, 1,
https://www.cnbc.com/2019/03/04/the-us-ranks-75th-in-womens-representation-in-government.html

voters, legislators and policymakers can work together to sustain the present momentum, learn from the campaigns of past female legislative or presidential/vice presidential candidates and try to create an united America which embraces diversity and social change.

# 米国政治における女性のパワー

福岡大学法学部国際関係論教授
ステファニー A. ウエストン

## 要 旨

米国における生活、政治、文化に関して、あらゆる宗教、人種あるいはジェンダーを超えて、社会における女性の地位の向上、人権の保護および機会均等に対する支援を確保するために、女性の政治における権利の拡大はますます重要になっている。元上院議員で国務長官のヒラリー・クリントンやヒューレット・パッカード元会長のカーリー・フィオリナ（後になって 2016年2月に立候補を撤回）のような高名な女性が米国大統領選挙に立候補したことは、米国の女性が、一般市民として、ファーストレディとして、そして、あるいは、公的に選挙で選ばれた役職者として、どのように政治に影響を与えることができるのか、あるいは、与えているのかを分析する最良の機会であった。具体的に二つのレンズを通して特に考えてみたいと思う。第一は米国の女性の一般的な政治的権限拡張を通して、そして第二は強力な変革の旗手として、かつてのファーストレディ、エレノア・ルーズベルトとヒラリー・クリントンを、それぞれの行動を通して考えてみたい。

このまだ出版していない論文は、宮崎公立大学（ＭＭＵ）が、ハワイ大学マノア校ＩＲＣとハワイ大学カピオラニ・コミュニティカレッジとの学術交流協定締結を祝して、林弘子ＭＭＵ学長の企画による「米国における生活、政治、文化」と題した記念国際シンポジウムにおける報告を基にしている。国際シンポジウムは、2015年６月14日に宮崎市の宮崎公立大学（ＭＭＵ）において開催された。

## はじめに

米国の生活・政治・文化は、建国以来、絶えず変容し続けている。ベビーブーム世代である私自身にとって、これまでにどのくらい米国が変化して来たかを考えると感慨深いものがある。私が生まれた1954年には、米国の最高裁判所において、公教育における人種分離政策を違憲とした画期的なブラウン対トペカ教育委員会裁判（1954年５月17日・アメリカ合衆国最高裁判決。黒人と白人の学生を分離した公立学校の設立を定めたカンザス州の州法は、法の下における平等保護を規定したアメリカ合衆国憲法修正第14条に違反すると判示。人種差別に対する公民権運動への契機となった）の判決が出された。そして 2015年には、アフリカ系米国人であるオバマ大統領が２期目を務めた。私が生まれた時の大統領はドワイト・D・アイゼンハワーで、働く女性は労働人口の34％[1]を占めていた。現在は労働人口の57％[2]を女性が占め、共働き世帯は当然と考えられている。私が10歳になる前には、米国の公民権運動は主に黒人対白人という人種差別が焦点になっていたが、現在の公民権に関する議論は拡大して多様化し、さまざまな少数派の人権が広く取り上げられるようになっている。また、私が子供の頃は伝統的な家族の在り方が重要視されていたが、現在は多様なライフスタイルを受け入れることが社会の主流となっている。

このような米国社会の変化の中にあって、女性の社会進出、人権擁護、そして人種、宗教、ジェンダーを超えたすべての人びとの機会平等を支えるためには、女性の政治的参画がますます重要になっている。元上院議員、元国務長官のヒラリー・クリントンや、ヒューレット・パッカード元会長のカーリー・フィオリナ（後になって2016年２月に立候補を撤回）のように、二人の高名な女性が米国大統領選挙への立候補を表明したことは、米国の女性が一人の市民として、ファーストレディとして、そして、あるいは選挙で選ばれた公職者として、どのように政治に影響を与えることができるか、また与えたのかを検証する良い機会だと考えている。女性はどのような社会的立場にあろうと米国の人

---

1　ミルトラ トッシ、「労働力の変化, 1950—2050年、」『月刊レーバーレビュー』（2002年）: 4段落、http://www.bls.gov/opub/mlr/2002/05/art2full.pdf

2　米国労働省, 『データと統計』（ワシントン D.C.: 米国労働省、2015)、1、http://www.dol.gov/wb/stats_data.htm

口の半分を占め、変化をもたらす可能性を持っているのである。このことを念頭に置いて、私は二つの視点から「米国政治における女性のパワー」について具体的に話を進めたい。第一の視点は、米国女性の一般的政治共同参画を通して、第二の視点は、強力な変化を引き起こした二人のファーストレディ、エレノア・ルーズベルトとヒラリー・クリントンに焦点を当てて検討する。

## 米国における女性のエンパワーメント

女性の一般的な政治的エンパワーメントについて考えると、米国は政治における女性のパワーという点ではまだ世界のナンバーワンではない。米国の女性は女性の投票権を求めた1848年のニューヨーク州セネカフォールズ女性会議から長い道のりを歩んで来た。この会議が開かれる前からの米国の参政権運動は、女性の投票権を始めとする様々な社会問題に取り組んでいた。周知のように、米国のすべての女性は、最終的に1920年の改正憲法第十九条によって投票権を与えられた。

その後、米国女性の政治的共同参画に向けて多くの重要な出来事が起こった。女性の政治参画を表現する方法として三種類の女性参画を調べるべきだと学んだ。「最初は、形式的意思決定に対するあらゆる障壁を取り除くことを求める形式的参画、二番目は人口における女性の数を反映した立法機関・行政機関における存在、すなわち「正式な政治的平等」を求める記述的参画、三番目は女性問題を支援するために政治家が声を上げ行動することを求める実質的参画である。」[3]

この三つの参画を考える時、米国はこの3点すべてにおいて進歩した。しかし、形式的参画に関しては、女性は政治参加に対して依然として大きな障害に直面している。「家庭生活と政治的職業を両立させる難しさ、ますますお金がかかるようになっている政治活動、依然として男性が支配的な世界での苦労、ジェンダーに基づく固定観念や政治的、文化的伝統、政党による潜在能力ある女性候補の選び方、政治家素質の自己評価、地域的政治文化、資金、自由となる

3　パメラ パクストン、メラニー M. ヒュー,『女性、政治＆パワー』（ロンドン：セージ出版、2014)、9-17.

時間、市民としての技能、非公式なネットワーク　社会構造の影響、政治的野心の欠如と、マスメディアの取り上げ方など、多くの障害がある。」[4]

記述的参画に関する統計に関しては、列国議会同盟（ＩＰＵ）の行政及び立法機関における女性のランキングにおいて米国は閣僚の数で29位と上位にあるが、議員数では73位にとどまっている。[5]「具体的に2015年現在、女性は米国議会の535議席のうち104議席、19.4％を占めている。上院100議席の20％となる20議席、そして下院435議席の19.3％にあたる84議席である。」[6] 連邦議会と州議会の女性議員数を比較すると州議会の女性議員数の割合は連邦議会のそれより高いと言える。例えば「2015年の州議会全議席数7,383議席の24.2％にあたる1,786議席は女性である。州の上院議席数1972の22.1％にあたる436議席、下院議席数5,411の24.9％にあたる1,350議席を女性が占めた。1971年以降、女性議員数は５倍以上に増えている。」[7]

連邦議会に話を戻すと、女性政治家が多くの実績を積んで来たことを改めて認識せざるをえない。中でもナンシー・ペロシは、民主党リーダーとして下院院内総務を務めたのち、2007年に女性初の下院議長となった。1965年に米国下院議員になったハワイ出身の民主党の政治家パッツイー・マツ・タケモト・ミンクは、初のアジア系米国人女性であり、初のハワイ出身の女性議員であったことは興味深い。もう一人の重要な人物には、アフリカ系米国人女性として初めて米国上院議員に選ばれた民主党のキャロル・モーズリー・ブラウンがいる。さらに2012年、ニューハンプシャー州は女性の州知事に加えて、州選出の連邦議会議員が全員女性となった初めての州になった。国や州の立法機関レベルで他にも多くの歴史的な進歩があったが、「米国全体における女性議員の数は少なく平等な参画はまだ出来ていない。」[8]

統計的参画という言葉は、立法機関での存在を意味しているが、行政機関に

---

4　同前所収、100-182.

5　列国議会同盟、『政治における女性の向上停滞は発展を阻害する』（ジュネーブ：列国議会同盟，2015）2、1、
http://www.ipu.org/press-e/pressrelease201503101.htm

6　米国女性と政治センター，「公選職における女性2015，」2015、1、
http://www.cawp.rutgers.edu/fast_facts/levels_of_office/documents/stleg.pdf

7　米国女性と政治センター，「州議会における女性，」2015、1、
http://www.cawp.rutgers/fast_facts/levels_of_office/documents/stleg.pdf

8　スー トーマス＆クライド ウィルコックス　共著『女性と公選職，過去・現在・未来』（ニューヨーク：オックスフォード大学出版，2014）、11.

おいて女性が担った重要なポストについても触れたいと思う。例えば2014年６月の時点で、「６名の女性がオバマ政権で閣僚あるいは閣僚レベルの地位についた。米国の歴史において、これまでに47人の女性が全部で53の閣僚レベルに任命された。」[9]　米国初の女性閣僚は1933年に任命されたフランシス・パーキンスで、1945年までフランクリン・デラノ・ルーズベルト（ＦＤＲ）政権４期のすべてで労働長官を務めた。

ジミー・カーター大統領の政権下では、パトリシア・ロバーツが初のアフリカ系米国人女性閣僚として住宅都市開発長官になっている。ビル・クリントン政権では、ジャネット・レノが初めての女性司法長官に、マデレーン・オルブライトが初めての女性国務長官になった。ジョージ・Ｗ・ブッシュ政権では、コンドリーザ・ライスが女性初のそしてアフリカ系初の国家安全保障問題担当大統領補佐官になり、さらに女性としては二人目の国務長官になった。また、ジョージ・Ｗ・ブッシュ大統領は内務、農務、環境保護長官に女性を初めて起用した。

オバマ政権の第１期目では大統領権限継承順位の第３位と第４位が女性で、これは前例がないことであった。残念ながら、まだ米国では女性の国防長官、副大統領、大統領は実現していない。しかし、2008年には、上院議員だった一人の女性が民主党の大統領候補、さらにアラスカ州知事だったサラ・ペイリンが共和党の副大統領候補として出馬した。この2008年の大統領選挙では両名とも勝利することは出来なかったが、女性大統領あるいは女性副大統領へ可能性はさらに拡がったと言える。

立法や行政機関における女性の数が次第に増えてきたように、連邦最高裁判所判事の女性も増えてきている。これまでに最高裁の陪席判事を務めた女性の数は合計４名である。しかし、サンドラ・デイ・オコーナー陪席判事が既に引退したため、主席判事を含む合計９名の判事のうち女性判事は３名である。この在籍する３名の陪席判事の２名はオバマ政権により任命され、１名はクリントン政権により任命された。女性の機会平等の規定と同様に権利擁護のために法律を制定し、解釈するのと同様に法律を施行し、政治を行うために、連邦と州政府の司法、行政、立法の三分野で女性が十分参画していることが重要であ

---

9　米国女性と政治センター、「概況報告書 女性閣僚の任命、」2014　1-7,
http://www.cawp.rutgers.edu/fast_facts/levels_of\office/documents/prescabinet.pdf

る。

これまで女性に関して第一と第二の参画について話をしたが、三番目の女性の参画あるいは実質的な参画もまた重要である。性と生殖に関する健康、教育、中絶、医療、家族の価値などの女性問題のため、政治家がどのように声を上げ行動するかは、多くの要因が影響している。その中には、政治的方向性、宗教的信仰、伝統的価値観、社会的性差、婚姻関係、人種などがある。マスメディアに目を向け、関連した記事や著作を読み、草の根的組織の主張や政治集会での政策に耳を傾け、あるいはソーシャル・メディアを通じいろいろな人と会話すると、このような要因が米国における女性の共同参画に対し意見が分かれていることが解る。

誰が女性の利益のために声を上げるべきであろうか？　男性であれ女性であれ、米国の有権者はこのような意見の分かれる問題に関して女性にとって最善であると考えられることの促進に、最も関心を持っていると思われる代表を選ぶことができる。女性たちは、確かに投票権を使って2008年の大統領選挙に影響を与えた。「男性の62％に比べ、女性の約66％が投票をした。」[10] また驚いたことには、「結婚していない女性、つまり、独身者、離婚者、寡婦」が2008年の大統領選でのオバマの勝利にとって重要なグループだった。[11]共和党の対立候補だったジョン・マケインとの集票比は70％対29％だった。さらに2012年には「55％の女性がオバマ大統領に票を入れたのに対し、マサチューセッツ州知事だったミット・ロムニーに投票したのは45％であった。」[12] 最終的にオバマに票を入れた女性の中で、2000年世代はさらに大きな役割を果たした。

米国の有権者は誰でも、女性問題を支援する政治家に投票することができる。興味深いことに、女性は投票権が与えられているにも関わらず1980年までは、投票した女性の割合は男性のそれより低かった。その後、女性の投票率は

---

10 ジューン クロンホルツ、「国勢調査局：2008年誰が投票したかを示す、」『ウォール・ストリート・ジャーナル、』2009年7月20日、1
http://blogs.wsj.com/washwire/2009/07/20/census-bureau-heres-who-voted-in-2008/

11 ケント ガーバー、「オバマの勝利の陰で: 女性は結婚格差の記録を広げる、」『U.S.ニューズ＆ワールド・レポート、』2008年11月5月、 1、
http://www.usnews.com/news/articles/2008/11/05/behindobama-victory-women-open-up-a-record-marriage-gap

12 スーザン J. キャロル&リチャード　L. フォックス、『ジェンダー エレクションズ』（ニューヨーク：ケンブリッジ大学出版、2014）、81, 87 & 132.

次第に増加している。現在、ジェンダーと選挙に関する文献の中では、投票における男女差という考えは、2008年および2012年の大統領選挙で見られたように男性、女性両方の候補が取り組む重要な現象となっている。「さらに、最近６回の大統領選挙では、黒人、ヒスパニック、白人の女性は、すべての黒人、ヒスパニック、白人の男性より投票した人数が多くなっている。」[13]女性の持つ多様な背景やニーズにどのように訴えるかが、これからの政治活動にますます大切になってきている。

米国国民は誰でも、女性問題を支援する候補者を財政的に応援する政治活動委員会を支援することができる。また、自分の関心を最も良く代表してくれると思う政党や候補者に寄付することもできる。例えば、有名な政治活動委員会（ＰＡＣ）である全米女性機構は、性と生殖に関する権利と正義、経済的正義、憲法上の平等などの分野において強固な立場を取る候補者を支援している。この組織は「政治機関のすべてのレベルにおいて女性の権利向上に取り組んでいる。」[14]

もうひとつの有名な政治活動委員会（ＰＡＣ）にエミリーのリストがある。これは妊娠中絶の選択権を尊重する候補者を支援している。また、VOICES-PACという「保守的な女性の声」という組織があり、「財政責任、限定的政府、自由市場の原則といった中核的価値を促進し、州や地域レベルの立法機関にもっと普通の金銭感覚を持った常識的な女性を送り込もうとしている。」[15]

女性たちは米国政治において自分たちの力を発揮することができるのである。例えば、変化を求める住民投票に参加することによって。2003年の州知事リコール選挙では、女性投票者の47％が現職知事のグレー・デイビスを失職させ、アーノルド・シュワルツェネッガー新知事を誕生させた。

米国政治における女性の共同参画は、今後も多くの実績を積み上げて展開して行くと考えられる。自分自身が立候補しなくても、米国の一人ひとりの女性にその展開の一部分となるチャンスがある。大事なことは、女性が米国政治において平等な発言力を持ち、州や連邦レベルに女性政治家を送り、女性問題を

---

13 パメラ パクストン、メラニー M. ヒュー、『女性、政治&パワー』（ロンドン：セージ出版、2014）、64.

14 全米女性機構政治活動委員会、http://nowpac.org/what-we-do/

15 http://voicesofconservativewoman.org/electionspace/who-we-support/elected/

支援することである。女性問題を支援してくれる政治家であれば、男女にかかわらず選ぶことが必要といえる。

### 進歩的なファーストレディ

本論の後半では、私は二人の進歩的なファーストレディ、エレノア・ルーズベルトとヒラリー・クリントン両者のリーダーシップが、政治における女性の権利の拡大だけではなく、広く国際社会に変化をどのようにしてもたらしたかということを検証したい。エレノア・ルーズベルトは1884年10月11日生まれ、ヒラリー・クリントンは1947年10月26日生まれである。パワフルな変革の旗手として両者が共有するものは、政治的に活動する者としてファーストレディの役割を定義し直す積極的な考え方と家族、女性、子供達への支援である。国内ばかりでなく国境を越えて女性の向上のため、政治活動を通じそれぞれのやり方で歴史を作った。

### エレノア・ルーズベルト

エレノア・ルーズベルトはニューヨークの裕福な家庭に生まれ、米国とヨーロッパで教育を受けた。彼女の叔父は米国第26代大統領セオドア・ルーズベルトであった。そして夫のフランクリン・デラノ・ルーズベルトだけが唯一、４回大統領に選出された候補者であった。妻であり、母であったエレノア・ルーズベルトは、後に夫の政権においても力強い存在となった。大恐慌時代や第二次世界大戦下ばかりでなく60年代を通して選挙で選ばれてはいないが、時に夫の政策の方向性を超えて女性、貧困者、社会の少数派のために変化をもたらすことが出来た人であった。

変革の旗手としてエレノアの役割は、ファーストレディになる前から明らかであった。例えば彼女は、女性有権者連盟、全米消費者連盟、女性労働組合連盟、ニューヨーク州民主党大会政策委員会に関わっていた。また、それぞれ学校や家具製造を運営する他の女性達とのビジネス・パートナーシップにも積極的に参加した。

ファーストレディとして彼女は、初めて女性のための記者会見を行った。また、雑誌や新聞に、家族、女性、社会の不正義に関連する様々な社会問題について記事を書いた。女性の独立を奨励し、働く既婚女性に対する偏見と闘った。初めての女性閣僚となったフランシス・パーキンスの任命を後押しし、夫の男性中心的なニューディール政策を女性にも有利になるよう働きかけた。例えば、女性に職を提供するため当時の民間事業局に女性部門の設置を提唱した。[16] さらに、全米黒人地位向上協会ワシントン D.C.支部の理事も務めた。

夫の死後も、エレノア・ルーズベルトは、女性のロールモデルであり続け、国内外の女性政策に影響を与えた。後には「世界のファースト・レディ」と呼ばれ、国連で様々な活動を行った。ルーズベルトを引き継いだトルーマン大統領は、1945年12月、ロンドンで開かれた国連総会のための第１回組織会合への代表に加わることをエレノア・ルーズベルトに要請した。それを受けて、彼女は人道、教育、文化問題を扱う委員会に関わることになる。また、同じトルーマン政権下で、高名な世界人権宣言の草稿のための委員会議長を務めた。後のケネディー政権下では、国連総会米国代表団[17] の一員としてだけではなく、女性の地位委員会議長を務めた。また、国連においても重要な職務に女性がつけるよう働きかけを続けた。

エレノア・ルーズベルトはその人生を通じ、指導者として進化し続けた。進歩的ファースト・レディ、そして世界のファースト・レディとして、彼女は政治的、経済的、社会的な女性の共同参画のため力を尽くした。ヒラリー・クリントンと彼女は、称賛されたが、同時に中傷にもさらされた。この二人の女性は、論争や災難があるにもかかわらず、社会的・政治的変革を求める運動を続けた。

ヒラリー・クリントンは、エレノア・ルーズベルトと同様に、間違いなく米国政治におけるもう一人の変革の旗手である。今日の米国政治における女性トップであるヒラリー・クリントンは、米国上院議員となった後に国務長官となった最初のファースト・レディとして既に歴史に名を残している。さらに民主党大会におる米国大統領候補指名選挙でヒラリーは、女性候補としては最多獲

---

16 ジェームズ マクレガー バーンズ&スーザン ダン、『三人のルーズベルト』（ニューヨーク：ザ・アトランティックプレス、2001)、266.

17「国連経済社会理事会(ECOSOC)の機能委員会である女性の地位委員会は、ジェンダー、平等、女性の権利拡大に献身的に取り組んでいる.」、www.unwomen.org/en/csw

得票の記録を作った。

ヒラリー・クリントンの経歴を見ると、最初は高校生の時に共和党の大統領候補バリー・ゴールドウォーターの選挙運動をしたが、大学生の時には民主党大統領候補のユージン・マッカーシーの選挙運動をしている。

エール大学ロースクールを卒業した後、彼女は児童保護基金で働き始めた。またジョージ・マクガヴァンとジミー・カーターの大統領選挙でも働いている。

弁護士、アーカンソー州のファーストレディ、米国のファーストレディ、米国上院議員、そして国務長官として、ヒラリー・クリントンは常に女性、子供、家族の問題に重点を置いてきた。リトルロックにあるローズ法律事務所の弁護士として働く一方で、「アーカンソー州子供と家族支援団」を共同設立、全米児童保護基金の理事を務めた。さらに、ジミー・カーター大統領の指名により司法サービス法人の理事も務めている。

ファーストレディとして、彼女は北京で行われた第 4 回国連女性会議の名誉団長となり、次のような重要な発言を行った。「女性が自らの運命をコントロールする大きな力を持つために、女性が社会に共同参画することにより家庭と社会を強化することがこの大会のわれわれの目標です……自由と民主主義が栄え続けることを望むのであれば、女性は自分の国の社会および政治的な活動に全面的に参加する権利を享受しなければなりません。」[18]

ファーストレディとして彼女は、クリントン政権の健康保険制度改革作業委員会の議長を務めた。作業委員会の案は、その複雑さ、産業界の反対、共和党支配の議会、新しい対抗プランの出現など様々な理由で議会提出には至らなかったが、しかし、女性だけではなく国民全体が恩恵を受けることができる重要なイニシアティブだったと思う。

国務長官就任後も彼女の世界中の女性・子供・家庭のための闘いは続いた。国際女性問題に関する国務長官事務所の設立は、彼女のリーダーシップの一つである。この事務所は、「米国の外交政策の形成および実行において女性問題が十分に取り込まれることを目指すもので、世界中の政治的、社会的、経済的

18 国連開発計画，国連第4回世界女性会議事務局、『ファーストレディー ヒラリー ローダム クリントンが国連第4回世界女性会議で所信表明』(ニューヨーク：国連開発計画)、3，5，
http://www.un.org/esa/gopher-data/conf/gov/950905175653.txt

な女性の共同参画により、安定、平和、発展の促進に働きかけている。」[19] その設立以来、多くのイニシアティブが女性や少女に力をつけるために取られてきた。この事務所の目標に沿って、クリントン国務長官は「米国の安全保障および外交政策目標達成のための男女平等促進」に関する初めての長官政策ガイダンスを発表した。この世界戦略には多くの内容が含まれている。そのひとつは、「地方政治および国政のプロセスにおいて女性が参加しリーダーシップをとる機会を支援するよう大使館や官庁局に具体的に要請することである。」[20] その素晴らしい一例として在日米国大使館や領事館が支援するトモダチ・メットライフ・ウーマンズ・リーダーシップ・プログラムがある。

国務長官としてのヒラリー・クリントンほど政治に女性が関わることの重要性について明確な態度をとった人はいないだろう。2009年に彼女は次のように語っている。「もし世界の人口の半分が経済、政治、法律、社会的周辺化に対し脆弱なままでいたら、民主主義と繁栄を押し進めるというわれわれの望みは重大な危機に陥る。アメリカ合衆国は、すべての国、すべての大陸における女性の権利を支援する明確で断固とした声を上げなければなりません。」[21]

ヒラリー・クリントンはエレノア・ルーズベルトと同じように、ファーストレディとして、時代を超えて米国と世界の政治に影響を与え続けてきた。例えば、女性・子供・家族のために彼女がやってきた仕事に基づいて、現在では「ビル・ヒラリー・チェルシー財団」で「ガラスの天井撤廃：完全参画プロジェクト」のようなイニシアティブを進めている。このイニシアティブは、世界中の女性や少女の共同参画に向け活動するものである。

ヒラリー・クリントンはこれまで何度も女性とその人権擁護の促進に対する彼女の活動を認められてきた。彼女はこれからも歴史を作り、女性と社会大義の向上に新たなページを書き加えていくことだろう。最も新しい章は、彼女の二度目の大統領選出馬である。2016年の大統領選挙戦の進展として、ヒラリーは実際に大統領候補指名を受ける初めての女性となり、そして、大統領に選

---

19 米国国務省，『グローバル女性問題局』（ワシントンD.C.：米国国務省）、1. http://www.state.gov/s/gwi

20 米国国務省，『米国国務省政策ガイダンス：国家安全保障と外交政策目標を達成するべき男女平等の普及、2012年3月』（ワシントンD.C.: 米国国務省　2012)、1 http://2009-2017.state.gov/documents/organization/189379.pdf

21 同上

ばれただろう。2015年では予測がむずかしかった。2016年11月の大統領総選挙を前に、前進するには多くの月日があり、乗り越えないといけないいくつものハードルがあった。

そのハードルのひとつを若き共和党の候補者、マルコ・ルビオが彼の立候補発表の中で簡潔に述べている。2015年６月13日に出されたクリントンの立候補に関して彼は次のように言った。「昨日、われわれを『昨日』に連れ戻すことを約束して『昨日』からやって来た一人の指導者が大統領選挙を始めました。昨日は終わったのです、そしてわれわれは過去には決して戻りません。」[22]

このような否定的な考えを克服することに加え、ヒラリーを待ち受けた障害には、現政権の政策と彼女の政策の違いの指摘、大きな政府に対する国民の反発としての８年間の民主党政権への倦怠感、年齢的要因、競争相手、信用問題、マスメディアの影響、ジェンダー差別、右翼からの中傷などがあった。2016年はほかの問題もヒラリーの２回目の大統領出馬を効果的に阻止した。

疑いようもなく、多くの場面でそれぞれに積極的に行動を起こした/起こしているエレノア・ルーズベルトとヒラリー・クリントンは、米国政治における女性の重要な変革の旗手と考えられている。米国で生活、政治、文化は変化し続けるが、この進歩的な二人のファーストレディのインパクトが、後に続く人びとへの基盤を築いた。

## 結　論

米国政治における女性の物語は、今も進化し続けていると言えると思う。州、連邦、そして国際的な女性の指導力が持つ可能性がこれからも促進されなければならない理由は沢山ある。例えば、次のような理由が挙げられる。社会における全体的な女性の向上を確保する、女性の人権を守る、人種、宗教、ジェンダーを超えた平等な機会を支援する、繁栄と民主主義を促進し、社会的・文化的男女平等を発展させる。

女性の権利を支持する政治家に票を入れるため投票所に向かうか、自分が選んだ政党あるいは重要な関連議題を支援するため政治活動委員会に関わるか、

---

22 アシュレー パーカー、アラン ラパポート、「マルコ・ルビオが2016年の大統領選挙に出馬表明、」『ニューヨーク・タイムズ、』2015年4月13日、1.

女性や少女が社会的な力を持てるように草の根運動に関わる、政治家を目指して選挙に立候補するか、エレノア・ルーズベルトやヒラリー・クリントンのように多くの分野や問題で変化をもたらす者となるかどうか、米国の女性たちは、本質的、統計的、実質的なすべての表現レベルにおいて、個人として米国政治における女性の役割拡大にさまざまな働きをすることができるのである。

## エピローグ

私が2015年6月15日に『アメリカの生活・政治・文化』というテーマで当時の宮崎公立大学（MMU）林弘子学長によって開催された国際シンポジウムに参加したその２日後、セレブであり実業家で不動産王のドナルド・J.トランプ氏が、大統領選に立候補することを表明した。彼は17人の共和党大統領候補者の中で唯一政治経験がなかったが、その後共和党の2016年大統領候補指名を受諾し、民主党の大統領候補ヒラリー・クリントン氏を打ち破った。

2016年の米国大統領選挙は、ヒラリー・クリントン氏にとって２度目の大統領への立候補であった。弁護士・政治的社会的活動家の大統領夫人・元上院議員で後にオバマ政権第一期目の国務長官であったことから、多くの評論家はクリントン氏が選挙に勝つことを予測した。実際、彼女は選挙人投票で敗れたが、一般投票では勝利した。クリントン氏はその過程において、次に続く女性大統領候補指名者に対し扉を開け、ある意味でガラスの天井を打ち破ることができた。

私はまだ出版していないオリジナルの論文の中でエスタブリッシュメント（支配階級層）の立候補者として見られるクリントン氏は、大統領へのガラスの天井を打破するために多くの障害を克服しなければならなかったことに触れた。その障害に加えて私はこれまでに、『８年間の前民主党政権に対する国民の疲労、大きな政府に対する国民の反発、年齢的要因、彼女の競争相手、信用問題、マスメディアの影響、性差別そして右翼の中傷』、ネガティブキャンペーン、オバマ与党連合の選挙運動の基地拡大の欠如、最終的に予備選で敗れたバーニー・サンダース氏の支援者を取込む努力の不足、トランプ氏のカリスマ性と大衆へのアピール、ロシアの大統領選への介入、さらにクリントン氏の選挙運動の問題に加えて総選挙のほぼ２週間前にクリントン氏の個人サーバーの極秘メールの操作を再尋問するFBI召喚、などについて述べた。クリントン氏の選挙運動は、社会の変革・グローバリゼーション・所得の不均衡・法と秩序・移民などに不満を持つ市民との格差拡大などで一層失墜した。オバマの政策を拒絶する有権者たちは、旧来のオバマの延長としてクリントン氏の政策を見ていた。

2016年民主党大会では、男性大統領の長い連鎖を打ち破る可能性を持つ最初の女性としてヒラリー・クリントン氏の構想を推進したが、選挙結果はトランプ氏とクリントン氏に関して女性票が二分したことを示した。全体的に見て2016年、「白人女性の47%はトランプ氏に投票し、45%がクリントン氏であった。」しかし『非白人女性は82%がクリントン氏に投票し、16%であったトランプ氏をはるかに上回った』。その一方で『学位を持たない白人女性の56%』はトランプ氏に投票した。[23]

クリントン氏は再度大統領選に出馬しないと表明しているが、トランプ大統領は２期目も立候補する。まだ任期途中であるが彼の第一期目において米国は、人種差別や法と秩序さらに移民などの社会問題、民主主義的な制度そして国際社会における地位などに関して重大な岐路に立たされている。同様に米国における新型コロナウイルス感染症のパンデミックに対する政権の管理や、経済など人々の福利に対する多大な影響も深刻な関心事である。これらの問題に加えて政権は、2016年大統領選挙やトランプの選挙運動でのロシアとの交流などについて2017年から2019年にかけた2年間の捜査を含む特別顧問事務所や司法省との多くの法的闘争に直面している。特別検察官の報告書は、ロシアとトランプとの結託に関する証拠は見つからなかったが、正義を妨害したという容疑に対する潔白を証明できるものでもなかった。2019年重大なことに、大統領が下院において権限の乱用と議会妨害の２項目で弾劾訴追された。[24] しかし2020年2月5日上院で無罪となった。今まで述べた問題は、2020年の大統領再選の勝算に対し全てに否定的な影響を与えるかもしれない。

これらの問題で、女性はどんなに影響を受けたか、トランプの女性への対応について感じたことが、今年の選挙にどんな影響を与えるだろうか。しかし2016年の大統領選遊説の前後においてドナルド・トランプ氏は、彼の発言や行動を通して依然として女性を侮辱している。例えば2016年の大統領候補時代、フォックスニュースコメンテーターのメーガン・ケリー氏への暴言、あるいは

---

23「2016年ドナルド・トランプは52%の白人女性票を獲得したのではない、」『タイム、』2018年10月18日、1
https://time.com/5422644?trump-white-women-2016/

24 米国下院司法委員会、『弾劾条項』（ワシントンD.C.：米国下院，2019），1-9、
https://judiciary.house.gov/sites/democrats.judiciary.house.gov/files/documents/Articles%20of%20impeachment.pdf

ヒューレット・パッカード元CEOカーリー・フィオリーナ氏への侮辱などがある。さらに彼は、ヒラリー・クリントン元上院議員、エリザベス・ウォーレン上院議員、マキシン・ウォータース下院議員、さらに近頃は、アレスサンドリア・オカシオ・コーテッツ下院議員（ニューヨーク州民主党)、イルハン・オマール下院議員（ミネソタ州民主党)、ラシーダ・トレイブ下院議員（ミシガン州民主党)、アイアナ・プレスリー下院議員（マサチューセッツ州民主党）など４人の女性議員にも言葉で侮辱している。[25] さらに2005年に録音され2016年10月に公表されたテープ「アクセス トゥハリウッド」のトランプ氏の発言は、トランプ氏の女性に対するもう一つの例である。ついに「23人の女性がトランプ氏の性的不祥事を告発した。」[26] トランプ氏の過去の女性への対応にもかかわらず多くの女性が2016年の大統領選挙で彼を支持したが、2020年の大統領選挙でこの支持を持続することが出来るかどうか、現時点では不明である。

話は変わるが、2018年にトランプ政権における女性閣僚は6人で26%であり、それはオバマ政権の女性閣僚の割合が30%から35%であったのに比較して低く、しかし19%から24%[27] であったジョージ W.ブッシュ政権時の女性閣僚の割合より高い。同時にトランプ氏は彼の政権から、前国連大使ニッキ・ヘイリー氏、米国国土安全保障省長官キルスティン・ニールセン氏、ホワイトハウスの初代戦略的広報部長で後に広報部長となったホープ・シャーロット・ヒックス氏、米大統領報道官サラ・ハッカビー・サンダース氏など、主要な女性たちを政治的理由や政策の不一致あるいは他の理由で排除した。

トランプ氏の女性に関わるこの種の政治的状況や、タイムズ・アップ [28]、

---

25 後者4人の民主党急進派新人女性下院議員は“スクワッド”として知られている。トランプはこの女性議員たちに「出身国に帰れ」とツイートしたが、一人を除いて全員アメリカ出身である。クリス シリッツァ,「ドナルド トランプは何故“スクワッド”との争いに興奮するのか､」『ザ・ポイント,』2019年7月28日、1
https://www.cnn.com/2019/07/16/politics/donald-trump-alexandria-ocasiocortez-squad-ilhan-omar/index.html

26 エリサ レルマン､「トランプの性的不祥事を告発した23人の女性､」『ビジネスインサイダー,』2019年6月21日、１,
https://www.business insider.com/women-accused-trump-sexual-misconductlist-2017-12

27 Z. バイロン ウルフ､「トランプ政権で一人少ない女性閣僚､」『CNN､』2018年12月7日、１、https://www.cnn.com/2018/12/07/politics/trump-cabinet-women/index.html

28「タイムズ・アップはあらゆる女性への安全で公正で尊厳ある仕事を求める組織である」,
https://www.timesupnow.com/about_times_up

＃ミートゥ[29] のような社会運動は、行動を起こす女性たちに勇気を与えている。国や地方の投票でこの励ましが如何に多くのパワーに変化するかということは、重要な論題である。過去の女性大統領候補者やあるいは米国議会の候補者／公務員の功績と併せてこの状況は、既に、トランプ氏の大統領就任後行われた最初の中間選挙で選出された女性数の記録の一因となっている。『102人の女性が当議会のメンバーであり、投票権を持つ議員の23.4%を占める。３分の１以上の女性議員（35名）は初めての当選であった。』上院にも新しく５人の女性が当選した。全体で上院には25名の女性がいる。[30] 加えて民主党は米国下院で過半数に復帰し、初代下院議長ナンシー・ペロシ米国下院議員が、現在２度目の議長の地位に就いている。

2018年の米国における地方自治体レベルでは、『州全体で選挙に当選した行政ポストの女性数は74名で、州議会における女性の割合は25.4%である。』[31] 国や地方の公選による公職を見ると、女性の社会的地位は向上している。その一方でこの代表権は、いまだに『総人口に占める女性の分配率あるいは51%』[32] を反映していない。さらに世界的に見て米国議会における女性下院議員の数は、世界で75位である。[33]

このような昨今の動向は、2020年に非常に幅の広い分野の民主党大統領候補者を生み出すことに寄与している。26人（人数は2019年12月現在、離脱者と新規候補者を合わせて15人に減少）の民主党大統領候補者の内６人は女性で、トゥルシー・ギャッバード下院議員（ハワイ州民主党）、キルステン・ジリブランド上院議員（ニューヨーク州民主党）（2019年８月現在選挙戦離脱）、カマラ・

29「性暴力から逃れた、特に黒人の女性や少女さらに貧困層の若年有色女性を救済するため、回復への道筋を探し出すため地域の草の根運動として始まった『＃ミートゥ』ムーブメントは2006年に設立され、国際社会の全ての社会的階層に至るまで拡大し、世界規模で性暴力の広がりや影響を強調することで、生存行為の汚名返上に役立った。」、https//metoomvmt.org/about/

30 ドリュー デシルバー、「新しい議会に史上最多の女性が就任、」『ファクトタンク，』2018年12月18日、１
https://www.pewresearch.org/fact-tank/2018/12/18/record-number-women-in-congress/

31 米国女性と政治センター「公選職における女性2018，」2019、1、
https://www.camp.rutgers.edu/women-elective office-2018

32 クレア ハンセン、「第116回党大会　人種・ジェンダー・宗教、」『USニューズ＆ワールド・レポート、』2019年1月3日、１
https://www.usnews.com/news/politics/slideshows/116th-Congress-by-party-race-gender-and-religion

33 エマ ニューバーガー、「増えてはいるが米国女性議員の割合は世界で75位だ」『CNBC，』2019年3月5日、1、
https://www.cnbc.com/2019/03/04/the-us-ranks-75th-in-womens-represesntation-in-government.html

ハリス上院議員（カリフォルニア州民主党2019年12月現在選挙戦離脱)、エイミー・クロブシャー上院議員（ミネソタ州民主党)、エリザベス・ウォーレン上院議員（マサチューセッツ州民主党）そして作家であり講師で活動家であるマリアン・ウィリアムソン氏である！　リアン・ウィリアムソン氏である！2020年の春までには6人の女性と他の候補者全てが選挙戦から離脱した。しかし良い知らせとして、民主党の正式な大統領候補ジョー・バイデンは、約束通り副大統領候補に女性を指名した。彼の歴史的な選択は、ジャマイカとインドにルーツを持つアフリカンアメリカンのカマラ・ハリス上院議員を選んだことである。女性の議会議員、政策立案者および大統領候補者の数の増加などの事態の変化は、勇気づけられる。

女性の為だけでなく多くの課題を残す全ての社会の為に、女性はこの機会をどのように最大化するだろう。2018年は前に述べた国や地方の選挙結果や#ミートゥやタイムズアップなど社会運動に影響を受けたことで、米国は女性年と考えられる。この状況に反して、米国政治における女性の力は重要な岐路にある。2021年あるいは2025年に女性候補者が、大統領／副大統領になれる保証はない。しかし女性・有権者・議会議員・政策立案者は、現在の機運を持続し、これまでの女性の議会議員や大統領あるいは副大統領候補者のキャンペーンから学び、多様性と社会的変革などを取り入れた団結したアメリカを築く試みのため、共に行動することが可能である。

## Bibliography
## 参考文献一覧

Burns, James Macgregor, and Susan Dunn. Three Roosevelts. New York: The Atlantic Press, 2001.
［バーンズ，ジェームズ・マクレガー & スーザン・ダン，『三人のルーズベルト』. ニューヨーク：ザ・アトランティックプレス，2001.］

Caroll, Susan J., and Richard L. Fox.  Gender Election. New York: Cambridge University Press, 2014.
［キャロル，スーザン J. & リチャード L. フォックス.『ジェンダー エレクションズ』. ニューヨーク：ケンブリッジ大学出版，2014.］

CAWP.  "Fact Sheet Women Appointed to Presidential Cabinets," 2014.
https://www.cawp.rutgers.edu/fast_facts/levels_of_office/documents/president.pdf
［米国女性と政治センター.「概況報告書 女性閣僚の任命,」2014.］

CAWP. "Women in Elective Office 2015," 2015.
https://www.cawp.rutgers.edu/fast_facts/levels_of_office/documents/elective.pdf
［米国女性と政治センター.「公選職における女性2015,」2015.］

CAWP. "Women in Elective Office 2018," 2019.
https://www.camp.rutgers.edu/women-elective office-2018
［米国女性と政治センター、「公選職における女性2018,」2019.］

CAWP, "Women in State Legislatures," 2015.
http://www.cawp.rutgers/fast_facts/levels_of_office/documents/stleg.pdf
［米国女性と政治センター、「州議会における女性,」2015.］

Cillizza, Chris. "Why Donald Trump is thrilled about this fight with the 'Squad."*The Point*, July 28, 2019.
https://www.cnn.com/2019/07/16/politics/donald-trump-alexandria-ocasio-cortezsquad-ilhan-omar/index.html
［シリッツァ、クリス.「ドナルド・トランプは、何故"スクワッド"との争いに興奮するのか」『ザ・ポイント』2019年7月28日.］

DeSilver, Drew. "A record number of women will be serving in the new Congress." *Fact Tank*, December 28, 2018.
https://www.pewresearch.org/fact-tank/2018/12/18/record-number-women-in-Congress/

[デシルバー、ドリュー.「新しい議会に史上最多の女性が就任」『ファクトタンク、』2018年12月28日.]

"Donald Trump Didn't Really Win 52% of White Women in 2016." *Time,* October 18, 2018.
https://time.com/5422644?trump-whitewomen-2016/
[「2016年ドナルド・トランプは52%の白人女性票を獲得したのではない」『タイム、』2018年10月18日.]

Garber, Kent. "Behind Obama's Victory: Women Open up a Record Marriage Gap." U.S. *News & World Report,* November 5、2008.
http://www.usnews.com/news/articles/2008/11/05/behind-obamas-victory-women-open-up-a-record-marriage-gap
[ガーバー , ケント.「オバマの勝利の陰で: 女性は結婚格差の記録を広げる.」『U.S.ニューズ＆ワールド・レポート,』2008年11月5日.]

Hansen, Claire. "116th Congress by Party, Race, Gender and Religion." *U.S. News & World Report,* January 3, 2019.
https://www.usnews.com/news/politics/slideshows/116th-Congress-by-party-racegender-and-religion
[ハンセン, クレア.「第116回党大会　人種・ジェンダー・宗教」『U.S.ニューズ＆ワールド・レポート,』2019年1月3日.]

http://voicesofconservativewoman.org/electionspace/who-we-support/elected/

https://www.timesupnow.com/about_times_up

https://metoomvmt.org/about/

Inter-Parliamentary Union. *Sluggish Progress on Women in Politics will hamper Development.* Geneva: IPU, 2015.
http://www.ipu.org/press-e/pressrelease201503101.htm
[列国議会同盟.『政治における女性の向上停滞は発展を阻害する』ジュネーブ：列国議会同盟, 2015]

Kronholz, June. "Census Bureau: Here's Who Voted in 2008." *The Wall Street Journal,* July 20, 2009.
http://blogs.wsj.com/washwire/2009/07/20/census-bureau-heres-who-voted-in-2008/
[クロンホルツ、ジューン.「国勢調査局：2008年誰が投票したかを示す.」『ウォー

ル・ストリート・ジャーナル,』2009年7月20日.］

National Organization for Women Political Action Committees.
http://nowpac.org/what-we-do/
［全米女性機構政治活動委員会.］

Newburger, Emma. "Despite gains, the U.S. ranks 75th globally in women's representation in government." *CNBC* Make It, March 4, 2019.
https://www.cnbc.com/2019/03/04/the-us-ranks-75th-in-womens-represesntation-ingovernment.html
［ニューバーガー、エマ.「増えてはいるが米国女性議員の割合は世界で75位だ.」『CNBC』メイクイート、2019年3月4日.］

Parker, Ashley, and Alan Rappeport. "Marco Rubio Announces 2016 Presidential Bid." *The New York Times*, April 13, 2015.［パーカー、アシュレー . & アラン・ラパポート.「マルコ・ルビオが2016年の大統領選挙に出馬表明.」『ニューヨーク・タイムズ、』2015年4月13日.］

Paxton, Pamela, and Melanie M. Hughes. *Women, Politics and Powers.* London: Sage, 2014.
［パクストン，パメラ ＆ メラニー M. ヒュー.『女性、政治&パワー』. ロンドン：セージ出版，2014.］

Relman, Eliza. "The 23 women who have accused Trump of Sexual Misconduct." *Business Insider*, June 2, 2019.
https://www.businessinsider.com/women-accused-trump-sexual-misconduct-list-2017-12
［レルマン、エリサ.「トランプの性的不祥事を告発した23人の女性.」『ビジネスインサイダー,』2019年6月2日.］

Thomas, Sue, and Clyde Wilcox. *Women and Elective Office Past, Present, and Future*. N.Y.: Oxford University Press, 2014.
［トーマス，スー ＆ クライド・ウィルコックス.『女性と公選職，過去・現在・未来』. ニューヨーク：オックスフォード大学出版，2014.］

Tossi, Miltra. "Labor Force Change, 1950-2050." *Monthly Labor Review* (2002): 1-14.
http://www.bls.gov/opub/mlr/2002/05/art2full.pdf
［トッシ，ミルトラ.「労働力の変化　1950－2050.」『月刊レーバーレビュー』(2002)：1－14］

UNDP, U.N. Fourth World Conference on Women Secretariat. *First Lady Hillary Rodham Clinton Remarks for the United Nations Fourth World Conference on Women.*New York: UNDP, 1995.
http://www.un.org/esa/gopher-data/conf/fwcw/conf/gov/950905175653.txt
［国連開発計画, 国連第4回世界女性会議事務局.『ファーストレディー ヒラリー・ローダム・クリントンが国連第4回世界女性会議で所信表明』. ニューヨーク：国連開発計画, 1995.］

U.S. Department of State, *Office of Global Women's Issues*. Washington D.C.: U.S. Dept. of State.
http://www.state.gov/s/gwi
［米国国務省. 『グローバル女性問題局』.ワシントン D.C.: 米国国務省.］

U.S. Department of State. *U.S. Department of State Policy Guidance: Promoting Gender Equality to Achieve our National Security and Foreign Policy Objectives*. Washington D.C.: U.S. Department of State, 2012.
http://2009-2017.state.gov/documents/organization/189379.pdf
［米国国務省、『米国国務省政策ガイダンス：国家安全保障と外交政策目標を達成するべき男女平等の普及』. ワシントンD.C.：米国国務省、2012.］

U.S. States Department of Labor. *Data & Statistics*. Washington D.C.: DOL, 2015.
http://www.dol.gov/wb/stats_data.htm
［米国労働省. 「データと統計」. ワシントン D.C.: 米国労働省, 2015.］

U.S. House of Representatives Judiciary Committee. *Articles of Impeachment.* Washington D.C. H.R., 2019.
https://judiciary.house.gov/sites/democrats.judiciary.house.gov/files/documents/Articles%20of%20impeachment.pdf
［米下院司法委員会.『弾劾条項』. ワシントンD.C.：米国下院, 2019.］

Wolf, Byron Z. "One fewer woman in Trump's Cabinet." *CNN*, December 7, 2018.
https://www.cnn.com/2018/12/07/politics/trump-cabinet-women/index.html
［ウルフ, バイロン Z.「トランプ政権で一人少ない女性閣僚.」『CNN.』2018 年12月7日.］

www.unwomen.org/en/csw

# Swallowed Bitterness: Voices of *Nisei* Women in America

Gay Satsuma, PhD
Associate Director
Center for Japanese Studies
University of Hawai'i at Mānoa

Literature speaks with a voice that resonates with people's lived experiences. Through examining select literary works by Japanese *Nisei* (second generation) women in the U.S., I seek to uncover aspects of the U.S.-Japanese relationship; a closer look at these writings reveals the dynamics nationality, race, and gender play in a nation that prides itself as a nation of immigrants. Particularly poignant are the internment experiences during WWII.

The backdrop to the stories is the history of Japanese immigration to Hawai`i and to the U.S. mainland. The first group of contract-laborers from Japan came to Hawai`i in 1868.[1]

Hawai'i, Hawai'i
Like a dream
So I came
But my tears
Are flowing now
In the canefields.[2]

This anonymous poem imparts the loneliness, the misery people felt living and working on sugar plantations in Hawai`i. It also represents the

---

1 They were called *gannen mono*, since they left Japan in the first year of the reign of Emperor Meiji.

2 Aaron I. Hara, "The Issei Experience," *The Hawai'i Herald: Hawai'i's Japanese American Journal, 10th Anniversary Issue* 11, no. 10 (May 18, 1990): 4.

missives of this initial group, most of them returned to Japan, disillusioned by the hard work and mistreatment.

Japanese immigration restarted in 1885 when Japan permitted its citizens to leave for Hawai`i, many of them used the islands as a way station for the West Coast of the U.S. mainland, especially following the American annexation of Hawai`i in 1898. By 1924 when the Asian Exclusion Act was passed (prohibiting immigration from Japan), 250,000 Japanese entered Hawai`i and the U.S. mainland. [3] By that time, *Nikkei* (those of Japanese descent) communities flourished in Hawai`i, and in pockets on the West Coast of the U.S.; the *Nisei*, born, in the U.S., held American citizenship; while they spoke Japanese at home and attended Japanese schools in the afternoons, they went to American schools, quickly learning English and American culture. [4]

While the first generation, *Issei,* worked long hours, some of them did find time to compose literature, poems specifically. Communities created worlds within themselves; Shinto shrines and Buddhist temples provided spiritual leadership and comfort. And businesses imported and sold Japanese goods; newspapers were printed in Japanese and featured sections in English for the *Nisei*. People collected poetry to publish anthologies. The following love poem by Hoen Uezu was in a collection, compiled by Jiro Nakano in Hilo, Hawai`i:

> Though I became mother
> Of six children,
> My heart still is thrilled
> Awaiting for my husband

---

3 Franklin Odo, *Voices from the Canefields: Folksongs from Japanese Immigrant Workers in Hawai`i* (New York: Oxford University Press, 2013), 5.

4 For the history of the first generation, see Yuji Ichioka, *The Issei: The World of the First Generation Japanese Immigrants, 1885-1924* (New York: Free Press, 1988), and Yukiko Kimura, *Issei: Japanese Immigrants in Hawai'i* (Honolulu: University of Hawai'i Press, 1988).

When night is near.[5]

These glimpses of *Issei* life are elaborated upon in the writings of their children. Hisaye Yamamoto (1921-2011) was one of the first *Nisei* writers who gained national recognition after the war, known for her short stories which have been reprinted in over twenty anthologies.[6] The story "Seventeen Syllables" (*Partisan Review*, 1949), Yamamoto explained, is a work of fiction but also a work about her mother. The reason she called it her mother's tale was, "like most women, she didn't fulfill her potential."[7] Yamamoto portrayed the relationship between the *Issei* and *Nisei* from the viewpoint of Rosie, the fourteen-year-old *Nisei* daughter, who does not fully comprehend the *haiku* (poem of 3 lines, 5-7-5) that her mother, Tome, has painstakingly composed in Japanese.

> "Yes, yes, I understand. How utterly lovely," Rosie said, and her mother, either satisfied or seeing through the deception and resigned, went back to composing.
>
> The truth was that Rosie was lazy; English lay readily on the tongue but Japanese had to be searched for and examined, and even then put forth tentatively (probably to meet with laughter) . . . .[8]

Yamamoto in her opening paragraphs described the distance between mother and daughter. The author skillfully weaved two plots together: Rosie's budding first romance with Jesus and her mother's burning literary aspirations. One sunny day, as everyone sorts out the tomato crop,

---

5 Jiro Nakano, "Tanka Poets in Hilo," *The Hawai'i Herald 8* , no. 14 ( July 17, 1987): 3 . Seealso Wayne Muromoto, "JA Artists in Hawaii," *The Hawai'i Herald: Hawaii's Japanese American Journal, 10th Anniversary Issue* 11, no. 10 (May 18, 1990): 131.

6 Dorothy Ritsuko McDonald and Katharine Newman, "Relocation and Dislocation: The Writings of Hisaye Yamamoto and Wakako Yamauchi," *MELUS* 7, no. 3 (Fall 1980): 23.

7 King-Kok Cheung, "Interview with Hisaye Yamamoto," in Hisaye Yamamoto, *Seventeen Syllables* (New Brunswick, New Jersey: Rutgers University Press, 1994), 86.

8 Hisaye Yamamoto, *Seventeen Syllables* (New Brunswick, New Jersey: Rutgers University Press, 1994), 21-22.

a Japanese reporter drives up, explaining he is delivering a prize, a wood block print by the artist Hiroshige (1797-1858) for the winner of his newspaper's *haiku* contest. Tome, stunned but flattered, invites him into their house for some cold tea. Her husband fumes looking in the direction of their house. He strides over. The stranger leaves. Rosie watches as her father carries the prize outside, smashes the frame and print on the ground, and burns the entire mess.

Rosie runs into the house to find her mother. Tome calmly asks her daughter, "Do you know why I married your father?" Her mother divulges how back in Japan she had given birth to a stillborn son following an affair; in order to escape the shame, she agreed to an arranged marriage to a man in America. Suddenly, her mother kneels on the floor and grabs her by the wrists. "Rosie. promise me you will never marry!" Rosie hesitates, recalling her first kiss, until her mother whispers desperately, "Promise, promise." She promises, covering her face and breaks out in tears. [9]

In "Seventeen Syllables," Yamamoto crafted a multi-layered story, unveiling the emotional undertones of people's lives, the circumscribed circumstances of an *Issei* woman. Tome's artistic hopes are destroyed in the fire her husband has set. Yamamoto returned to this theme in "Yoneko's Earthquake." [10] Marriages were usually arranged; while their husbands were not vicious, *Issei* women often suffered under their oppression. Recipient of the Before Columbus Foundation's 1986 American Book Award for Lifetime Achievement, Yamamoto received critical acclaim for her body of work. [11]

---

9 Ibid., 34-38.

10 Based on those two short stories, *Seventeen Syllables* and "Yoneko's Earthquake" (*Furioso*, 1951), the dramatic film, *Hot Summer Winds*, was broadcasted on PBS American Playhouse in May, 1991. View sections of *Hot Summer Winds* on youtube, https://www.youtube.com/watch?v=M0cDILypXYU

11 Her best short stories are considered "equal to the masterpieces of Katherine Mansfield, Toshio Mori, Flanner O'Connor, Grace Paley, and Ann Petry." King-Kok Cheung, "Introduction" in Hisaye Yamamoto, *Seventeen Syllables and Other Stories* (revised and expanded edition) (New

In spite of the recognition, she called herself a housewife.[12] When asked what was her favorite among the stories she wrote, she said, "None of them is good," with "a seemingly straight face."[13] This was more than false modesty. She revealed:

> [T]here is something in the nature of the *Nisei*. . . . For a writer proceeds from a compulsion to communicate a vision and he cannot afford to bother with what people in general think of him. We *Nisei*, discreet, circumspect, care very much what others think of us, and there has been more than one who has fallen by the wayside in the effort to reconcile his inner vision with outer appearances.[14]

Yamamoto connected herself with a generation. What defined the *Nisei*? Answers can be found in Yamamoto's biography and the historical, social context of that generation. She was born in 1921 in Redondo Beach, California to *Issei* parents from Kumamoto. They lived among a community of Japanese farming families; each moving every few years due to the Alien Land Law which prohibited Japanese (non-U.S. citizens) from owning land. While her parents and two brothers labored in the fields, she had her nose stuck in a book.[15] She explained, "I had early contracted the disease of compulsive reading."[16] On a whim she wrote a letter to the editor of a Japanese newspaper, seeing the letter printed in the paper "was like some heady wine."[17] She was only fourteen, Ro-

---

Brunswick, New Jersey: Rutgers University Press, 2001), xi-xii.

12 Hisaye Yamamoto, *Seventeen Syllables* (New Brunswick, New Jersey: Rutgers University Press, 1994), 59.

13 King-Kok Cheung, "Introduction" in Hisaye Yamamoto *Seventeen Syllables and other Stories*, (revised and expanded edition) New Brunswick, New Jersey: Rutgers University Press, 1994), ix.

14 Hisaye Yamamoto, *Seventeen Syllables* (New Brunswick: Rutgers University Press, 1994), 59-60.

15 King-Kok Cheung, "Interview with Hisaye Yamamoto," in Hisaye Yamamoto, *Seventeen Syllables* (New Brunswick, New Jersey: Rutgers University Press, 1994), 77.

16 Hisaye Yamamoto, *Seventeen Syllables* (New Brunswick, New Jersey: Rutgers University Press, 1994), 61.

17 Ibid.

sie's age, when she began contributing letters in English to Japanese-language newspapers' English sections and writing short stories. [18] She graduated from high school, and went on to study French at Compton Junior College.

Yamamoto was twenty, when Japan bombed Pearl Harbor on December 7, 1941. This event forever altered her life, as well as the lives of over 250,000 *Issei* and *Nisei* in the United States. Yamamoto, her two brothers, and her father [19] were relocated and sent to live in a camp in Poston, Arizona. There she contributed stories to the camp newspaper, Poston Chronicle. In an effort to relocate *Nisei*, the government allowed them to leave camps to work or go to school out in the mid-West or East after they signed loyalty oaths. Yamamoto and her brother left the camp to work; she found a job as a cook for one summer in Massachusetts until called back by her grieving father who wanted his children close to him after his oldest son, Johnny, died at the age of nineteen serving in the U.S. army in Italy.

Following WWII, she worked for three years as a reporter for the Los Angeles Tribune, a Black weekly newspaper. After the publication of her short story, "The High-Heeled Shoes" (Partisan Review, October 1948), she quit the paper to devote herself to writing. [20] In the same year, she adopted a baby boy, Paul. In 1950, she was awarded a John Hay Whitney Foundation Opportunity Fellowship; the funding allowed her the luxury to write for a year. However, when asked if she would accept a Stanford Writing Fellowship, she declined; instead, she and her son went to live and work on a Catholic Worker community farm on Staten Island. She married Anthony DeSoto in 1955; they moved to Los Angeles, where

---

18 King-Kok Cheung, "Interview with Hisaye Yamamoto," in Hisaye Yamamoto, *Seventeen Syllables* (New Brunswick, New Jersey: Rutgers University Press, 1994), 72.

19 Yamamoto's mother died in 1939. Ibid, 82.

20 She had the support of her brother, Jemo, and a small legacy (insurance) from her oldest brother who died in the war. Hisaye Yamamoto, *Seventeen Syllables* (New Brunswick, New Jersey: Rutgers University Press, 1994), 65.

she had four more children in addition to her adopted son. Although she continued to write, she had a large family to care for; in that way, she followed society's expectations of a woman with a husband and five children.

WWII and the mass internment of 120,000 men, women, and children of Japanese ancestry (two-thirds of whom were born in the U.S., American citizens by birth) profoundly affected Japanese-Americans. The *Nisei* found themselves further distanced from their parents; they were told to take loyalty oaths to America or suffer the consequences.[21] The camp memories were so painful that many never spoke about them. Yamamoto who only produced one short story situated in an internment camp, "The Legend of Miss Sasagawara" (*Kenyon Review*, 1950), wrote how any literary study on Japanese in the U.S. would have to include the camp experience. "It is an episode in our collective life which wounded us more painfully than we realize."[22] She did not truly fathom its impact until sitting with her family watching a Walter Cronkite report on the internment camps, she started crying and squeaked out unintelligible words in an attempt to tell her bewildered family what had happened.[23] Jeanne Wakatsuki Houston (1934- ), co-author of *Farewell to Manzanar* (1973), explains in an interview how she felt as a child behind barbed wire, "Being Japanese was not only bad, it was criminal."[24]

Executive Order 9066, issued by U.S. President Franklin Roosevelt, au-

---

21 Those who refused to pledge their loyalty to the U.S. were sent to Tule Lake Camp (CA), and were threatened with deportation.

22 Hisaye Yamamoto, *Seventeen Syllables* (New Brunswick, New Jersey: Rutgers University Press, 1994), 69. The quote is from a paper, "A View from the Inside," that she wrote for a symposium at Oakland Museum, October 15, 1976. The paper was originally published in *Rikka* 3:4 (1976): 11-19.

23 Hisaye Yamamoto, *Seventeen Syllables* (New Brunswick, New Jersey: Rutgers University Press, 1994), 69-70.

24 "Jeanne Houston, *California Reads* Author Interview Part 2," YouTube video, 17:17, Cal Humanities, April 12, 2012,
https://www.youtube.com/watch?v=ojLktgjv4Gs.

thorized the military to designate defense zones and to ban any and all persons they determined to be a national threat from those zones; this Order cleared the way for the mass relocation of Japanese and Japanese-Americans from fifty to sixty mile coastal ranges from California to Washington to ten internment camps in the interior of the U.S. in seven states. [25] While Japanese and Japanese-Americans in Hawai`i numbered nearly 158,000, or 35% of Hawai'i's population in 1941, they did not undergo mass internment. [26]

After WWII when the camps were closed, and former internees scattered throughout the U.S., a kind of silence ensued. [27] Yet, those memories could not go undocumented. Publications appeared gradually in the years after the war; *Nisei* women wrote the bulk of these works: *Nisei Daughter* (Boston: Little, Brown and Co., 1953) by Monica Sone (1919-2011), *Farewell to Manzanar: A True Story of Japanese American Experience*

25 The ten camps were Tule Lake (CA), Manzanar (CA), Poston (AZ), Gila River (AZ), Topaz (UT), Minidoka (ID), Heart Mountain (WY), Amache (CO), Jerome (AK), and Rohwer (AK).

26 The multi-cultural environment in Hawai`i was much more tolerant than on the West Coast; besides, the U.S. military commander in Hawai`i and other leaders fully recognized that mass evacuation of *Nikkei* would result in labor shortages crippling the islands' economy. To control the population, the U.S. declared martial law and rounded up leaders of the Japanese- American community; many of them were arrested and interned in Hawai`i or on the U.S. mainland. Approximately 2000 *Issei* and *Nisei* in Hawai`i were interned. The experiences of those in Hawai`i were starkly different from those on the U.S. mainland. While Hawai'i's Japanese and Japanese-Americans felt the stings of discrimination and suffered insults, the vast majority did not undergo relocation and internment. The Commission on Wartime Relocation and Internment of Civilians, *Personal Justice Denied: Report of the Commission on Wartime Relocation and Internment of Civilians Part I* (Washington, D.C.: U.S. Government Printing Office, 1982), 261, http://www.archives.gov/research//japanese-americans/justice-denied/ (accessed April 29, 2015). In 1980, this commission was established by an act of Congress. The report contributed to effecting the President's apology and the monetary restitution to survivors of the internment camps.

27 See interview with Hisaye Yamamoto in 1994 on how the *Nisei* generation did not speak about their camp experiences to their children. "en-denshovh-yhisaye-01-0014-1," *Densho Encyclopedia*, http://encyclopedia.densho.org/sources/en-denshovh-yhisaye-01-0014-1/ (accessed April 28 2015). *Nisei* men also wrote about their experiences. One of the most important books is by John Okada (1923-1971) who wrote the novel, *No No Boy* (Tokyo, Japan and Rutland, VT: Tuttle, 1957) about the anguish and isolation of a *Nisei* man who refused to pledge his allegiance to the U.S.

*during and after the World War II Internment* (Boston: Houghton Mifflin Co., 1973) by Jeanne Wakatsuki Houston (1934- ) and her husband, James D. Houston (1933-2009), *Camp Notes and Other Poems* (Lorenzo, CA: Shameless Hussy Press, 1976) and *Desert Run: Poems and Stories* (Latham, NY: Kitchen Table: Women of Color Press, 1988) by Mitsuye Yamada (1923-), *Journey to Topaz: A Story of the Japanese American Evacuation* (New York: Scribner, 1971) and *Desert Exile: The Uprooting of a Japanese-American Family* (Seattle: University of Washington Press, 1982) by Yoshiko Uchida (1921-1992), *Ganbare: An Example of Japanese Spirit* (Honolulu: Kisaku, Inc., 1981) by Patsy Sumie Saiki (1915-2005) and *Citizen 13660: Drawings and Text* (New York: Columbia University Press, 1946 original publication, henceforth multiple editions) by Miné Okubo (1912-2001). [28] These narratives reveal people's struggles to cope with living behind barbed wire.

On the day of their evacuation, families lined up to board crowded trains or buses carrying their meager belongings. Mitsuye Yamada, who spent most of her childhood in Seattle, was relocated along with her family to Minidoka Internment Camp in Idaho. In the poem "Evacuation," she reports on how a newspaper photographer took her photo at this particular moment:

> As we boarded the bus
> bags on both sides
> (I had never packed
> two bags before
> on a vacation
> lasting forever)
> the *Seattle Times*
> photographer said
> Smile!
> so obediently I smiled

28 For a novel on the Japanese-Canadian internment, see Joy Kogawa, *Obasan* (Boston: D.R. Godine, 1982).

and the caption the next day
read:
Note smiling faces
a lesson to Tokyo. [29]

Traise Yamamoto, in *Masking Selves, Making Subjects,* pinpoints Yamada's guarded poise in her poems. "Yamada employs irony and ironic distance to suggest a self that exists outside the boundaries of the poetry. . . . [This trait] lends many of the poems their curious air of guardedness, as though, for all their seeming candor, reservation—a reserved self—lingers beneath the poetic surface." [30]

Identity is a recurring theme; writers ask themselves, "Who am I?" The war forced *Issei* and *Nisei* to take sides. The U.S. Government created questionnaires, which included loyalty oaths, and started administering them in the internment camps from February 1943. [31] The most contentious questions were #27 and #28:

27. Are you willing to serve in the Armed Force of the United States on combat duty, wherever ordered?

28. Will you swear unqualified allegiance to the United States of America and faithfully defend the United States from any or all attack by foreign or domestic forces, and forswear any form of al-

---

29 Mitsuye Yamada, "Evacuation," *Camp Notes and Other Poems* ( New Brunswick, New Jersey: Rutgers University Press, 1998), 13. Originally published in 1976 by Shameless Hussy Press. Although Yamada was born in Japan in 1923 when her parents were visiting their families, she considers herself part of the *Nisei* generation. "Mitsuye Yamada's Camp Notes and Other Writings," *Asian American Literature Fans,* http://asianamlitfans.livejournal.com/55291.html?thread=96763 (accessed on April 20, 2015).

30 Traise Yamamoto, *Masking Selves, Making Subjects: Japanese American Women, Identity, and the Body* (Berkeley: University of California Press, 1999), 204.

31 Jeanne Wakatsuki Houston and James D. Houston, *Farewell to Manzanar: A True Story of Japanese American Experience During and After the World War II Internment* (Boston: A San Francisco Book Company/Houghton Mifflin Book, 1973), 71.

> legiance or obedience to the Japanese emperor, or any other foreign government, power, or organization?[32]

The loyalty oaths were deemed necessary because the U.S. had decided to allow Japanese-Americans to serve and fight for the U.S. military in a segregated unit (100th battalion, later to be combined into the 442nd infantry regiment). The *Issei* and *Nisei* were bitter over how they were being treated and suspicious of a government that could imprison them while at the same time asking the *Nisei* men to volunteer and fight for the very principles of liberty and justice that they were denied.[33]

*Nisei* grappled with their identities sitting in camps pondering how could this have happened to them. Monica Sone, whose parents managed a hotel in Seattle, was evacuated along with her family to the Puyallup Assembly Center (temporary detention center) in Washington. They lived in barracks and guarded by men holding submachine guns in towers. That first night, she lied awake: "What was I doing behind a fence like a criminal? If there were accusations to be made, why hadn't I been given a fair trial? Maybe I wasn't considered an American anymore. My citizenship wasn't real, after all. Then what was I?"[34]

---

32 Jeanne Wakatsuki Houston and James D. Houston, *Farewell to Manzanar: A True Story of Japanese American Experience During and After the World War II Internment* (Boston: A San Francisco Book Company/Houghton Mifflin Book, 1973, 70. Also see "Questions 27 and 28," *Densho Encyclopedia*、
http://encyclopedia.densho.org/Questions_27_and_28/ (accessed on September 6, 2019).

33 The effects of relocation and internment of *Nikkei* from the West Coast can be clearly seen in the stark contrast between *Nisei* men's reactions to the Army's call for recruits. When the U.S. Army asked Japanese-Americans to volunteer, 1,208 *Nisei* in internment camps volunteered. While in Hawai'i, where there was no mass incarceration, 10,000 *Nisei* volunteered. The Commission on Wartime Relocation and Internment of Civilians, *Personal Justice Denied: Report of the commission on Wartime Relocation and Internment of Civilians Part I* (Washington, D.C.: U.S. Government Printing Office, 1982),
http://www.archives.gov/research//japanese-americans/justice-denied/ (accessed April 29, 2015)..

34 Monica Sone, *Nisei Daughter* (Seattle: University of Washington, 1979), 177. Original publication was in 1953.

In the closing chapter of her autobiography, *Nisei Daughter,* Sone, who had been granted permission to leave camp to work in Chicago and later studied at Wendell College in Indiana, described her return to Minidoka Camp in Idaho where her parents still lived. Her father asked her to visit his best friend, Mr. Sawada, a widow, who had lost his oldest son, George, in combat. Mr. Sawada showed her a letter from his son who wrote it to him soon after departing for military training. "When Evacuation Day came, . . . I was stricken with bitterness, and I remember how you comforted me. . . . You said wisely, 'It is for the best. For the good of many, a few must suffer. This is your sacrifice. Accept it is as such and you will no longer be bitter.' I listened, and my bitterness left me." George thanked his father for his wisdom, "You, who had never been allowed citizenship, showed me its value. That I retained my faith and emerged a loyal American citizen, I owe to your understanding. When the time came for enlistment, I was ready." [35]

Sone cried reading the letter, Mr. Sawada told her, '"With this letter, George will comfort me always. I know that George understood and loved me well."' [36]

The last pages of her memoir describe Sone's leave taking from her parents who remained in the camp while she returned to Wendell College. She reassured her parents that she no longer resents being Japanese. " It wasn't such a tragedy. I don't resent my Japanese blood anymore. . . . I used to feel like a two-headed monstrosity, but now I find that two heads are better than one." [37] They parted with smiles on their faces. Sone reflected as her bus left the camp: "I was returning to Wen-

35 Monica Sone, *Nisei Daughter* (Seattle: University of Washington, 1979), 235.
36 Ibid.
37 Ibid., 236-237.

dell College with confidence and hope. . . . The Japanese and the American parts of me were now blended into one." [38]

By the end of *Nisei Daughter*, gone was the bitterness, the anguish of being betrayed by one's own country. Sone's memoir contributed to a master narrative of Japanese-Americans as America's model minority—in spite of suffering from America's worst injustices as persons of color in the 20th century, they overcame seemingly insurmountable obstacles through education and hard work to become successful, middle-class, law-abiding citizens. This term, model minority, was coined by William Petersen, Professor of Sociology at University of California at Berkeley, who wrote a lengthy article, called "Success Story, Japanese-American Style" in the *New York Times* magazine (January 9, 1966). In the article, he listed all the challenges *Issei* and *Nisei* faced in the U.S., and despite them, survived and flourished. [39] The most startling example was the bravery and patriotism of the all-*Nisei* 442nd Regimental Combat Team, the most decorated American unit in WWII, in spite of the mass incarceration of *Nikkei* in camps. Sone's autobiography not only supports this narrative but provides a framework for understanding how an embittered community could embrace America and its values to watch their young sons killed in battle yet still love this country. The book came out in 1953. Two years earlier in 1951 a film on the 442nd opened, called *Go for Broke* [Hawai'i pidgin creole term for American slang "shoot the works" or Japanese for *ganbare*] which dramatized this decorated all-*Nisei* Combat Team; the closing scene is of *Nisei* soldiers receiving military awards for acts of valor, smiling faces, military bugles blasting away. [40] *Nisei* men had their story; Sone's memoir helped provide *Nisei*

---

38 Ibid, 237-238.

39 The term "model minority" has been applied to other ethnic groups, specifically Asian Americans and Jewish-Americans.

40 See the entire film, *Go for Broke*, screenplay by and directed by Robert Pirosh, on youtube: https://www.youtube.com/watch?v=d96hP7HiQFc

women with their own, devout Christian, obedient, and college educated.

This success story of loyal Japanese-Americans did not necessarily eradicate their ethnic identity as Japanese, and their bonds with Japan. Some *Nisei* felt guilty as Americans for the bombings in Hiroshima and Nagasaki. In response to her instructor's question, "Tell me about yourself in a poem," Noriko Sawada Bridges, a *Nisei* from San Francisco, wrote "To Be or Not to Be: There's No Such Option" and presented it in 1978 at the first Talk Story Conference in Honolulu.

> *Somewhere in my past*
> I wondered why in Hiroshima I chose to take the blame.
> Declared myself American when a Japanese identity
> Would have spared me guilt and shame.
> I wondered when and where that decision had been made.
> When I was six in Tokyo?
> When challenged by my parents in concentration camp?
> Why did I select the guilty face?
> To be or not to be, there's no such option?
> One simply is; I simply am. [41]

Bridges' parents were from Hiroshima which likely contributed to her feelings of responsibility for America's bombing.

*Nisei,* who were interned, do not readily write or speak about their camp experiences. Wakako Yamauchi (1924 - 2018), who was a painter before she became a writer [and friend of Hisaye Yamamoto in Poston

41 Noriko Sawada Bridge, "To Be or Not To Be: There's No Such Option," *The Hawai'i Herald: Hawai'i's Japanese American Journal, 10th Anniversary Issue,* 11, no. 10 (May 18, 1990): 87.

Camp], explained why so many remain silent "Maybe in our silence, we ask you to honor us for that—survival. We ask that you not indulge us with pity, neither then nor now. The fact of our survival is proof of our valor. And that is enough." [42]

---

42 Wakako Yamauchi, "The Poetry of the *Issei* on the American Relocation Experience," in *Calafia, the California Poetry*, ed. Ishmael Reed (Berkeley: Y'BirdBooks, 1979), 71. The American government eventually recognized the injustice of the mass relocation and incarceration without due process of law; in 1976, President Gerald Ford rescinded Executive Order 9066; in 1988, Congress passed and President Ronald Reagan signed the Civil Liberties Act, popularly known as the Japanese American Redress Bill, acknowledging the injustice and mandating Congress to pay $20,000 in reparations to the victims.

# 苦々しさを呑み込んで：アメリカの二世女性の声

ハワイ大学ジャパニーズ・スタディズ・センター
アソシエイト・ディレクター

ゲイ・ミチコ・サツマ

文学は、人々の人生体験に共鳴する声を文字で表したものである。自ら選んだアメリカにおける*日系二世*（第二世代）の女性たちによる文学作品を詳細に検討して、これまで知られていなかった日米関係のある側面を明らかにしようと思う。これらの著書をさらに深く読み込めば、移民の国として誇りを持つ国における国籍、人種、ジェンダーが演じるダイナミックスが明らかになるであろう。特に胸が痛むのは、第二次世界大戦下の抑留体験である。

この物語の背景は、ハワイやアメリカ本土に向かった日本人移民の歴史である。1868年、日本からの契約労働者の第一グループがハワイに到着した。[1]

ハワイ、ハワイ
夢のよう
だから来たのに
でも涙
今も流れる
サトウキビ畑に[2]

作者不詳のこの詩は、窮乏に耐える人々が、ハワイの砂糖プランテーションで日常の生活や労働の中で感じた孤独を伝えている。同時に、この詩は、過酷な労働と虐待に幻滅して、ほとんどの人々が日本に帰国したこの初期グループ

1　彼らは明治天皇在位一年目に日本を離れたので『元年者、』と呼ばれた。

2　アーロン I. ハラ.「一*世*の体験、」『ハワイ・ヘラルド：ハワイ日系アメリカ人ジャーナル 10周年記念版、』11巻10号，1990年5月18日）：4.

が書き残したものを代表する作品である。

日本人の入植は、日本政府が国民のハワイへの移住を許可した1885年に再開した。特に1898年のハワイのアメリカ併合後、彼らの多くは、アメリカ本土西海岸に向かう中継地としてハワイ島を利用した。排日移民法（日本からの移民禁止）が通過した1924年までに、25万人の日本人がハワイやアメリカ本土に入国した。[3] その頃までには、*日系*（日本人を祖先に持つ人々）コミュニティはハワイで繁栄し、アメリカ西海岸で富を築いた。アメリカで生まれた*二世*はアメリカの市民権を持ち、家庭では日本語を話し、午後は日本人学校に通ったが、アメリカの学校に進学し、英語とアメリカ文化をすぐに身に付けた。[4]

一方、第一世代、*一世*の中には、長時間働きながら時間を見つけて文学、特に詩を作る人たちが出てきた。コミュニティでは、神道の神社や仏教のお寺が精神的指導力と癒しをもたらし、ビジネスでは日本製品の輸入や販売をし、新聞は日本語で印刷されたが主要な部分は*二世*のために英語で印刷するなど、彼ら自身の中で世界を創りあげていた。詩集を出版するため人々は詩を収集した。ホーエン・ウエズによる下記の恋愛詩はハワイ州ヒロ在住のジロ・ナカノが編集した中の一つである。

六人の 母となりしが
君を待つ
宵となれば
心ときめく [5]

垣間見えた*一世*の生活は、*一世*の子供たちの著作物の中に詳細に述べられて

---

3　フランクリン オド、『トウモロコシ畑からの声：ハワイで日本人移民労働者が歌う民謡』（ニューヨーク：オックスフォード大学出版局、2013）、5.

4　第一世代の歴史について、ユージ イチオカ、『*一世*：日本人移民第一世代の世界, 1885－1924』（ニューヨーク：フリープレス、1988）、及びユキコ キムラ、『*一世*：ハワイにおける日本人移民』（ホノルル：ハワイ大学出版局、1988、）、参照.

5　ジロ ナカノ、「ヒロにおける短歌、」『ハワイ・ヘラルド、』8巻14号、（1987年7月17日）：3、及びウェイン ムロモト, 「ハワイにおける*日系*アメリカ人アーティスト、」『ハワイ・ヘラルド：ハワイ*日系*アメリカ人ジャーナル10周年記念版、』11巻10号（1990年5月18日）：131.

いる。ヒサエ・ヤマモト（1921－2011年）は、20以上の詩編が再版されている短編小説で知られる戦後アメリカ国内で認められた最初の*二世*女性作家の一人であった。[6] 小説『十七文字』（『*パルチザンレビュー、*』1949年）を、ヤマモトは、フィクションでもあり彼女の母親に関する著作でもあると説明した。彼女がこれを彼女自身の母親の物語であるという理由は、「ほとんどの女性のように母は自分の潜在能力を発揮しなかった。」という所にみられる。[7] ヤマモトは、母親（トメ）が苦心して日本語で作る俳句（五七五の三行詩）を完全に理解できていない14歳の二世である娘のロージーの視点から、*一世*と*二世*の関係を描写している。

「はい、はい、分かりました。なんて素晴らしいこと」とロージーは言い、そして彼女の母親は、満足しているのか、いいかげんさを見抜いているのか、諦めて、創作に戻った。

現実は、ロージーが怠け者であるということだ。英語はたやすく話せるが、日本語は、言葉を探し意味を確かめなければならず、その場合にもためらいながら口にする。（たぶん笑われるだろう）……[8]

導入部でヤマモトは母と娘の間にある距離を描いている。作者は、ロージーの始まったばかりのジーザスとの初恋と彼女の母親の情熱的な文学への願望という、二つのストーリーを巧みに編み上げてまとめた。ある晴れた日、皆で収穫したトマトの選別をしていると、日本人の新聞記者が車でやって来て、彼の新聞社の俳句コンテストの優勝者に、賞品の広重（1797－1858年）の版画を渡しに来たと説明した。トメは仰天したが嬉しく光栄に思い、冷たいお茶をあげようと彼を家に招き入れた。夫は家の方を見ながら苛立っていた。夫が家の中に入ると、記者は立ち去った。ロージーは、父親が賞品を外に持ち出し、版画

---

6 ドロシー リツコ マクドナルド & キャサリン ニューマン、「強制収容と混乱：ヒサエ ヤマモトとワカコ ヤマウチ著、」『MELUS、』7巻3号（1980年秋）：23.

7 キン＝コック チャン、ヤマモト宅にて「ヒサエ ヤマモトにインタビュー、」『十七文字』（ニューブランズウィック、ニュージャージー：ラトガース大学出版局、1994）、86.

8 ヒサエ ヤマモト、『十七文字』（ニューブランズウィック、ニュージャージー:ラトガース大学出版局、1994）、21-22.

の入った額縁を地面にたたきつけ、ばらばらにして全部燃やすのを見た。

ロージーは母親を探しに家に駆けこんだ。トメは静かに、「私がお父さんとどうして結婚したか分かる？」と尋ねた。母親は、日本に居た頃に遡って、ある出来事で男の子を死産し、その恥辱感から逃れるためアメリカにいる男性とお見合い結婚することに同意したと打ち明けた。突然、母親は床に膝をつき、娘の両手首を握りしめて言った。「ロージー、決して結婚しないと約束して！」ロージーはボーイフレンドとの最初のキスを思い出しながら、躊躇した。「約束よ、約束よ」。と母親が絶望的な囁き声になって、やっと彼女は顔を覆って泣きながら約束した。[9]

『十七文字』にヤマモトは、束縛された環境にいる人々、すなわち一世女性の生活の底辺にある感情の覆いを取り去り、何層にも重ねられた物語を創りあげた。トメの芸術に対する希望は、夫の行為による火の中で打ち砕かれた。ヤマモトは『ヨネコの地震』でこのテーマに再び戻っている。[10] 普通、結婚はお見合いであった。夫たちの性質は悪くはなかったが、一世の女性たちはしばしば彼らの抑圧に苦しんだ。ビフォーコロンブス財団のアメリカ出版界特別功労賞1986年度受賞者のヤマモトは、彼女の一連の作品に対し批評家の称賛を受けた。[11]

認められた存在であったにも関わらず、彼女は自称主婦で通した。[12] 彼女が書いた小説の中で好きなものはどれですかと尋ねられると、彼女は、真面目に

---

9　ヒサエ ヤマモト、『十七文字』（ニューブランズウィック、ニュージャージー:ラトガース大学出版局、1994）、34-38.

10　二つの短編小説、『十七文字』と「ヨネコの地震」（フリオソ、1951）を基にしたドラマチックな映画、『暑い夏の風、』が1991年5月にPBSの番組アメリカンプレイハウスで放映された．ユーチューブで『暑い夏の風』視聴、https://www.youtube.com/watch?v=M0cDILypXYU

11　最も人気のある彼女の短編小説は、「キャサリン マンスフィールド、トシオ モリ、フラナー オコーナー、グレース バリー ＆ アン ペトリ—に匹敵する」と考えられている．キン コック＝チャン、ヒサエ・ヤマモトの『十七文字ほか短編小説』（増補改訂版）「序文」（ニューブランズウィック、ニュージャージー：ラトガース大学出版、2001、11-12.

12　ヒサエ ヤマモト、『十七文字』（ニューブランズウィック、ニュージャージー:ラトガース大学出版局、1994）、59.

前を向いて「良いものは一つもないわ」と言った。[13] これは偽りの謙虚さではなかった。彼女は次のように打ち明けた：

「そこには、*二世*に本質的な何かがあります……。作家には、内面に湧き上がるものを文章化するときに、世間が自分のことをどう思うか気にする余裕がありません。われわれ*二世*は、用心深く慎重に他人が私たちをどう思うか非常に気にしています。内面の考えと外見を一致させる努力を途中で諦める人は、ほとんどいないと言ってよいほどです。」[14]

ヤマモトは、彼女自身を同世代の人々と結び付けた。*二世*を決定づけるものは何なのか？　答えはヤマモトの伝記や、その世代の歴史的社会的背景に見ることができる。彼女は、熊本から来た*一世*の両親の間に、カリフォルニアのロドンドビーチで1921年に生まれた。彼らは日本人の農家のコミュニティの中で生活した：土地を所有することを日本人（アメリカ人でない市民）に禁じた外国人土地法のために２、３年おきに引っ越した。彼女の両親と二人の弟が農場で労働している間、彼女は本を読みふけった。[15] 彼女は「私は早期に読書中毒にかかった」と説明した。[16] 新聞に印刷された文字を「酔いがまわりやすいワインのように」考えて、気まぐれで彼女は*日系*新聞の編集者に手紙を書いた。[17] 日本語新聞の英字部分に英語で手紙と短編小説を投稿し始めたのは、ロージーがわずか14歳の時だった。[18] 彼女は高校を卒業し、フランス語を学ぶためコンプトン短期大学に進学した。

日本が1941年12月７日パールハーバーを攻撃したとき、ヤマモトは20歳だっ

---

13 キン＝コック チャン、ヒサエ･ヤマモトの『十七文字ほか短編小説、』（増補改訂版）「序文」（ニューブランスウィック、ニュージャージー：ラトガース大学出版局、1994）、9.

14 ヒサエ ヤマモト、『十七文字』（ニューブランズウィッ、ニュージャージー：ラトガース大学出版局、1994）、59-60.

15 キン＝コック チャン、「ヒサエ ヤマモトにインタビュー、」『十七文字』（ニューブランズウィック、ニュージャージー：ラトガース大学出版局、1994）、77.

16 ヒサエ ヤマモト、『十七文字』（ニューブランズウィック、ニュージャージー:ラトガース大学出版局、1994）、61.

17 同前所収.

18 キン＝コック チャン、「ヒサエ ヤマモトにインタビュー、」ヒサエ ヤマモトの『十七文字』（ニューブランズウィック、ニュージャージー：ラトガース大学出版局、1994）、72.

た。この出来事は、彼女やアメリカにいる25万人以上の*一世*や*二世*の生活を一変させた。ヤマモトと二人の弟と父親は転住させられ、アリゾナのポストン収容所に送られた。そこで彼女は収容所の新聞*ポストン クロニクル*に小説を投稿した。*二世*を移住させる一環として、政府は、忠誠宣誓に署名をすれば、中西部か中東部に働きに行くか学校に行くために収容所を離れることを許可した。アメリカ軍に従軍した上の弟ジミーが19歳でイタリアで亡くなってからは、子供たちを手元に置きたがり悲嘆にくれる父親が呼び戻すまで、ヤマモトと彼女の下の弟は収容所を出て働いた。彼女は、ひと夏マサチューセッツで調理師として働いた。[19]

第二次世界大戦後、彼女はアフリカ系アメリカ人週刊誌『ロサンゼルス・トリビューン』でレポーターとして３年間働いた。短編『ハイヒール』（パルチザンレビュー、1948年10月）を出版した後、彼女は執筆に専念するため新聞社を辞めた。[20] その年、男の赤ん坊を養子にした。1950年には、ジョン・ヘイ・ホイットニー財団文学活動奨励金を受けた。１年間ぜいたくに執筆できるよう財政的支援が認められたのである。しかし、スタンフォード文学活動奨励金の受賞の意思を確かめられたとき、彼女は丁重に辞退した。彼女は息子と、スタテン島のカトリックワーカーコミュニティ農場に住んで働くために引っ越した。彼女は1955年にアントニー・デソトと結婚した。彼らはロサンゼルスに引っ越し、そこで彼女は養子の息子に加えて４人の子供を持った。彼女は著作を続けていたが、大家族の世話もあり、夫と５人の子供を持つ女性という社会の期待に添う生活を選んだのだった。

第二次世界大戦と12万人に及ぶ男女、日本人を先祖に持つ子供たち（生まれながらにアメリカ国民である*二世*、*三世*）の集団抑留は、日系アメリカ人にはかり知れない大きな影響を与えた。*二世*は、彼らの両親からかなり距離を置い

19 ヤマモトの母親1939年死亡．キン=コック チャン、「ヒサエ ヤマモトにインタビュー、」ヒサエ ヤマモトの『十七文字』(ニューブランズウィック、ニュージャージー：ラトガース大学出版局、1994)、82.

20 彼女には下の弟ジェモの支援と戦争で亡くなった上の弟からのわずかな遺産(保険)があった。ヒサエ ヤマモト、『十七文字』(ニューブランズウィック、ニュージャージー：ラトガース大学出版局、1994)、65.

て自分たちを見ていた。彼らはアメリカに対し忠誠宣誓をするか痛みに耐えるかと問われた。[21] 収容所の記憶は、多くの人にとって言語を絶する悲痛なものであった。ヤマモトは強制収容所にいた時、たった一編だけ『ササガワラ嬢の伝説』（ケンヨンレビュー、1950年）という短編小説を発表したが、アメリカでいかなる日本文学の作品を書いても、収容所体験が根底にあると言わざるを得ない。「それは、われわれが意識している以上にわれわれを傷つけた集団生活の出来事だった。」[22] 家族と一緒に座ってテレビでウォルター・クロンカイトの強制収容所レポートを見るまで、彼女は本当にその影響を理解していなかった。そのとき彼女は泣きだし、当惑した家族が彼女に語りかけようと努力しても、理解できない言葉を金切り声で叫び続けた。[23]『フェアウェル トゥ マンザナール（マンザナールよ、さらば ― 強制収容された*日系*少女の心の記録）』（1973年）の共同著者、ジーン・ワカツキ・ヒューストン（1934年－）は、有刺鉄線の内側にいた子供として、「日本人であることは、悪であるというだけでなく、それ自体が犯罪だと感じていた」。とインタビューで明らかにしている。[24]

アメリカ大統領フランクリン・ルーズベルトが発令した大統領令9066は、軍隊に防衛区域を決定する権限を与え、国家の脅威であると判断されたすべての人々に対して、決められた区域からの移動を禁止した。この大統領令によって、カリフォルニア州からワシントン州までのアメリカ内陸部七州50 ～ 60マイルの沿岸山脈部に設置された10ヵ所の強制収容所に、日本人や*日系*アメリカ人を大量に転住させることが明らかになった。[25] 一方、1941年のハワイの人

---

21 アメリカへの忠誠誓約を拒否した者は、カリフォルニアのチュールレイク収容所に送り、国外退去させると脅された。

22 ヒサエ ヤマモト、『十七文字』（ニューブランズウィック、ニュージャージー:ラトガース大学出版局、1994）、69. この部分は1976年10月15日オークランド博物館でのシンポジウム「内面からの光景」で発表した論文から引用. 最初は『リッカ』3:4 (1976)：11-19に発表された.

23 ヒサエ ヤマモト、『十七文字』（ニューブランズウィック、ニュージャージー:ラトガース大学出版局、1994）, 69-70.

24「ジーン ヒューストン、『カリフォルニア・リード』 著者インタビュー 第2部、」ユーチューブビデオ、カリフォルニア・ヒューマニティズ、2012年4月12日、https://www.youtube.com/watch?v=ojLktgjv4Gs

25 10ヵ所の収容所は:チュールレイク(カリフォルニァ)、マンザナ(カリフォルニア)、ポストン(アリゾナ)、ギラ・リバー（アリゾナ）、トパス（ユタ）、ミニドカ（アイダホ）、ハートマウンテン（ワイオミング）、アマチ（コロラド）、ジェローム（アーカンソー）、ローワー（アーカンソー）.

口の35パーセントを占めていたハワイの日本人と*日系*アメリカ人、およそ15万8,000人は、大規模収容を免れた。[26]

第二次世界大戦後、収容所は閉鎖され、かつての被抑留者たちはアメリカ全土に離散した。[27] ある種の沈黙が守られた。しかし、これらの記憶はいずれ文字にされる運命にあった。戦争終了後、年を経るごとに徐々に文献が公表され始めた。次にあげる作品の大部分は、*二世*の女性によって書かれたものである。『*二世の娘*』（ボストン：リトル・ブラウン・アンド・カンパニー、1953年）モニカ・ソネ（1919－2011年）、『さらば、マンザナ：*日系*アメリカ人が体験した第二次世界大戦戦中・戦後の強制収容所における真実の物語』（ボストン：ホフトン・ミフリン社、1973年）、ジーン・ワカツキ・ヒューストン（1934年－　）とジェイムズ・D・ヒューストン（夫）共著（1933－2009年）、『収容所ノートと詩集』（ロレンツォ、カリフォルニア：シェィムレス・ハッシー出版社、1976年）と『砂漠を走れ：詩と小説』（レーサム、ニューヨーク：キッチン テーブル：ウーマン オブ カラー出版社、1988年）ミツエ・ヤマダ（1923年－　）、『トパーズへの旅－*日系*アメリカ人転住の物語』（ニューヨーク：スクリブナー、1971年）及び『砂漠への追放－日系アメリカ人家族の追放』（シアトル：ワシントン大学出版、1982年）ヨシコ・ウチダ（1921－1992年）、『がんばれ：大和魂の実例』（ホノルル：キサク、有限会社、1981年）パッツイー・スミエ・サイキ（1915－2005年）、最後に『市民13660号：*日系*女性

---

26 ハワイの多様な文化的環境は西海岸と比較して寛容であった；ハワイのアメリカ軍司令官や他の指揮官たちは、*日系人*の大規模な退避の結果労働力不足となり島の経済に深刻な打撃を与えることを十分に認識していた．人口をコントロールするために、アメリカはマーシャルローを布告し*日系*アメリカ人の指導者たちを一カ所に集めた；彼らの多くはハワイやアメリカ本土で逮捕され、拘禁された．約2,000人の*一世*や*二世*が抑留された。ハワイにおけるこれらの人々の体験は、アメリカ本土とまったく異なっていた。ハワイの日本人や日系アメリカ人は、差別の痛みを感じ、侮辱に耐えていたが、大多数は転住や抑留を受け入れなかった．『否定された個人の公正性：一般市民の戦時における転住や抑留に関する委員会のレポート第一部』（ワシントンD.C.：合衆国政府印刷局、1982)、261、http://www.archives.gov/research//japanese-americans/justice-denied/（2015年4月28日アクセス）．当委員会は、議会制定法によって1980年に設立された。委員会の報告書は、強制収容所を生き抜いた人々に対する大統領の謝罪と金銭的賠償をもたらす一因となった．

27 どうして*二世*世代が子供たちに収容所生活の経験を話さないのか、という1994年のヒサエヤマモトへのインタビュー参照．“en-denshovh-yhisae-01-0014-1､」『伝正百科事典』、http://encyclopedia.densho.org/sources/en-denshovhyhisaye-01-0014-1/（2015年４月28日アクセス）．*二世*男性たちも彼らの経験を書いた。最も重要な本の一つは、アメリカに対する忠誠宣誓を拒否した*二世*男性の苦悩と孤独について書いたジョンオカダ(1923−1971年）の小説『ノーノーボーイ』（東京（日本）及びラトランド、（バーモント）：タトル、1957）である．

画家による戦時強制収容所の記録』（ニューヨーク：コロンビア大学出版、1946年初回発刊、以降再販を重ねる）ミネ・オオクボ（1912－2001年）。[28] これらの作品は、有刺鉄線に囲まれた中で生きた人々の闘いを明らかにしている。

彼らの疎開の日、家族はわずかな荷物を持って、満員の列車やバスに乗るため列に並んだ。子供時代をほとんどシアトルで過ごしたミツエ・ヤマダは、アイダホのミニドカ強制収容所に家族と共に転住させられた。『疎開』という詩の中で、彼女はこの特別な瞬間を、

私たちはバスに乗るとき、
両腕に鞄を下げていた。
（長い休暇に出かけるために
二つの鞄に必要なものを詰めたことはこれまでなかった。）
シアトルタイムズの
写真家は言った。
「笑って！」
言われるままに私は微笑した。
次の日の新聞の見出しは、
『人々の笑顔に注目、東京への教訓』となっていた。[29]

トレース・ヤマモトは、『仮面を被って、自我を創作する』で、詩の中におけるヤマダの慎重なバランスを的確に指摘している。「ヤマダは、詩の言外にある自我をそれとなく示唆するために、アイロニィやアイロニックなよそよそしさを用いた。……［この特徴］は、多くの詩にバランスに関する興味をそそる雰囲気を醸し出している。あたかも彼らの外見的な率直さ、つつましさ──抑

28 日系カナダ人抑留に関する小説、ジョイ コガワ、『おばさん』（ボストン：D.R.ゴディン、1982）、参照.
29 ミツエ ヤマダ、「疎開、」『収容所ノートと詩集』（ニューブランズウィック、ニュージャージー：ラトガース大学出版局、1998）、13. 初版は、シェイムレス・ハッシ出版社から1976年に出版された. ヤマダは彼女の両親が家族を訪問していた時に日本で生まれたが，自身を二世世代であると思っている.「ミツエ ヤマダの収容所ノートと作品集、」『アジアンアメリカン リタラチャー ファンズ、』http://asianamlitfans.livejournal.com/55291.html?thread=96763（2015年4月20日アクセス）.

制された自我――が、詩的な表面下にいつまでも残っているかのような。[30]

アイデンティティは繰り返されるテーマで、作者は「私は誰？」と自問する。戦争は、*一世*と*二世*を引き裂いた。アメリカ政府は、忠誠宣誓を含むアンケートを作成し、1943年２月から強制収容所で彼らを管理し始めた。[31] 最も議論を引き起こした質問は27番と28番であった。

27　あなたは、命令を受けたら必ずアメリカ国軍の戦闘任務に就きますか？
28　あなたは、アメリカ合衆国に対し無条件に忠誠を誓いますか？　海外・国内の武力による全ての攻撃から合衆国を守りますか？　日本国天皇あるいはその他の外国の政府・権力・組織への忠誠および服従を否認することを誓いますか？[32]

忠誠宣誓が必要となったのは、アメリカ合衆国が、*日系*アメリカ人のみの部隊（第100大隊、後に第442連隊戦闘団と統合）に対し、アメリカ軍のために従軍し戦うことを認めると決定したからである。*一世*と*二世*は、いかに彼らが取り扱われてきたかに苦しみ、彼らを監禁する一方で、彼らには否定されている自由と正義の原則のために、志願し、戦うことを*二世*の男性に求める政府に対する疑念を持った。[33]

*二世*は、なぜこのようなことが起きたのか、収容所で考えながら彼らのアイデンティティと格闘した。両親はシアトルでホテルを経営していたモニカ・ソ

30 トレース ヤマモト、『仮面を被って、自我を創作する：日系アメリカ人女性のアイデンティティとボディ』（バークレー：カリフォルニア大学出版、1999）、204.

31 ジーン ワカツキ ヒューストン & ジェームズ D. ヒューストン、『マンザナールよ、さらば：*日系*アメリカ人が体験した第二次世界大戦戦中・戦後の強制収容所における真実の物語』（ボストン：サンフランシスコ・ブック・カンパニー／ホフトン・ミルフィン・ブック、1973）、71.

32 同上70. 「質問27と28.」参照. 『伝正百科事典』、http://encyclopedia.densho.org/Question 27 and 28/ (2019年9月6日アクセス).

33 西海岸から来た*日系*の転住や抑留の結果は、軍隊の兵士募集の際の*二世*の男性との反応の違いに明らかに現れた. アメリカ陸軍が*日系*アメリカ人に志願を募ったところ強制収容所は1,208人の*二世*が志願したが、大規模収監のないハワイでは、一万人の*二世*が志願した.『個人の正義は否定された：戦時中の民間人の転住及び抑留に関する委員会報告　第一部』（ワシントンD.C.:米国政府印刷局、1982）.

ネは、彼女の家族と共にワシントンのピュアラップ集合センター（臨時拘置所）に疎開させられた。彼らは兵舎に住み、小型機関銃を持って管制塔に立つ男に監視された。初めての夜、彼女は横になっても寝付けなかった。「犯罪者のようにフェンスの中に入れられて、私が何をしたというのだろう？　起訴されたのなら、私はどうして公正な裁判を受けられないのだろうか？　多分、私はもうアメリカ人とは考えられていないのだ。結局、私の市民権は本物ではなかった。だったら、私は何者なのか？」[34]

彼女の自叙伝『*二世の娘*』の結びの章で、シカゴで働くため収容所を離れる許可を得て、後にインディアナのウェンデル・カレッジで学んだソネは、彼女の両親がまだ生活しているアイダホのミニドカ収容所へ戻ったときのことを書いている。彼女の父親は彼の親友の、戦闘で長男ジョージを亡くしひとり暮らしのサワダ氏を訪ねるよう頼んだ。サワダ氏は彼女に軍事教練に旅立った直後に書かれた長男の手紙を見せた。「疎開の日が来た時、……私は苦しみに襲われ、父上がどんなに私を慰めてくれたか、を思い出します……父上は賢明にも言ってくださいました。『これは最善のことだ。多数の善のために、少数者が犠牲にならなければならない。これは、君の犠牲だ。そのように、受けとめればもはや苦しみではない』、それを聞いて苦しみが去りました」。ジョージは父親の見識に感謝した。「市民権を得られなかった父上が、私にその価値を示してくれました。私が私の信念を持ち、忠実なアメリカ市民となるのは、父上が私を理解してくれたお陰です。入隊のその時が来た時、私には覚悟ができていました。」[35]

ソネは手紙を読みながら泣いた。サワダ氏は彼女に言った。「この手紙でジョージは、これからも私を励まし続けてくれると思う。ジョージは私を理解してくれていたし、私をとても愛してくれていた。」[36]

彼女の回顧録の最後のページで、ソネは収容所に残る両親に別れを述べ、ウ

---

34 モニカ・ソネ*二世の娘*（シアトル：ワシントン大学、1979)、177. 初版は1953年.
35 同上、235.
36 同上.

ェンデル・カレッジに戻ったと書いている。彼女は、もうこれからは決して日本人であることに怒りを覚えないと両親を安心させた。「それは、それほどの悲劇ではなかった。私はもうこれから、私の日本人としての血に怒りを覚えない……私は、二つの頭を持った怪物のように感じていた、でも今、二つの頭は一つより良いことに気付いた。」[37] 彼らはお互いに笑顔で別れた。ソネは収容所を去るバスの中で自分と向き合い思った。「私はウェンデル・カレッジに自信と希望を持って帰る……私の中の日本人の部分とアメリカ人の部分が今一つに溶け合った。」[38]

『*二世の娘*』の終わりで、なくなったものは苦々しさであり、自分自身の祖国に裏切られたという苦悩だった。ソネの自叙伝は、アメリカの模範的な少数民族（モデルマイノリティ）としての*日系*アメリカ人の最高の物語に貢献した。[39]二十世紀における有色人種に対するアメリカの最悪の権利侵害に苦しんだ、しかし、日系アメリカ人は、教育と重労働を通して、乗り越えられないと思われた障壁に打ち勝ち、成功し、中流の、法を守る国民になった。このモデルマイノリティという言葉は、ニューヨークタイムズ紙（1966年１月９日）の中で、「成功談、日系アメリカ人の流儀」と言われる長い記事を書いたカリフォルニア大学バークレー校の社会学教授ウィリアム・ピーターソンが造語した新語である。この記事の中で彼は、*一世*と*二世*がアメリカで直面したあらゆる試練をリストアップした。それにもかかわらず、彼らは生き延びて繁栄したのである。[40]最も衝撃的な例は、*日系人*が収容所に大量に監禁されたにもかかわらず、第二次世界大戦において最多の勲章を受けたアメリカ部隊、勇猛果敢で愛国心に燃え、全隊員が*日系二世*で編成された第442連隊戦闘団である。ソネの自叙伝は、この物語を支持するだけでなく、若い息子たちが戦闘で殺されてもなおこの国を愛するのを見守って苦しんだコミュニティが、どのようにしてアメリカとアメリカの価値を受け入れることができたのかを理解するための構想を与えてく

---

37 モニカソネ『*二世*の娘』（シアトル：ワシントン大学、1979）、236-237.

38 同上、237-238.

39「モデルマイノリティ」という言葉は、アジア系アメリカ人やユダヤ系アメリカ人の民族に適用されている.

40 エンタイア・フィルム参照、『Go for broke』、ロバート・ピロシュ脚本/監督、ユーチューブ：https://www.youtube.com/watch?v=d96hp7HiQFc

れる。この本は1953年に出版された。その２年前の1951年に、この勲章を受けた全員*二世*の第442連隊戦闘団をドラマ化した映画『Go for Broke（邦題：*二世*部隊)』(ハワイ ピジン　クレオール語、アメリカのスラングで「大奮闘する」、日本語では「がんばれ」）が公開された。最後のシーンは、*二世*軍人たちの勇敢な行動・笑顔・ラッパでの鼓舞などに対して勲章が贈られるところで幕を閉じた。*二世*の男性たちはこうして彼らの物語を持つことができた。ソネの自叙伝のお蔭で、*二世*の女性たちは、自立した敬虔なクリスチャンであり素直な性格で、大学教育を受けていたことも知られていた。

忠実な*日系*アメリカ人のこの成功物語が、彼らの日本人としての民族固有のアイデンティティと日本との絆を切断したとは必ずしも言えない。一部の*二世*は、アメリカが広島や長崎に原子爆弾を投下したことに罪の意識を感じている。サンフランシスコから来た*二世*のノリコ・サワダ・ブリッジは、彼女の講師の「あなた自身について詩を書いてください」という問に答えて、「そうであるか否か：選択の余地はない」と書き、1978年にホノルルで開催されたトーク・ストーリー社主催の第１回目のホノルル トーク・ストーリー会議で発表した。

私の過去のどこかで
なぜ広島で私は非難を受けることを選んだのだろう
日本人のアイデンティティはあるけれど、私はアメリカ人だと宣言する
罪深く不名誉な私を許してくれるだろうか
いつ、どこでそう決めたのだろう。
私が六歳で東京にいたとき？
強制収容所に両親が収容されていたとき？
なぜ、私は罪深い顔を選んだのだろう？
そうであるか否か、選択の余地はない？

一つ簡単なこと；私は私であるということだ。[41]

---

41 ノリコ・サワダ・ブリッジ、「そうであるか否か：選択の余地はない」『ハワイ・ヘラルド：ハワイ*日系*アメリカ人ジャーナル10周年記念版、』11巻10号（1990年5月18日）：87.

ブリッジの両親が広島出身であることが、アメリカの原爆投下に対し責任を感じる要因となっていると思われる。

抑留されていた二世たちは、収容所体験についてすぐに書いたり話したりしなかった。作家になる前に画家であり、ポストン収容所でヒサエ・ヤマモトの友人であったワカコ・ヤマウチ（1924－2018年）は、なぜそんなに多くの生存者が沈黙を守っているのかについて説明している。「私たちの沈黙こそ生存者の名誉なのです。今もそしてこれからも、皆さんに憐みで私たちを駄目にしないでほしいと思います。私たちが今こうして生き残っているという事実は、私たちの勇敢さのなによりの証明です。それで十分なのです。」[42]

## Bibliography
## 引用・参考文献

Bridge, Noriko Sawada. “To Be or Not To Be: There's No Such Option.” *The Hawai'i Herald:Hawai'i's Japanese American Journal, 10th Anniversary Issue* 11, no. 10 (May 18, 1990): 87.
［ブリッジ、ノリコ サワダ.「そうであるか否か：選択の余地はない.」『ハワイ・ヘラルド：ハワイ日系アメリカ人ジャーナル、10周年記念版、』11巻10号（1990年5月18日）：87.］

Cheung, King-Kok. “Interview with Hisaye Yamamoto.” In *Seventeen Syllables* by Hisaye Yamamoto, 1-16. New Brunswick, New Jersey: Rutgers University Press, 1994.
［チャン、キン＝コック.「ヒサエ ヤマモトにインタビュー.」ヒサエ ヤマモト著、『十七文字』、1-16. ニューブランズウィック、ニュージャージー：ラトガース大学出版、1994.］

42 ワカコ ヤマウチ、「アメリカの強制収容体験に基づいた一世の詩、」『カラフィア、カリフォルニア・ポエトリー』、編集イシュミル リード（バークレー：Yバードブックス、1979）、71. アメリカ政府は最終的に、法的に正当性のない大規模転住と収監を不当な処置と認め；1976年、ジェラルド・フォード大統領が大統領命令9066を破棄し；1988年議会を通過し、ロナルド・レーガン大統領が、日系アメリカ人救済法案として一般に知られる人権擁護法に署名し、不当行為を認め、被害者に対する補償として2万ドルの支払いをアメリカ連邦議会に命じた.

Cheung, King-Kok. “Introduction.” In *Seventeen Syllables and Other Stories* (revised and expanded edition) by Hisaye Yamamoto, ix-xxi. New Brunswick, New Jersey: Rutgers University Press, 2001.
［チャン，キン＝コック．ヒサエ ヤマモト著.『十七文字ほか短編小説』（増補改訂版）「序文､」9-21. ニューブランズウィック，ニュージャージー：ラトガース大学出版局，2001.］

"en-denshovh-yhisaye-01-0014-1" Densho Encyclopedia.
http://encyclopedia.densho.org/sources/en-denshovh-yhisaye-01-0014-1/(accessed April 28, 2015).
［「伝正百科事典.」（2015年4月28日アクセス）］

Hara, Aaron I. “The *Issei* Experience.” *The Hawai'i Herald: Hawaii's Japanese American Journal, 10th Anniversary Issue* 11, no. 10 (May 18, 1990): 4-10.
［ハラ，アーロン I.「一世の体験.」『ハワイ・ヘラルド：ハワイの日系アメリカ人ジャーナル，10周年記念版､』11巻10号（1990年5月18日）：4-10.］

Houston, Jeanne Wakatsuki and James D. Houston. *Farewell to Manzanar: A True Story of Japanese American Experience During and After the World War II Internment.* Boston: A San Francisco Book Company/Houghton Mifflin Book, 1973.
［ヒューストン、ジーン ワカツキ、ジェームズ　D. ヒューストン、『マンザナールよ、さらば：日系アメリカ人が体験した第二次世界大戦戦中・戦後の強制収容所における真実の物語』. ボストン：サンフランシスコ・ブック・カンパニー／ホフトン・ミルフィン・ブック、1973.］

“Jeanne Houston, *California Reads* Author Interview Part 2.” YouTube video, 17:17, Cal Humanities, April 12, 2012.
https:/www.youtube.com/watch?v=ojLktgiv4Gs
［「ヒューストン、ジーン.『カリフォルニア リード』の著者インタビュー　第二部.」ユーチューブビデオ、17:17. カリフォルニア・ヒューマニティーズ、2012年4月12日.］

McDonald, Dorothy Ritsuko and Katharine Newman. “Relocation and Dislocation: The Writings of Hisaye Yamamoto and Wakako Yamauchi.” *MELUS* 7, no. 3 (Fall 1980): 21-38.
［マクドナルド、ドロシー リツコ & キャサリン ニューマン.「強制収容と混乱：ヒサエ ヤマモトとワカコ ヤマウチ著.」『MELUS､』７巻３号、(1980年秋)：21－38.］

"Mitsuye Yamada's Camp Notes and Other Writings." *Asian American Literature Fans.* http://asianamlitfans.livejournal.com/55291.html?thread=96763 (accessed on April 20, 2015).
[「ミツエ ヤマダの収容所ノートと作品集.」『アジアン・アメリカン・リタラチャー・ファンズ.』(2015年4月20日アクセス).]

Muromoto, Wayne. "JA Artists in Hawaii." *The Hawai'i Herald: Hawai'i's Japanese American Journal, 10th Anniversary Issue* 11, no. 10 (May 18, 1990): 130-135.
［ムロモト、ウェイン.「ハワイにおける日系アメリカ人アーティスト.」『ハワイ・ヘラルド：ハワイ日系アメリカ人ジャーナル、10週年記念版、』11巻10号（1990年5月18日）：130-135.］

Nakano, Jiro. "Tanka Poets in Hilo." *The Hawai'i Herald: Hawai'i's Japanese American Journal* 8, no. 4 (July 17, 1987): 1-3.
［ナカノ、ジロ、「ヒロでの短歌集」.『ハワイ・ヘラルド：ハワイの日系アメリカ人ジャーナル、』8巻4号（1987年7月17日）：1-3.］

Odo, Franklin. *Voices from the Canefields: Folksongs from Japanese Immigrant Workers in Hawai`i.* New York: Oxford University Press, 2013.
［オド、フランクリン.『トウモロコシ畑からの声：ハワイで日本人移民労働者が歌う民謡』. ニューヨーク：オックスフォード大学出版、2013.］

"Questions 27 and 28." *Densho Encyclopedia.* http://encyclopedia.densho.org/Questions_27_and_28/ (accessed on September 6, 2019).
[「質問27と28.」『伝正百科事典』. (2019年9月6日アクセス).］

Sone, Monica. *Nisei Daughter.* Seattle: University of Washington, 1979. Original publication was in 1953.
［ソネ、モニカ.『二世の娘』. シアトル：ワシントン大学、1979. 初版は1953年であった.]

The Commission on Wartime Relocation and Internment of Civilians. *Personal Justice Denied: Report of the Commission on Wartime Relocation and Internment of Civilians Part I.* Washington D.C.: U.S. Government Printing Office, 1982.
http://www.archives.gov/research/japanese-americans/justice-denied/ (accessed April 28, 2015).
［一般市民の戦時における転住や抑留に関する委員会.『否定された個人の公正性：一般市民の戦時における転住や抑留に関する委員会のレポート 第一部』. ワシント

ンD.C.：米国政府印刷局、1982. (2015年4月28日アクセス).]

Yamamoto, Hisaye. "A View from the Inside." *Rikka* 3, no. 4 (1976): 11-19.
[ヤマモト、ヒサエ.「内からの光景.」『リッカ、』3巻4号（1976）：11-19.

Yamamoto, Hisaye. *Seventeen Syllables*. New Brunswick, New Jersey: Rutgers University Press, 1994.
[ヤマモト、ヒサエ.『十七文字』. ニューブランズウィック、ニュージャージー：ラトガース大学出版、1994.]

Yamada, Mitsuye. "Evacuation." *Camp Notes and Other Poems*. New Brunswick, New Jersey: Rutgers University Press, 1998.
[ヤマダ、ミツエ.「疎開」『収容所ノートと詩集』. ニューブランズウィック、ニュージャージー：ラトガース大学出版、1998.]

Yamamoto, Traise. *Masking Selves, Making Subjects: Japanese American Women, Identity, and the Body*. Berkeley: University of California Press, 1999.
[ヤマモト、トレース.『仮面を被って自我を創作する：日系アメリカ人女性のアイデンティティとボディ』. バークレー：カリフォルニア大学出版、1999.]

Yamauchi, Wakako. "The Poetry of the Issei on the American Relocation Experience." In *Calafia,the California Poetry*, edited by Ishmael Reed. Berkeley: Y' BirdBooks, 1979.
[ヤマウチ、ワカコ.『ヤマウチ、ワカコ.「アメリカの強制収容体験に基づいた一世の詩」『カラフィア、カリフォルニア・ポエトリー』、イシュミル・リード、編、バークレー：Yバードブックス、1979.]

# あとがき

林弘子教授は彼女の生涯を通して不屈の精神と柔軟な思考と意欲的な魂を持った方でした。次世代の法律・政策の思考者や社会の総合的構築者を教育する一方で、彼女は自分自身を常にプロフェッショナルとして追い込んでおられました。彼女は、労働者の権利、職場における女性の待遇、セクハラ、男女の平等について日本の現状を変えることを目指しておられました。

日本や海外で彼女が受けた教育は、教育者、研究者、弁護士、そして最後には学長としての多くの役割を通して、彼女が目指す目標をサポートするのに大いに効果を発揮しました。彼女のグローバルボイスは、国際会議への出席、彼女自身の出版物、裁判の書面、国際交流などを通して、それらに関する日本の状況について世界の人々に情報を発信しました。

もちろんジェンダーに関する偏見、深く沁みこんだ伝統、変化への社会の抵抗などの理由で、彼女が思ったことをやり遂げるためには多くの闘いがありました。その障壁にもかかわらず、ここまで尽くされた労力に、克服してこられた試練に、達成された業績に、そしてたとえそれが議論し理解されなかった論争にさえも、私たちは林弘子教授に『ありがとう』という言葉を奉げます。それぞれの人々の想い出の遠い彼方に、彼女が触れ、変化させ、そしてこれからも元気を与え続けるであろう多くの人生の中に、林弘子教授のレガシーは生きています。

ステファニー A・ウエストン記（江﨑康子訳）

# Epilogue

During her lifetime, Professor Hiroko Hayashi was an indomitable, resilient and ambitious spirit. While educating the next generation of legal and policy thinkers as well as overall builders of society, she also constantly pushed herself professionally. She aimed to change the status quo in Japan about labor rights, treatment of women in the workplace, sexual harassment and gender equality. Her education here and abroad helped her to support these goals through her many roles as educator, researcher, lawyer and finally as university president. She was also a global voice which educated others around the world about Japan's situation concerning these areas through her participation in international conferences, her publications, court briefs and international exchange.

Of course, there were many struggles to achieve what she did because of gender bias, ingrained traditions and society's resistance to change. In spite of these obstacles, we can say thank you to Professor Hayashi for the efforts made, the challenges overcome, the accomplishments reached and even the battles fought and lost. Beyond each person's memories, Professor Hiroko Hayashi's legacy lives on through the many lives she touched, changed and from now on will continue to inspire.

Stephanie A. Weston

# 謝辞

予定よりも発行時期がずれましたが、その分、様々な方から、ご寄稿頂く時間が取れまして、お陰様で今回、故林弘子の追悼文集ができあがりました。ありがとうございます。

林の最後の勤務先でありました、宮崎公立大学関係者の皆々様の格別なご高配を賜りまして、スムーズな編集の動き出しとなりました。また、地元の出版社ということで、宮崎市の鉱脈社様にお願いいたしまして、幸先よく出発しました。ところが、発起人の私が、追悼集と思いながらも、その現実を受け入れることが、どこか、嘘事のような気がして、なかなか踏み切れず、令和二年（二〇二〇）、コロナの緊急措置に指定された福岡市の逼塞生活の中で新緑の五月も中頃に何とか書き終えました。

皆様への依頼状発送以降も、何度か福岡在住のメンバーで、本の構成の打ち合わせなどしていましたが、緊急事態宣言以後はメールのやり取りで進めてきました。任意の集団でしたが、役割分担がうまい具合にできて、宮崎公立大学有馬晋作学長、宮崎公立大学上原道子理事、福岡大学法学部ステファニー　A・ウエストン教授、福岡大学林弘子ゼミナールOBOG会武藤康之会長、同じく徳永明日香事務局長、福岡労働局非常勤江﨑康子様にそれぞれの役割を担っていただきました。

途中、二〇一五年六月十三日から十四日にかけて林教授が学長在任中に宮崎公立大学において開催された国際シンポジウムの未発表原稿を、改めて英文学術論文スタイルで掲載ということになりました。それぞれの原稿はその著者が修正し、脚注はシカゴヒューマニティスタイルに書き換えられました。著者への連絡、書式の変更は、ステファニー A・ウエストン教授がされ、また、この作業に連動して江﨑様には、もう一度日本語の修正をしていただきました。単なる校正ではなく、書式を含む訂正を快諾し、全面的に対応していただき有難うございました。また同時に、修正などに協力してくださったハワイ州教員連盟 元エグゼクティブ・ディレクター ジョウン・リー・ハステッド先生、ハワイ大学マノア校ジャパニーズ・スタディーズセンター アソシエイトディレクター ゲイ・ミチコ・サツマ先生、福岡大学法学部国際関係論教授ステファニー A・ウエストン先生に厚く御礼申し上げます。

また、鉱脈社社長川口敦己様、編集およびNPOの方々へのインタビュー調査でご一緒しました同社編集長藤本敦子様、ならびに、インタビューを快諾していただき、久々のなつかしい再会となり、弾むおしゃべりを楽しんだ、一冊の会（東京）、WWN（大阪）、WWV（福岡）の皆様、お世話になりました。厚く御礼申し上げます。

林の敬愛するマザー・テレサの名言に「神様は私たちに成功してほしいとは求めていません。挑戦することを望んでいるだけです。」という格言がありますが、林の人生を一言で語るとすれば、これほど適切な言葉はないでしょう。

林さんがお世話になった方々全てのお名前をここに挙げることはできませんでしたが、各方面の方々からの絶大なご支援が公私の研究活動や挑戦行動となり、広く高い評価を受けたことを、傍で苦楽を見聞きしてきた友として、謹んで謝意を代弁させていただきます。

さらにご報告として林弘子ゼミナールＯＢＯＧ会より、三十万円のご寄付の申し入れがありました。最初から一切の寄付はお断りするつもりでいましたが、林教授との深い師弟関係と、私も研究室に出入りし顔見知りも多く、ご厚情をお受けすることにいたしました。

最後になりましたが、急に発生しあっと言う間に世界を覆った新型コロナウイルスは、そうそう簡単に終息はしないようです。ここに皆様の今後のご活躍とご健康をお祈り申し上げ、私の心からの謝辞とさせていただきます。

二〇二〇年十月一日

発起人代表　坂岡　庸子（久留米大学文学部名誉教授）

# Acknowledgements

Although the publication schedule was delayed, thanks to all those contributors who gave their time, I could prepare Hiroko Hayashi's commemorative anthology.

Editing of this publication went smoothly due to the special consideration of those involved at Hiroko Hayashi's last place of employment -Miyazaki Municipal University. And preparations of this publication got off to a good start after I approached a local publishing company-Komyakusha-in Miyazaki.

Although I proposed creating a posthumous anthology, I felt that the reality of Professor Hayashi's passing was not real. Somehow I could not get started at first on the project. Finally, in 2020 (Reiwa 2) with a cloistered lifestyle due to Fukuoka City's Covid-19 emergency directive, I was able to finish writing a novel like memorial message by mid-May-the beginning of summer in Japan.

Even after sending out invitations to contribute to the anthology, I consulted with members of the project in Fukuoka about the publication's layout. And even during these extraordinary times, I continued to communicate by e-mails with these members. Our roles in an informal group consisting of Mr. Shinsaku Arima, President, Miyazaki Municipal University (MMU); Ms. Michiko Uehara, Board Director, MMU; Ms. Stephanie Weston, Professor, Faculty of Law, Fukuoka University; Mr. Yasuyuki Muto, President, Professor Hiroko Hayashi Seminar OB-OG Kai; Ms. Asuka Tokunaga, Secretariat, Professor Hiroko Hayashi Seminar OB-OG Kai and Ms. Yasuko Esaki, a part time employee of the Fukuoka Labor Bureau, evolved suitably.

During the project, it was decided to include as academic publications the unpublished manuscripts from the International Symposium (June 13-14, 2015), which was organized by Professor Hiroko Hayashi, then President of MMU. Subsequently, the three papers were amended by their authors and footnotes were rewritten in the Chicago Humanities Style. Professor Stephanie Weston engaged in contact with the papers' authors about content updates and footnote changes. Once the additional English text was created, Ms. Yasuko Esaki not only translated the new text to Japanese but also checked the overall Japanese translation of manuscripts for stylistic changes. I would like to thank them both for their overall support. I also want to warmly thank Joan Husted, retired Executive Director, Hawai'i State Teachers Association (HSTA); Dr. Gay Satsuma, Associate Director, Center for Japanese Studies, University of Hawai'i at Manoa, and Professor Stephanie Weston for their consent for not only stylistic changes but also content updates.

Finally, I would like to express my warm appreciation to Komyakusha (publishing company) Mr. Kawaguchi, Atsushi, President and Ms. Atsuko Fujimoto, Head Editor. Ms. Fujimoto also cooperated with a survey carried out through interviews with various NPOs-Issatsu no Kai (Tokyo), Working Women's Network (Osaka) and Women's Voice (Fukuoka) about their opinions, observations, impressions and episodes about past activities with Professor Hayashi Those interviews were nostalgic reunions with free and stimulating conversations. I am indebted to all those at these organizations who allowed us to interview them.

Professor Hayashi respected Mother Theresa's words [God doesn't require us to succeed; he only requires that you try.] I think this message reflects well Professor Hayashi's life.

Although I was not able to mention all those in every area who gave their utmost support which in turn allowed Professor Hayashi to challenge herself and achieve activities that are highly evaluated, here I express my sincerest gratitude to them.

I would also express my deep gratitude to Professor Hiroko Hayashi Seminar OB-OG Kai for their contribution of /300,000 to this commemorative project. At first, I planned to refuse this gift, however, they were Professor Hayashi's students and I became acquainted with many of them as they like I often visited the professor's office at the university. In the end, I accepted their consideration.

Finally, while living in this era of the corona virus, I hope everyone will take care of their health and use these times to take on their own challenges.

October 1, 2020

Yoko Sakaoka

Kurume University Literature Department
Emeritus Professor Project Commemorative

(Yasuko Esaki translation)

# 林 弘子
# その七十三年の生涯と活動

二〇二〇年十月二十一日　初版印刷
二〇二〇年十月三十一日　初版発行

編　集　『林弘子追悼文集』編集刊行委員会

発行者　川　口　敦　己

発行所　鉱　脈　社

〒八八〇－八五五一
宮崎市田代町二六三番地
電話〇九八五－二五－一七五八

印刷
製本　有限会社　鉱　脈　社